新潮文庫

花も刀も

山本周五郎著

目次

花も刀も

落武者日記

一の一

「もういけない、祐八郎《ゆうはちろう》、下ろしてくれ」

「なにを云《い》う」

大畑《おおはた》祐八郎は、叱《しか》りつけるように叫んだ。

「ここまで来て、そんな弱音を吐いてどうするんだ、元気をだせ、佐和山まではどんなことがあっても行くと云ったではないか、いいか、石に噛《かじ》りついても頑張るんだぞ」

「いやだめだ、頼むから……下ろしてくれ」

ほとんど担《かつ》ぐように、肩へ掛けている田ノ口《たのぐち》義兵衛《ぎへえ》の腕が急にぐにゃっと力をなくした。そして祐八郎が肩をつきあげるようにすると、義兵衛の体は、そのままずるずるぬけ落ちそうになった。

「おい田ノ口、おい！」

祐八郎は驚いて、左手にある竹藪《たけやぶ》の中へ入って行って、友の体を肩から下ろした。……もう身を支えることもできないとみえて、濡《ぬ》れ雑巾《ぞうきん》のように倒れ伏すのを、祐八郎は援《たす》け起こしながら、なんども名を呼びたてた。

「しっかりしろ、おい、田ノ口！」

「……無念だ、おれは」

義兵衛は昏《くら》みゆく意識のなかから、ふいにしゃがれた声で大きく叫んだ。

「おれは、忘れないぞ、金吾中納言《きんごちゅうなごん》、犬め、松尾山の裏切り、……無念だ、無念だ」

「義兵衛、声が高いぞ、声が」

肩を摑《つか》んで揺すりながら、祐八郎は、ふと藪の向うでなにか物音がするのを聞きとめた。……関ケ原の敗戦からすでに三日、追及の手のきびしい関東軍の網の目のように張られた手配りのなかを、夜も日もなく逃げ廻って来た神経は、野獣の本能よりも鋭く、危険を嗅《か》ぎつけることに馴《な》れていた。

——誰かが、そこにいる。

かさッとも動かぬ藪のかなたに、じっとこっちを窺《うかが》っている者の姿が、祐八郎にはありありと感じられた。……それで強く義兵衛の肩を摑んで引き起こそうとした。

「田ノ口、もうひと頑張りだ、立ってくれ」

「…………」

返事はなかった。

「おい田ノ口、義兵衛！」

耳へ口を寄せて呼んだ。それから相手の口許《くちもと》へ耳を押し当てた。……呼吸が絶えていた。祐八郎は慌《あわ》てて腹帯を解き、鎧《よろい》の胴をはずしてやろうとした。

すると、そのとたんに、藪を押し分けて来る人の気配がした。

――みつかった。

物音はすばやく近寄って来る。

「義兵衛、冥福《めいふく》を祈るぞ、……さらばだ」

祐八郎はそう囁《ささや》いて、静かに義兵衛の、もう生命の失《う》せた亡骸《なきがら》を横たえると、近寄って来る物音とは反対のほうへ懸命に逃げだした。

「気付かれた、そっちへ逃げるぞ」

うしろで叫びたてる声がした。

「外から廻れ！」

「鉄砲、鉄砲だ」

嚙《か》みつくような喚《わめ》きが、うしろからと、左手から押し包むように響いてきた。そして、ぴしぴしと竹の折れる音に続いて、ふいに右手で銃声が起こった。

だあん！　だあん！　だあん！

祐八郎は思わず足を止めた。そして、押し包んでくる物音の方角を計ると、とっさに身をひるがえして、藪の疎《まば》らになっている一点へと走りだした。

だあん！　だあん！

めくら撃ちに射たてる銃声とともに、竹林を走る弾丸《たま》の、からからという乾いた音が、祐八郎の左右を襲った。

――くそっ。

彼は夢中で駈《か》けた。

藪が尽きて、畑地が現われた。それから雑木林の丘を越えると、ふたたび藪につきあたった。祐八郎は自分の体を叩《たた》きこむように、その藪の中へとびこんで行った。どのあたりで敵をひきはなしたか分らないが、とにかく追跡の手を逃れたことはたしかだった。かなり遠く、それもずっと右のほうで銃声が聞えたきりで、あたりはひっそりと物音もない。

――もう大丈夫だ。

そう思うと同時に、疾走して来た疲れと、胸膜をつきやぶりそうな息苦しさに堪えかね、彼はそこへあおむけさまにうち倒れた。そしてしばらくのあいだはただ、恐ろしい息苦しさと闘うだけが精いっぱいだった。

かなり長い刻《とき》が経《た》った。

呼吸が少しずつ鎮《しず》まってくるにつれて痺《しび》れるような全身の疲れが、うち勝ちがたい力で彼をとろとろと眠らせた。……しかし、瞼《まぶた》が落ちるより早く、鮮やかな幻想が彼の脳裡《のうり》に甦《よみがえ》ってきた。

それは今から三日まえ、すなわち、慶長五年九月十五日、関ケ原に展開された合戦の、ある忘るべからざる一瞬の記憶であった。

一の二

眼もあけられぬほどもうもうと、渦巻きあがる土けぶりだった。夜明け前からはじまった合戦は、午《うま》の刻にいたって、今その最高潮に達していた。

押し寄せ、揉《も》み返す人馬の叫喚が、撃ちあう太刀、槍《やり》、あらゆる武具の響音とともに、すさまじく山野を震撼《しんかん》していた。敵味方の旗さしものが、まるで芒《すすき》の穂波のように、土けぶりで茶色に暈《ぼ》かされた戦場を、縦横にいりみだれ、押し返し、波をうちつつ、しだいに東へ東へと移動していた。

——味方の勝ち目だ。

——見ろ、徳川家康の本陣が崩れだしたぞ。

——最後のひと押しだ。

みんなそう信じた。事実、混沌《こんとん》としていた乱軍のかたちが、今やもっとも微妙な勝敗の分水嶺《ぶんすいれい》に登りつめ、石田軍はまさに勝利の一瞬をわがものにしたと見えた。

じつにそのときであった。

味方の右翼から、眼に見えぬ一種の波動が、電撃のように全軍の上に脈搏《みゃくう》ってきたと思うと、もっとも怖《おそ》れていた叫びが人々の上で炸裂《さくれつ》したのである。

——小早川《こばやかわ》どのが裏切った。

——金吾中納言どのが裏切った。

松尾山に陣を張っていた小早川秀秋《ひであき》の軍勢が、そのとき、騎馬隊を先頭に、味方の大谷刑部吉継《おおたにぎようぶよしつぐ》の陣の側面へ、なだれをうって殺到して来たのだ。

憎むべし！　金吾秀秋が裏切った、まさに勝利を摑もうとした時に、その時に。小早川秀秋が敵へ裏切ったのだ！

「ああ、……」

自分の口から出た呪咀《じゆそ》の呻《うめ》きで、祐八郎ははっと仮睡《まどろみ》から覚めた。

——秀秋の犬め、死んでも忘れんぞ！

臨終に叫んだ義兵衛の声が、なまなましく耳の奥から甦ってきた。……いや！　義兵衛ひとりの声ではない。石田《いしだ》三成《みつなり》の全軍の将士、生霊と亡魂とが声を合せて叫ぶ呪咀の叫びだ。

あたりは死んだように静かだった。

仰むけに倒れている祐八郎の眼は、枝をさし交わしている竹藪の上に、高く高く、星がまたたいているのを見た。

「ああ星が美しいな」

祐八郎はそっと呟《つぶや》いた。

「御主君はいま、どこでこの星を見ておいでなさるだろうか」

故太閤《たいこう》の恩に酬《むく》ゆるため、義軍を起こして一敗地にまみれ、味方はちりぢりばらばら、主将三成も身をもって戦場を落ちて行った。

——主君に会いたい、主君の先途を見届けたい、そして佐和山城に入ってもうひと合戦。

そう思って、祐八郎と義兵衛は落ちのびて来たのだ。

「そうだ、こうしてはいられない」

彼は身を起こした。

主君を捜さなければならぬ。佐和山城へ急がなければならぬ……。体は綿屑《わたくず》のように疲れていた。骨の節々が砕けそうに痛む、饑餓《きが》と渇きで、眼が昏むようだった。

彼は藪を分けて歩きだした。西へ、ただ西へ向って、歩いた。

うしろから出た月が、いつかしら前へ廻った。下枝や草の葉に、露が光りはじめた。

林を通りぬけ、丘へ登り、畑を歩いた、溝《みぞ》を渉《わた》った。やがて空が白みはじめてきた。

祐八郎はふと、ぎょっとして足を停めた。すぐ眼の前に、木の香も新しい高札が立っているのをみつけたのだ。彼は近寄ってみた。

急度《きっと》申遣事《もうしつかわすこと》

一、石田治部《じぶ》、備前宰相、島津、三人、捕え来たるにおいては、御引物のためその所の物なり、永代無役に下さるべきむね御掟候こと。
一、右両三名とらえ候こと成らざるにおいては討果し申すべく候、当座の引物として金子百枚くださるべきむね、仰《おお》せ出でられ候こと。
一、その谷中差送り候に於《お》いては、路次有りように申上ぐべく候、隠し候においては、その者のことは申すに及ばず、その一類、一在所、曲事に仰付けらるべく候こと。
右のとおりに候間おいおい御注進申上ぐべく候也
九月十七日

田《た》中《なか》兵部大輔《ひょうぶだゆう》

「もうこんな処《ところ》まで！」

祐八郎は茫然《ぼうぜん》とした。こんな処までもう手配が廻っているとすれば、主君の身の上はどうなったことか分らぬ、佐和山へも行けるかどうか。

「いやここで挫《くじ》けてはいかん」

彼は自分を叱咤《しった》した。

「ひと眼でも御主君に会わぬかぎり死んではならん、どんなことをしても佐和山城へ入るのだ、どんなことをしても」

卒然として起こった馬蹄《ばてい》の音に、はっと我に返った祐八郎の背後へ、

「落武者だ、みんな出あえ！」

と喚きながら三騎の武者が馬を煽《あお》って殺到して来た。祐八郎は本能的に太刀を抜いた。抜きながら、右手の、深い叢林《そうりん》の丘へ、脱兎《だっと》のように跳びあがって行った。

二の一

ひと息、丘を登ったところで、

「わっ」

というような叫びとともに、追い詰めて来た者が、うしろから槍を突きだした。穂先が外れた刹那《せつな》、うしろ手に切り払った祐八郎の太刀が、偶然にも相手の両眼をみごとに薙《な》いだ。……そのとき祐八郎は、ぎゃっと悲鳴をあげて転げ落ちる相手のうしろに、斜面を登って来る三人の武者たちの、大きく瞠《みひら》いた眼と、なにか喚いているらしい口とが、なぜかしらひどくはっきり眼にうつった。

叢林に包まれた丘は、何段にもなって、次々と高くひろがっていた。……祐八郎は茂みを茂みをと覘《ねら》ってしゃにむに登った。

追手の声はいつか遠くなった。

どのくらい駈けたであろう。段丘の頂へ出て、それを右へ、松林の中をしばらく走ったと思うと、左手に谿流《けいりゅう》の音が聞えてきた、……水だと気付いたとたんに、昨夜からの渇きが恐ろしい力で喉《のど》を絞《し》めつけた。

――水だ、水だ。

なかば夢中で、音のするほうへ丘を下りようとした。そこは熊笹《くまざさ》の藪だった。浮足で下りるところを、その笹へ踏込んだので、ずるっと滑った。

――ああ。

と叫んで笹を摑もうとしたが、物具《もののぐ》を着けている重みで、そのままずずずと滑って行く、どうする間もなかった。体が宙に浮いたと思うと、断崖《だんがい》の外へ毬《まり》のように堕《お》ちていった。

大地に体を叩きつけられたとき、祐八郎はその衝撃をたしかに感じた。しかし、そのあとはまるで覚えがなかった。……陣鉦《じんがね》や貝の音が、潮騒《しおさい》のように遠く近く聞えた。……松尾山から押し下る中納言秀秋の軍勢の、旗さしものの飜《ひらめ》くのが見えた。……裏切り、裏切りという味方の者の絶叫が、耳を劈《つんざ》くように響いてきた。

――金吾秀秋、犬め！

混沌とした意識の底から、現《うつつ》よりも鮮やかな幻の声が、またしてもなまなましく甦ってきた。その声で、祐八郎はふっと意識をとりもどした。

「もし、……もし、お武家さま」

声はまえよりもはっきりと聞えた、……白い顔と、美しい眉《まゆ》とが、祐八郎の眼にうつった、彼は夢のようにそれを見ていたが、やがて、自分の眼前に、一人の若い娘がいることを認めた。

――いかん。

気付いて、彼はがばとはね起きた、いや、はね起きようとして、背骨に伝わる鋭い痛みのために、呻き声をあげながら顚倒《てんとう》した。

「危のうございます」

娘は誘われるように走《は》せ寄って、祐八郎の肩を抱いた、……柔らかく、温かい娘の体は、祐八郎に分るほどわなわなと震えていた。

「お立ちあそばしてくださいまし、すぐそこにわたくしの家がございます、ここでは人眼にかかるといけませぬから」

「……拙者は石田軍の落人《おちゆうど》だ」

「よく分っております」

「拙者に関わっては、あなたに迷惑がかかる、もし……その気があったら、ここにいたことだけを、他言しないでください」

「よく分っております」

娘は聡明《そうめい》な眸子《ひとみ》に泪《なみだ》さえうかべながら、優しく頷《うなず》いて云《い》った。

「でもお怪我《けが》をしておいでのようすですし、このままではどうあそばすこともできませぬ、わたしの家は里からも遠く、家には病気で寝たきりの父一人しかおりませぬ、けっして御心配あそばさずに、せめてお傷の手当なりとして行ってくださいまし」

「……かたじけない」

泪をうかべた娘の眼を、祐八郎は泣きたいような感謝の気持で見上げた、……はじめて見る眸子とは思えなかった、真実の籠《こも》ったその声も、はじめて聞く声のようではなかった。

「では申しかねるが、御親切にあまえて……」

「さあわたくしの肩へお捉《つかま》りくださいまし。いいえ、野良《のら》育ちでございます、どうぞ御遠慮なくお掛りくださいまし」

娘はまるい肩を、かいがいしく男の腋《わき》の下へ入れた。祐八郎は歯を喰いしばって立ち、云われるままに娘の肩へもたれかかった。

崖《がけ》の下を少し行くと、谿流に沿った岩の上に、水手桶《ておけ》と担《にな》い棒が置いてあった。娘はそこへ水を汲《く》みに来て彼をみつけたらしい。……それから右へ、爪先《つまさき》登りに二十間ほど行くと、径《みち》は粟《あわ》畑の前へ出た。熟した果のみごとに生《な》っている柿《かき》の木が十四五本、その間をぬけるとすぐ、高い風除《かぜよ》けの木に囲まれて、貧しげな農家が一棟建っていた。

「ここでございます、むさ苦しゅうございますけれど、どうぞ我慢あそばして」

「とんだ御雑作《ごぞうさ》をかけます」

「もうそんな御会釈《ごえしやく》はお止《や》めくださいまし」

云いながら、娘はほとんど男を担《かつ》ぎあげるようにして、庭へ向いた縁側へと掛けさせ、ふと祐八郎の眼を見て明るく微笑した。

——おや、この笑顔は？

祐八郎は、一瞬どきっと胸をつかれた。

——見た顔だ、どこかで見た笑顔だ。

そう思ったのである。

「すぐおすすぎを持ってまいります」

祐八郎の凝視にあって、娘は眉のあたりを染めながら、小走りに裏手のほうへ走って行った。

二の二

——そうだ。

闇《やみ》のなかで、祐八郎は急に、夢から覚めたように眼を瞠いた。

——そうだ、妻の顔だ、あの眼許《めもと》、眉のあたり、若菜《わかな》の顔に生写しだった。

家のなかは暗く、物音もない、外には風があるとみえて、さらさらと粟の葉ずれの音が聞えてくる。もう夜半を過ぎたであろう、傷の手当にも、作ってくれた胡桃《くるみ》入りの粥《かゆ》にも、温かい愛情と真実とが痛いほど感じられた。眼許や眉が似ているばかりではない、その愛情のこもったとりなしの端々が今は亡《な》き妻の若菜をまざまざしく思いだせる。

「ああ、……若菜、おまえだった」

祐八郎は久しく口にしなかった妻の名を、胸の震えるような懐《なつ》かしさで呼んでみた。

襖《ふすま》がすっと開いた。

ほのかに灯火の光が流れてきた。そして、娘が跫音《あしおと》を忍ばせながら入って来た。

「もし、……どうかあそばしましたか」

「いやべつに、大丈夫です」

「なにかおっしゃったように存じましたけれど、もしお苦しゅうございましたら
……」

「なんでもないのです、ただ」

あなたが、死んだ妻のように思えたので、……そう云いかけて、口を噤《つぐ》んだ祐八郎のようすを見て、娘は去りかねたように、そっとそこへ坐《すわ》った。

「お眠りなされませんのですか」

「ひどく疲れているのだが、眼が冴《さ》えて眠れないのです。……落人の身でこんな親切な御介抱を受けようとは思わなかった、まるで夢のような気持です」

「そんなにおっしゃっていただくと、かえって恥ずかしゅうございますわ」

娘は健康な膝《ひざ》の上へ、肉付のみずみずしい手を重ねながら云った。

「まだ申上げませんでしたけれど、わたしに兄が一人ございますの」

「お兄さんが」

「それが三年まえ、大坂へ上って武士になるのだと申し、父やわたくしの諫《いさ》めも肯《き》かず家出を致しました。……こんどの関ケ原の合戦に、もしや兄が加わっているのではないか、加わっているとすれば石田さまがたであろう、そしてあのお気の毒な敗け戦《いくさ》に遭って、生きて落ち延びることができたろうか、それとも討死をしてしまったか。……父も、わたくしも、その心配で夜も眠れませんでした……わたくしあなたさまを見ましたとき、すぐ石田さまがたのお侍だと存じました、そして」

と、娘は申訳のないことをうちあけるように、少し口籠《くちごも》りながら続けた。

「すぐに兄の身の上を思いだしたのでございます」

「そうですか、……そうでしたか」

「でも、そう申上げましても、お怒りくださいませぬように……」

「とんでもない、そう伺って、あなたの御親切がなおのこと身にしみるばかりです。……して、お兄さんのお名前はなんとおっしゃる」

「うちには柏山《かしわやま》という、古くからの姓がございますの、兄は条助と申しますけれど。

でも、……武士になったとしましたら、名を変えていることだと存じますわ」

「柏山条助。……柏山」

なんども口の中で呟いてみた。しかし、まったく聞いたことのない名だった。……もし娘の考えるとおり、彼が西軍にいたとして、そして、もしあの戦場から落ち延びることができたとしたら、そのままここへ来ていなければならぬはずだ、今日まで姿を見せぬとすれば、……あるいは関ケ原の露と消えたのかも知れぬ。

「あなたさまは、これからどちらへお越しあそばします」

「治部の殿（三成）のおゆくえをたずね当て、佐和山の城へ入って、さいごのひと合戦をするつもりです」

「まあ、それは！」

と、娘は思わず驚きの声をあげた。

「それでは、あなたさまはまだ、御存じありませんのですか」

「知らぬとは、なにをです」

「佐和山のお城は陥《お》ちました」

「……陥ちた」

祐八郎は愕然《がくぜん》と声をあげた。

「それは、本当ですか」

「はい井伊、脇坂《わきさか》、小早川の軍勢が攻めかかり、昨日の朝とうとう落城したと、見て来た人の話でたしかに聞きました」

「……そうか。……ついに佐和山も、落城か……」

絶望と悲憤とで、祐八郎は身も心もうちのめされてしまった。……たった一つの希望、残された唯一《ゆいいつ》の死場所がなくなったのだ。

祐八郎の絶望をそれと察したのであろう、娘はそっとすり寄って、

「もしあなたさまさえおよろしかったら」

と心を籠めた調子で云った。

「この家でお怪我の養生をあそばしませぬか、そのうちには治部少輔《しょうゆう》さまのお行衛《ゆくえ》も知れましょう。それからお駈《か》けつけなさいましても遅くはないと存じますが」

「ありがとう……できればそうしたいのだが」

祐八郎はそう云いながら娘の眼を見上げた。

三の一

娘の眼は、朝のときのように泪をためていた。眉のあたりに、男を憐《あわ》れみいとしむ

あたたかい愛情が、溢《あふ》れるように滲《にじ》んでいた。

——若菜。

祐八郎はそう呼びたかった、しかしようやくそれを抑えつけた。やがて娘は夜具の隅を押えてから、そっと次の間へ去って行った。

明けがたと思われるころだった。

さすがに連日の疲れが出て、ぐっすり眠っていた祐八郎は、異様な人の叫び声にはっと眼覚めた。声は家の裏手でしていた。暴々《あらあら》しい男の喚《わめ》きに交って、この家の娘の必死に押し止《とど》める声がする。

「嘘《うそ》です、家には父が寝ているだけです」

「黙れ、この干し物はなんだ、百姓の家にこのような品があるか」

「それは、……ひ、拾った品です」

「面倒だ、踏込め！」

「あれ、父は重病で寝ております、あれっ」

だだっと戸を押し破る音に続いて、人の踏み込んで来る気配がした。

このあいだに床をぬけ出していた祐八郎は、太刀をひっ摑《つか》んで、縁側の雨戸を蹴《け》放《はな》しざま、前庭へだっととび下りた。

「ああ、逃げた」

「庭へ廻れ」

そういう声と、娘の悲鳴とが、鋭く彼の耳を打った。

外は深い朝霧だった。祐八郎は痺《しび》れている片足を引摺《ひきず》りながら、懸命に粟畑の中へとび込んで行った。

しかし遅かった。追い詰めて来た一人が、やっと叫びさま、体ごと、うしろから跳びかかる、躱《かわ》そうとしたが、浮いていた腰が砕けてのめる、その勢いをそのまま、三転して脱出しようとしたが、続いて走せつけた一人が、獣のように咆《ほ》えながら跳びかかった。

――八幡《はちまん》！

彼は身を捻《ひね》って太刀を抜こうとした。しかしそれより疾《はや》く、体の上へ二人の力がのしかかって来た。祐八郎のはねあげた足は、一人を六尺あまりも飛ばした。一人の手首を嚙《か》んだ、それが精いっぱいの反抗であった。

――もういけない。

祐八郎は『そのとき』がきたと悟った。それで反抗することを止《や》めた。

縄を掛けられて引き起こされたとき、なによりもさきに彼は、そこに立っている娘の姿を認めた。娘は彫像のようにかたく硬《こわ》ばった顔で、わなわなと総身を震わせていたが、立ちあがった祐八郎を見ると、ひき裂けるような悲鳴をあげながら、地面の上へ崩れ落ちてしまった。

「貴公たちは誰の組だ」

祐八郎は振返って訊《き》いた。……具足を着けた三人の武士は、まだ肩で息をついていた。

「我らは田中兵部大輔どのの家臣だ」

「そうか、……では念のために申しおくがこの農家に罪はないぞ、拙者がこの娘を太刀で威《おど》し、訴えたら病父を殺すと云って、無理に一夜を押しかけて泊ったのだ」

「そんなことは本陣へ行って云え、我らは狩り出すだけが役目だ」

「飢えた野良犬どもの犬狩りだ、わはは」

三人は声を合せて笑った。

「その、……娘」

祐八郎は静かに振返って、

「迷惑を掛けて済まなかった、おまえに罪のないことは、陣所へまいって固く陳弁してやる、……雑作をかけた詫《わ》びを云うぞ」

娘は答えなかった。そして地面に膝をついたまま、大きく空虚《うつろ》に瞠《みひら》いた眼で、喰入るように祐八郎の眼を見上げていた。

「別れるまえに訊《たず》ねたいことがある、おまえの名を聞かせてくれ」

「……まつ、……まつと申します」

「……まつ。済まなかった」

祐八郎は娘の眼を見返しながら、心へ刻みつけるように呟《つぶや》くと、振返って、

「さあ曳《ひ》いて行け」

と高く顎《あご》をあげた。

もうなにも考えることはなかった。行き着くところへ行き着いた者の、澄んだ、快いほどに澄んだ気持だった。……石山の陣所でひととおり訊問《じんもん》され、三成の家臣だということが分ると、そのまま大津へと運ばれた。

――御主君はどうあそばしたか。

なによりもそれが知りたかった。それで大津へ曳いて行かれる途中も、警護の者の言葉から耳を離さなかった。しかし、結局は安否を知ることができずにしまった。

石山から大津までのあいだは、おびただしい関東軍の人馬で埋まったようだった。勝軍にめぐまれた人々の、元気いっぱいな、明るい談笑がいたるところで湧《わ》きかえっ

ていた。……佐和山が落ちて、石田一族が炎上する城に殉じたことも、その人々の声高な話のなかから聞いた。

大津に着いたのは深夜を過ぎていた。

三の二

その翌日、ようやく日の昇った頃、本陣の幕営へ曳き出された彼は、一瞬おやっと思った。……幕営のようすがあまりに物々しい。

——誰の陣だろう。

そう思っていると、やがて、三ツ葵《あおい》の紋を打った幕張りの内へ入った。三ツ葵は徳川の紋である。それでは秀忠《ひでただ》の陣かと思った。しかし、ほどなく正面へ現われた人物は、髪毛《かみのけ》の半ば白くなった、赭顔《あからがお》の肥えた老人であった。……同時に、左右に扈従《こじゅう》して来た部将の中に、見覚えのある本多忠勝《ほんだただかつ》の顔をみいだして、祐八郎はさすがに驚いた。

——家康だ、家康だ。

それはまさに徳川家康だった。

旗本の部将たちに護《まも》られて、設けの床几《しょうぎ》へ静かに腰を下ろした家康は、瞼《まふた》のたるんだ細い眼で、しばらく祐八郎の顔を見戍《みまも》っていたが、……やがて低い柔らかな声で呼びかけた。

「そのほうは治部少輔の家来だそうじゃな」

「……いかにも」

祐八郎は昂然《こうぜん》と顔をあげた。

「ならば、治部少輔のいどころを知っておるであろうが、どうじゃ」

「……いかにも」

御主君はまだ御無事だった！　祐八郎はとびあがって歓呼したい大きな欲望を感じた。……御主君は無事なのだ、どこかにまだ生き延びて在《おわ》すのだ、……そう思うと、一瞬まえまでの絶望の中に、微《かす》かながら一筋の光がさしてくるのを感じた。

「いかにも」

と彼は声高く答えた。

「主君、治部少輔の殿の御在所は知っております」

「それを聞きたいのじゃ」

「……ほう」

「五日や十日生き延びられようとて、しょせん覆水は盆にかえらぬ、治部どのの名のためにも、早く始末をつけるほうがよかろうではないか。……治部どのはどこにおらるるの」

「さぞお知りになりたいでございましょうな」

「聞かずにはおかぬじゃ」

「さて、……どうありましょうか」

老人の細い眼が、そのとき、かすかにきらりと光を放った。……そして、皺《しわ》をたたんだ丸い指で、静かに膝を撫《な》でながら、

「あれを見い、あの幕の側にあるものを」

と右手を顎でしゃくった。……そこには、一見して拷問《ごうもん》道具と分る物が、乾いた血の痕《あと》をどす黒く滲ませて、並んでいた。祐八郎はつくづくと見てから振返った。

「責め道具でございますな」

「体は弱いものじゃ」

家康は柔らかい撫でるような声で云《い》った。

「心はどのように固くとも、人間の体が苦痛に堪えられる限度は知れたもの、今までに何十人となくその証拠を見せている、……どうじゃ、試してみるかの」

「試していただきましょう」

祐八郎は正面あげて家康を睨《ね》めつけながら云った。

「いまより四日まえ、関ケ原の合戦に、わたくしは金吾中納言《ちゆうなごん》どのの裏切りを見ました、秀秋どのの裏切りの軍勢が、味方の側面へなだれ込むのを、……この眼ではっきりと見ました」

「…………」

「弓矢とる身にとって、見るべからざるものを見たのです。わたくしの五体は、そのとき八千《やち》にひき裂けました」

祐八郎の全身が痙攣《ひきつ》るように震えた。彼は咽《のど》も割れるかと思える声で叫んだ。

「そのときわたくしの五体は、呪《のろ》いと忿怒《ふんぬ》のために八千にひき裂けたのです、この体のどこにも、もう痛むところは残っておりません。お責めなさるがよい、徳川どの、わたくしは治部の殿の御在所を知っておりまするぞ」

彼の叫びは高く、幕張りの内に昂然と響きわたった。

家康の表情は少しも動かなかった。いやむしろ、そのたるんだ瞼の下にある細い眼が、いつか力を無くして閉じられさえした。

——金吾中納言の裏切り。

その一言が、家康の太い胆玉に、わずかながら鋭い痛みを感じさせたのである。

……老人は間もなく眼をあげた。

「あっぱれ申しおるのう」

家康は低く呟くように云った。

「そこまで心を決められては、いかな責め道具も歯がたつまい。……誰ぞ、その縄を解いてやれ」

みんな怪訝《けげん》そうに眼をあげた。

「縄を解いて逃がしてやれと申すのじゃ」

そう云って、家康は床几から立ち、

「祐八郎とやら」

と振返って、

「治部どのに会ったらそう申しつたえてくれ、おひとがらには惜しい家来を持たれる、羨《うらや》ましいことじゃと」

そして幕のかなたへ去って行った。

陣所から曳き出され、木戸の外へと解き放された祐八郎が、石山のほうへ、歩きだしたとき、……うしろから名を呼んで追って来る者があった。

「大畑さま、お待ちあそばして」

振返ると、意外にも、あの農家の娘まつであった。

「まつどの、どうしてここへ」

「大畑さま！」

娘は側へ走せ寄ると、泣き腫《は》らした眼をいっぱいにみひらいて、祐八郎の眼を見上げながらすがりつくように云った。

「わたくしも曳かれてまいりました」

「あなたも、……ではやはり拙者の言訳は通らなかったのか」

「でもいま許されましたの、あなたさまがお調べをお受けあそばすようすも、幕を隔てて伺っておりました、……おめでとう存じます」

「重ね重ね迷惑をかけて、詫びの申しようがありません、どうか許してください」

「わたくし本当にはらはら致しました」

娘は男と並んで歩きながら詫び言をうち消すように云った。

「あなたさまは、治部の殿さまのお行衛を御存じないはずでございましょう……それなのに、あんなに幾度も知っているとおっしゃって。もし、拷問などにかかったらどうあそばすおつもりでございました」

「……ああ云うほかに言葉がなかったのです」

祐八郎は苦く笑いながらいった。

「さむらいともある者が、しかも戦場で、自分の主君をみうしなった、ゆくえを知らぬと云うことができますか。……たとえ責め殺されても、知らぬとは云えないことです」

「まあ……わたくし、気付きませんでした」

娘は武士の生きかたの厳しさに、いまさらながら驚きと尊敬とを感じた。

「そのお立派なお覚悟が、こうして無事に出ておいでになる元だったのですね。もうこれで安心でございますね、お約束どおり、わたくしの家へおいでくださいますでしょう？」

「あなたの家へ？」

祐八郎は振返ったが、すぐ元気な声で、

「そうです、まいりましょう」

と云って笑った。

「この傷では動きがとれません、しばらく御厄介になって、百姓のお手伝いでもするとしましょう」

「まあ、本当でございますか」

娘は満面に、つきあげるような歓喜の表情をうかべながら、男の顔を仰ぎ見た。

「本当です」

祐八郎はそう答えた。……早くも彼は、自分のうしろに、家康から跟《つ》けてよこした、隠密《おんみつ》の眼が光っているのを感付いたのである。……彼が行くところへはどこまでも跟いて来る眼だった。――いま御主君を捜しに出ることはできない。いずれにしても、こうなる運命だ、娘の親切にまかせて、当分はようすをみるほかに手段《てだて》はない。

「本当ですとも」

祐八郎は、跟けて来る隠密に聞けとばかり云った。

「拙者は、このまま百姓になろうかとまで考えていますよ」

「まあ大畑さま」

娘の明るい声が、松並木に快い反響を呼び起こした。……湖畔の道は、清らかな秋の日ざしを浴びて、白々と石山の里へとのびていた。


（「講談雑誌」昭和十六年四月号）

若殿女難記

一

東海道金谷《かなや》の宿《しゆく》はずれに、なまめかしい一廓《かく》がある。間口の狭い平べったい板屋造りで、店先にさまざまな屋号を染出した色暖簾《いろのれん》を掛け、紅白粉《べにおしろい》の濃い化粧をしたなまめかしい令嬢たちが並んでいる。茶屋小料理めかしたり、土産物を売る態《てい》に拵《こしら》えているが、食事をしに入ったり土産物を買いに寄ったりするとひどいめにあう。そこに並んでいるなまめかしい令嬢たちは割かた朴訥《ぼくとつ》で飾り気がないから、そんな客には遠慮ぬきで嘲弄《ちようろう》と悪罵《あくば》をあびせかける。悪くすると塩を撒《ま》かれて、おとといおいでなどと云《い》われるから御注意が願いたい。

梅雨どきには珍しいどしゃ降りが四五日続き、なおじとじと霖雨《りんう》が降っている。普通なら客足の少なくなる条件だが、この一廓はいまたいした繁昌《はんじよう》ぶりだ。というのは大井川が出水で渡渉禁止となり、駅には旅客が溢《あふ》れている。宿という宿、料理屋という料理屋。どこもかしこも客だらけで、それが泰平の世の有難さに、降り籠《こ》められた退屈しのぎのどんちゃん騒ぎで賑《にぎ》わっている。これらのこぼれがかのなまめかしい一廓へぬけ遊びに押掛けるわけだ。……ところでその中の「おそめ」と暖簾を掛けた店へ、毎晩やって来る侍客があった。こんな所へ来る侍はたいてい足軽か精ぜいお徒士《かち》と定《きま》ったものだが、その客は着ている物も立派だしずばぬけた美男で、おまけに恐ろしく金放れがいい。年は二十四五だろう。初めて相手に出た朴訥な令嬢はすっかり魅惑されて、

「まあ嬉《うれ》しく好《い》い男っぷりだこと、おらあ商べえ気を忘れたあよう」こう云いざま受取った金をすばやく帯へ押込み、客の腕を思いっきり捻《ひね》りあげたくらいである。「まるでお大名の若殿みてえだ、おらの他《ほか》に浮気でもしたら、眼のくり玉へ金火箸《かなひばし》をぶっ通すだぞ」

「はっはっは、お大名の若殿か」その客はこう笑って握り拳《こぶし》で鼻をこすり、「案外そうかも知れねえ」と顎《あご》を撫《な》でた。

三晩四晩と続けて来る、表の暗がりに必ず誰か待っていて、頃をみはからっては伴《つ》れて帰る。

「お友達なら一緒に伴れて来なあよ」

襟《えり》がみを取ってこう揺すぶったら、

「あれあ家来だ」と済ましている。

「四斗樽《だる》の尻《しり》を抜くような法螺《ほら》をこくでねえ、面《つら》あこそ生っ白くて若殿みてえだが、

なんかの時にあ折助より下司《げす》なもの好みをするだあ、家来持ちが聞いて呆《あき》れるだよ、この脚気《かっけ》病みの馬喰《ばくろう》め」

「なにを吐《ぬ》かす、うぬこそ裾《すそ》っぱりで灰汁《あく》のえごい、ひっ限《き》りなしで後せがみで、飽くことなしの止《よ》すとき知らず、夜昼なしの十二刻《とき》あまだ」

「へん憚《はばか》りさまだよ、女御《にょご》お姫《ひい》さまから橋の下の乞食《こじき》まで女という女はこう出来たもんだ、お蔭《かげ》でおめえなんぞも気が狂わずに済むだあ、この煮干の首っ括《くく》りめ」

これらの語彙《ごい》はすべて朴訥な愛情の表現である。その証拠に令嬢はこういった後で客の肩へしたたか嚙《か》み付いた。

「いいかげんにしろすべた阿魔《あま》、恐れながら十八万六千石の御尊体だ。痣《あざ》でもついたら」

「えへん」

外でこう咳《せき》ばらいの声がした。例の家来なる者であろう、客は首を縮めて黙り、握り拳で鼻をひっこすった。総じてこの客は、人品に似合わず言葉も挙動も劣等である。なにかといえば拳骨《げんこつ》で鼻をこするが、その容子《ようす》は正に軽子《かるこ》か駕舁《かごか》き人足といった風だ、けれえなる者にもこれが遺憾《いかん》だったらしく、「おそめ」から帰る途中の暗がりで、こっぴどく叱《しか》られた。

「なんという口の軽いやつだ、ばか者、——あれほど云っておいたのに、このばか者」

「皆ながそう云わあ」彼は平気でにやにや笑った。

「あいつの馬鹿《ばか》は生れつきだって、へん、久しいもんだ」

五晩めに来たときである。家来なる者が表の暗がりに待っていると、そこへ三人ばかり覆面した侍が近寄って、互いになにかすばやく囁《ささや》きあった。その中で一人が、

「ああ癖もよく覚えた、このくらいでよかろう」などと云うのが聞えた。「声も大丈夫、なに下品を真似《まね》るくらい」

「では——」

そして彼等はまた暗がりの街へ消えた。もちろん家来なる者は残ったのである。そうして毎《いつ》もより早く伴れを急《せ》き立てて帰ったのだが、諸君、ここをよく注意して頂きたい、二人が表通りへ出たとたん、十人ばかりの覆面した暴漢が現われて彼等を取巻いた。すわ、いかなる惨劇が展開するだろう、演者《わたし》も思わず膝《ひざ》を乗出したが、——いや待たれよ、惨劇は展開しなかった、展開どころか人影は寧《むし》ろつぼんだ、そのときただひと声、「きゅう」というような呻《うめ》きが聞えたばかりである。そしてなんと、家来なる者とその伴れとは悠々と町のほうへ去り、十人の暴漢はなに者かを担《かつ》いでしょぼ

降る小雨の夜道を西へとずらかったのである。

読者諸君は「おそめ」に於《お》ける下賤《げせん》な卑《いや》しい会話を辛抱して下すった、ついでにこの思わせぶりな夜道の出来事をも、根問い抜きに受入れて頂けるものと信ずる。そこでもっと明るい部屋へ御案内するのだが、――あ、ここだ、金谷の駅の本陣「太田屋良助」と看板の出ているこの宿屋ですよ、ここには七日まえから美作《みまさか》のくに津山で十八万六千石、森伯耆守《ほうきのかみ》の江戸邸《やしき》の家臣が十七人泊っている。彼等は美作の国許《くにもと》から来る若殿、大助さまをここまで迎えに出たもので、しかもかなり微妙な役目さえ帯びて来ているのである。

二

太田屋の奥座敷に五人の侍が坐《すわ》っている。煌々《こうこう》と燭台《しょくだい》が明るいのでよく見えるが、その内の二人はさっき「おそめ」から帰った例の客と家来なる者だ。残る三人は五十《いそ》塚紋太夫《づかもんだゆう》、額田采女《ぬかたうねめ》、原野九郎兵衛という、いずれも森家江戸邸の物頭《ものがしら》格以上で、五十塚は七百石の扈従《こしょう》組支配を勤めている。四十がらみの肩の怒った体、色の小黒い髭《ひげ》の濃い睨《にら》みのきく顔つきだ。

「いいか伝吉、いよいよ今夜から貴様の役目が始まるんだぞ」紋太夫は刺し通すような声でこう云う。

「——貴様の云うことはなんでも聞いてやった、望むことはすべて協《かな》えてやった、が、もう終りだ、これまでのことはなにもかも忘れるんだ、いいか、もう貴様は伝吉ではない、卑しい遊びや安酒や下司な暮しとは縁切りだ、わかっているだろうな」

「あたぼうのまん中でさあ」おそめでひどくもてた客、即《すなわ》ち五十塚に伝吉と呼ばれたこの若者は、膝をぽんと叩《たた》いてみえを切った。「わっちだって一升一匁《もんめ》八分なんて酒より、剣菱《けんびし》か三鱗《みつうろこ》の生一本とくるほうが正月だからね、あんなおこぜの生れかわりみてえなすべたの代りに御殿女中だのお姫さまと浮気を」

「その口を閉めろ、ばか者」紋太夫は低く叱りつけた。「今夜からの貴様の役はそんな暢気《のんき》なものではない、われわれの申付けを守って温和《おとな》しくしておれば栄耀《えいよう》栄華な一生が送れる、が、申付けを守らず、ちょっとでも詰らぬ失策をすると縛り首だ、これが空威《からおど》しでないことは、自分の役目を考えるだけでわかるだろう」

「け、けれども」伝吉は拳骨でぐいと鼻をひっこすった。「けれどもですね、わっちゃあ」

「黙れ口を閉めろ、そのわっちも唯今《ただいま》から禁ずる、起《た》ち居も動作も、言葉づかいも、予《かね》て教えられたとおりにやる、いいか、貴様は馬鹿だ、自分は愚か者だということを毎も肚《はら》で考えておれ、おれは馬鹿だ、すべて付いている者のいうままになろう、——常にこう考えるんだ、わかったな」

「けれどもですね、その、わっちは」

「それもう出る、縛り首だぞ」紋太夫は平手打ちをくれるように、真向からきめつけた。それから例の家来なる者に振返って、「これはやはり其許《そこもと》がいかぬとだめだな、宙野、いってくれるか」

「まいりましょう」宙野、即ち家来なる者は宙野儀兵衛という、二十七歳の逞《たくま》しい青年で、小脳の皺《しわ》一つ多いといった眼つきをしている。「しかしすぐ付くという訳にもまいりますまいが」

「それは原野氏の裁量に任せよう、其許が若殿お付ということは通じてあるから、それに坂次昌治郎もおることゆえ故障はあるまい」

「さよう、たぶん面倒はございますまい」原野九郎兵衛が頷《うなず》いた。「ではそろそろ立つと致しましょう——」

伝吉を挟《はさ》んで、宙野儀兵衛と原野が立った。かれらは身支度を直し物具を着けて、人眼を忍ぶように雨宿の裏から出た。そこには三人の侍が待っていて、無言のままかれらを導いてゆき、宿《しゅく》はずれの雑木林へはいったと思うとみんな馬に乗って、そぼ降る小雨の夜道を西へ向って去っていった。

――せっかく明るい部屋へ御案内したものの、これもまたいんちき臭くいかがわしい場面と相成ってまことに恐縮である、しかしお蔭で話は滑りだしたようだ、我々もひと晩ゆっくり眠ると致そう。

翌日、本陣太田屋の前には森家の定紋をうった幕を張り、打水、盛砂という、諸侯御宿泊の正式の用意が整えられた。即ち森伯耆守の若殿大助さまが津山の国許から出府され、今日この金谷へお着きになる、五十塚紋太夫はじめ十七人は、江戸邸からここまで出迎えに来たものなのであった。

――大助さまは伯耆守の二男で、十五歳の年に或《あ》る事情から国許へ移されていた。名目は「風狂《ふうきょう》」ということになっているが、実際は世継ぎ争いであって、妾腹《しょうふく》の子の栄之進を世子にするため、彼が追われたというわけなのである。しかるに栄之進が今年の春に死去し、伯耆守が病床に臥《ふ》して再起の望みなしと宣告されたので、改めて彼が世子として江戸へ迎えられることになったのだ。こう申上げれば、察しの早い読者には大助が悲運の公子であることを御諒解《りょうかい》なさるであろう。しかも江戸へ迎えられてゆく現在、なおその蔭になにやら悪謀めかしい企《たくら》みがあることを思えば、今後の運命もまた非なりと云わざるを得まい。だが行列が着いたようだ、十八人の家臣に守られて乗物が停まると、我らの大助さまが悠然と現われた。――大助さま、美作のくに津山十八万六千石の若殿、だが、いやはやなんと御覧なされ、いま乗物から立ち出た大助さまは、ゆうべ夜陰にこの宿から出ていった伝吉と瓜《うり》二つでござる、いや瓜二つどころかむしろ伝吉その者と云っても差支《さしつか》えござらぬ、謎《なぞ》は解け申した、五十塚はじめ一味の奸臣《かんしん》どもは、不敵にも「若殿すり替え」をやってのけたのでござる。

「出迎えたいぎであった」広間へ通った大助さまは、家臣たちの祝辞挨拶《あいさつ》に対してこう仰《おお》せられた。

「旅中の骨折りさぞかしと思う、盃《さかずき》をとらせたいから酒宴の用意をせよ、無礼講じゃ、妓《おんな》どもなど呼んでまいれ」

「おそれながら」五十塚がびっくりして手をあげ、ぐいと片眼で厳しく睨みながら、

「このたびの御出府は大切の御儀なれば、途中でさようなお慰みは相成りますまい、平にお控えあそばすよう」

三

その夜は金谷のお泊りであったが、若さまが寝所へはいると紋太夫がやって来て、

「この馬鹿者」と叱りつけた。隣りには津山から供をして来た侍たちがいるから、声

は低いが恐ろしく凄《すご》んだ怒り方である。

「あれほど遊んでもまだ妓などとぬかす、国から来た供に気付かれたらどうするのだ。貴様ほどおんな好きの馬鹿もない、本当に縛り首だぞ」

「だがなあ紋太夫」若さまはにやりと笑って云った。「おれはおんな気なしでは半日も過せねえ人間だ、それは初めにちゃんと断わってある。行儀も言葉も云われるとおりにするが、おんなだけはちゃんと付けてくれなければ困る、そう云ってある筈《はず》じゃないか紋太夫」

「黙れ、この痴《し》れ者、江戸の御殿へはいれば侍女腰元が付く、それまで辛抱しろというのだ」

「この馬鹿者、縛り首だぞ」こう云って若さまはくすくす笑った。「うまいだろう紋太夫、すっかり覚えちゃった」

寝間を出た紋太夫は、別間で一味と密会をした。驚くべし、そこには国許から供をして来た侍が十三人も加わっている、つまり奸臣は江戸にも津山にもいて、両者通謀のうえ事を計ったものらしい。供頭は脇屋《わきや》白左衛門と云うが、彼を入れて僅《わず》か三四人しかまともな家来はいないということになる。

「それで、あの方の始末はついたのだな」こう紋太夫がきいた。

「御念には及びません」宙野儀兵衛が一味を代表して答えた。「私と金吾武吉郎《きんごぶきちろう》がお伴れだと申して、首尾よく――」

「死体から足の付くようなことはあるまいな」

「決して」金吾武吉郎なる者がきっぱりと頭を振った。「その点は大地がくつがえりましょうとも御懸念《ごけねん》は無用です」

「それは結構」紋太夫は大きく頷いた。「――おのおの協力でここまでは無事に運んだ、が、これから御親子《ごしんし》御対面、将軍家おめみえ、並びに御為派追放の大事が残っておる。これを果すまでは油断大敵と心得、いっそう気を緊《し》めてやって貰《もら》いたい、あの馬鹿者のことは宙野と金吾に任せるから、ぬかりなきよう特に注意して頼みたい、ではこれで――」

そして密会は終った。

明くる朝早く、大助さまの行列は大井川を渡って東へ向った。途中なんのお話もなく、いや、お話というではないがちょいとした事があった。それは三島の駅で泊ったとき、若殿が宿の寝所の窓から結び文を投げたことだ、外は如法闇夜《にょほうあんや》であったが、家の蔭からつと一人の小者が現われてそれを拾い、東の方へ鼬《いたち》のように走り去った。それからさらに藤沢の駅と神奈川とで同じようなことがあった、いかにして外部とそんな連絡があるか、なにごとを誰と諜《しめ》し合せているのかわからないが、この事実は諸君の記憶に留めて置いて頂きたいのである。——さて行列は芝愛宕《あたご》下にある森家の中屋敷に着いた。ここでひとおちつきして、それから伯耆守長武と父子対面をするわけである。大助さまが到着した夜、中屋敷ではまた奸臣共の密会があった、側用人松田久弥、勘定奉行灰山主税《ちから》、筆頭年寄増井琴太夫、中老角田精一郎、同じく瀬沼六郎兵衛、大目付小林三之丞、これらに五十塚、額田、原野などを加えた十八名、森家重臣のうちでも名だたる連中が揃《そろ》っていた。——一言にして申せば、彼等は十八万六千石の政治をおのれ等の手に掌握《しょうあく》しようとしているのである。そのためには明敏な大助さまが邪魔だから、百方に手を尽して若殿に瓜二つの伝吉なる者を捜し出し、出府途上でまんまとすり替えた。そしてこれがお世継と定《きま》ったら御前会議を催して、忠義だてする御為派の連中、江戸家老はじめ重職五名を追放するのが最後の懸案なのである。

広間で奸臣共の密議しているとき、奥殿では大助さまがたいへん悦に入っておられた。御独身だから宙野儀兵衛に金吾武吉郎に窓井益造という三人の侍が付いている。しかし盃盤《はいばん》の世話をするのは八人のお腰元だ、八人とも十六七から二十どまりで、縹緻《きりょう》のいい上に着付け化粧が美しいから、それだけでもちょっと眩《まぶ》しいくらいであるが、なにしろ久しいこと仕える殿のなかったところへ、ずばぬけた美男の若殿を迎えたので、みんなほっと上気して眼を潤《うる》ませて、起ち居それぞれに嬌態《きょうたい》の粋《すい》を見せるという次第だから、若さまの御満悦は断わるまでもなかろう。

「これこれ、そなたはなんという名だ」八人の名を片端から訊《き》いていったが、十八あまりになる双葉という腰元がお気に召したらしい、お側へこうひきつけて、「双葉とはいい名だな、一杯いこう、いや一つまいろう」

「若さま」宙野がそっと声をかけた。「——さようなことはお慎みあそばさぬと」

「いや捨て置け捨て置け、余はこの屋敷の主じゃ、なあ双葉そうであろう、いいから盃を取れ、酌はわっちが、いや余がしてとらせるであろう、ぐっとやんねえ」

「勿体《もったい》のうございます」双葉はじっと若さまの顔をながしめに見上げ、盃を頂きながら体ぜんたいで艶《なま》めかしく媚《こび》をつくった。「ふたしなみでございますゆえ、どうぞお軽く」

四

「いやみごと、そのほうちょいといけるな、もう一ついきねえ、いやもう一つ重ねるがよい、かけつけ三杯ということがある」

「若さま、——恐れながら」

「いや構うな宙野、美人で酒がいけるときては矢も楯《たて》も堪《たま》らねえ」若殿にはだいぶ酔いがまわられたらしい、双葉の肩元から手を廻されて、「おうそっちの姐《ねえ》さんたち、今夜はこの双公《ふたこう》とちんかもにするからな、おめえたちは済まねえがちょいと眼をつぶってくんねえ、なあ双公いいだろう」

「まあ勿体ない若さま」双葉嬢は二杯の酒にぽっと眼のふちを染め、またとなきこの恩寵《おんちょう》に対して飛切りの嬌眄《ながしめ》をもって答えた。「——そんなに仰せられますと本気にお受け申しましてよ」

「ようよう、眼もと千両ときたな、本気も疝気《せんき》も脚気もねえ、十八万六千石の若殿さまだ、いいからぐっといきねえ、明日の朝あたまが痛えなんという酒じゃねえ灘《なだ》の生一本、おまけに勘定《つけ》の心配がねえとくるから安心だ」

「若さまお言葉が過ぎまする」宙野が堪りかねて睨んだ。「御座興も程々にあそばさぬと御老職に聞えまするぞ」

「そしてまた縛り首か」若さまはふんと鼻で笑った。「こうやってこの席に坐っちまえば大盤石《だいばんじゃく》だ、そんなこけ脅しには驚かねえ、なあ双公、もしおいらが縛り首になるとしたら、おめえも同じ縄にかかってくれらあなあ」

「仰せまでもございませんわ、若さまに万一そんな御不幸がございましたら、わたくし一刻も生きてはおりませんよ」

「へっ、これが本当の殺し文句か、さあ嬉《うれ》しくなっちゃったぞ、どんどん酒を持って来い、肴《さかな》もこんな白けたもんじゃあなく、鰯《いわし》のてんぷらに中とろのぶっ切りといこう、烏賊《いか》の黒作りに鰹《かつお》の塩辛、もつ鍋《なべ》にどじょう汁でもそう云ってくんねえ、こうなったら無礼講だ、構うこたあねえからじゃんじゃんやれ、ここらで誰か一つとーんとぶっつけて貰いてえな」

またしても読者諸君には申訳のない、低級至極な場面と相成ったが侍女腰元たちは決してそう思わないようである。この若殿のいかがわしい言動に対して、誰ひとり眉《まゆ》をひそめたり不快な顔をする者がない、いや、むしろますます魅了され眩惑《げんわく》され執着をそそられたようである。

「まあ——」と一人が溜息《ためいき》をつく。「なんて粋《いき》な若さまでしょう」

「ちっともお気取りのない竹を割ったような御気性だわ」

「鰯のてんぷらに中とろのぶっ切りですって、よっぽど食通でいらっしゃるのね」

「大殿さまより下情に通じておいでなんだわ、きっとなにもかも御存じなのよ、なにもかも」或る一人はこう云《い》って悩ましそうに眼を瞑《つむ》った。「ええなにもかもよ、わたし胸がどきどきしてきたわ」

つまり彼女たちには、若殿が若殿であることに些《いささ》かの疑念もないのである。もっとも大名などの奥の生活は、われわれが想像するほど上品清潔なものでないという学者もある。裏長屋の熊公《くまこう》八公より卑《いや》しく猥雑《わいざつ》で無恥乱倫だといきまく考証家も少なくない。現に筆者も華冑《かちゅう》学院の姫君たちが「あん畜生、こないだの約束をしょんべんしやあがった」とか「おいなあ公、こんどの火曜日はどうかつへエスケープしようぜ」などと仰せられているのを聞いた経験がある。十七八のやんごとなき姫君でさえかくの如《ごと》しとすれば、すり替え若殿の言動くらい些かも怪しむに足らないかも知れない、さらば諸君にも疑惑ぬきでお読みを願うと致そう。——若殿はたちまち酔いつぶれてしまわれた。騒ぐことは一人前だが酒はあまり強くないとみえる。それとも待望の淑女たちに取巻かれて、彼女たちの発する温柔妍媚《おんじゅうけんび》の姿態と芬薫《ふんくん》たる香気に悩殺されたのかも知れない。三人の侍臣に担《かつ》がれて寝所へ運ばれる、木偶《でく》のように着替えをされて夜具の中に横たわった。

「おう紋太夫を呼んで来い」夜具の中でこんなことを喚《わめ》く。「あいつはふてえ野郎だ、縛り首にしてくれるからしょっぴいて来い、ついでに酔いざめの水を頼むぜ、姐さん、こう見えても十万、じゃあねえ十二万、でもねえ十八万六千石のばか殿だ、いいかばか者ッとくらあ、おう誰かいるか、——誰かいたら茶漬でもぶっかけ飯でも持って来い、ばか殿をばかにすると承知しねえぞ」

えへん、という咳《せき》払いが宿直《とのい》から聞えた。そして宙野儀兵衛の声で、「窓井は退《さが》りました。おやすみ遊ばせ」と囁《ささや》いた。なにごとであろう、それを聞いたとたん若殿は喚きやめて寝返りをうった。それから、「寝るぞ」と云うと、やがて静かな寝息をたてて眠りだされた。緞帳《どんちょう》芝居の幕は下り、劣等至極なばか騒ぎは終り申した。――奥庭をまわる柝《き》の音、御殿の廂《ひさし》をかすめる夜風の囁き、なにもかも静寂安穏な眠りにおちつきめされた。と、思ったらこれはしたり、御寝所の萩戸《はぎど》がそろそろと開くではござらぬか、かかる深夜に御寝間《おねま》をうかがうとは、必定お命を覘《ねら》う刺客などでござろう、ああ危うし、――と思ったらこれはなんと、なんとこれは婦人でござるぞ。しかも艶《つや》めかしい長襦袢《ながじゆばん》に扱帯《しごき》ひとつ、胸乳のたかまり、腰のまるみをあからさまに、爪先《つまさき》へ紅をさした素足でしんなりと上段へ歩み寄ると、袂《たもと》で片頬を隠しながら、「若さま」とやさしく囁かれた。果然、これは双葉嬢でござる。このとき若殿はうっとりと眼をさまされ、けげんそうに、「なんだ」とおつむを擡《もた》げ召された。

五

「誰だ――」こう云って若さまは半身を起こしたが、そこにいる人間と、そのまばゆい姿を見て眼を瞠《みは》った。「そなた――双葉ではないか」「はい双葉でございます」彼女は袂の蔭《かげ》から火のような眼でじっと若さまを見、豊かな膝《ひざ》をするすると寄せた、「お言葉を忘れずにまいりました、でもわたくし、なんにも存じませんので、――羞《は》ずかしゅうございますわ」

「待て待て、まあ待て」若さまはびっくりして手をあげ、夜具のこちら側へぬけ出した。「それはしかし、とにかく深夜ではあり、男女は七歳にしてというし、女性の尊厳というものは厳《おごそ》かにして尊い意味であって、従ってそのこういう誤解の起こるところのものは」

彼女は恍惚《こうこつ》と若さまの顔を見ていた。それからやおら体ぜんたいに曲線の波をうたせながら、熱い太息《といき》といっしょにもうひと膝すり寄せて、清純無邪気にこう囁いた。

「ねえ若さま、おはなしは後に致しましょう」

ニイチェなる破戒僧の箱書に依《よ》れば、男は先《ま》ず思案してから失敗を犯し、女は失敗してから思案するという。若さまはこの箱書を御存じないとみえ、狼狽《ろうばい》して立上ると、「要するに貴女《あなた》は花の如く清浄な――」などと云いながら帳《とばり》を排してどこかへいってしまった。双葉は若さまの夜具へつっ伏して泣き沈んでいるところを、老女に援《たす》けられて局《つぼね》へ帰ったが、待兼ねていた腰元たちの羨望《せんぼう》好奇に満ちた質問をあびると、

「若さまはお可哀《かわい》そうよ」と云って噎《むせ》びあげた。

「言葉では云いきれないほどわたくしを愛しておいでなのですって、男女七歳のときからおまえを想《おも》っていたって仰《おっ》しゃいますの、わたくしのことを厳かで尊い女性だとも仰しゃいましたわ、ああ広いこの世に、こんなに烈《はげ》しく深く愛された者が二人とあるでしょうか」そして彼女は泣き沈んだ。「本当に、二人とあるでしょうか、わたしの他に一人でもあるでしょうか」

　腰元たちは互いに眴《めくば》せをし頷き合った。女性たちの間にあって自分が誰よりも深く熱烈に愛されているなどと宣言することは月評家たちの前で自作の朗読をする小説書き同様からきめに遭う。二十一二になる侍女の一人が、まず刺《とげ》を真綿に包んで双葉嬢の心臓へ摻着《さっちゃく》した。

「お羨《うらや》ましいわねえ双葉さま、そんなに愛して頂くなんて女に生れた冥利《みょうり》というものだわ、ではもちろん貴女のお香箱の蓋《ふた》は破れたわけですねえ」

「いいえそんなことはありませんわ」双葉嬢は忿然《ふんぜん》と顔をあげた。「若さまの愛はもっと美しいんですわ、卑しいところや厭《いや》らしいお考えなんぞ爪《つめ》の先ほどもお持ちなさいませんわ、本当に純情でおきれいで、そして」

「そしてお寝間へ貴女ひとりを置いてお逃げなすったの」別の一人がこう云った。

「熱烈な純情ってずいぶんあっけないものですわねえ」

派手な笑い声が局の壁ふすまを震動させたが、彼女たちおのおのの心臓は壁ふすまより烈しく震動していた。若さまは双葉嬢を愛さなかったのである。若さまのお軀《からだ》はどこもかしこも、お寝巻や夜具もろともまだ純潔のままである、この事実の確認は「可能性」の火を彼女たちの胸に放ち、最も醜い年増《としま》の侍女をさえ誘惑した。

「若さまは初心《うぶ》でいらっしゃるんだわ」彼女はこう胸の中で呟《つぶや》いた。「だからまず道をあけて差上げなくてはだめなのよ、それには若い方じゃいけないわ、栗饅頭《くりまんじゆう》を食べるにしたって若い方は唯《ただ》もう食べることに夢中だから、割り損なって栗をこぼしたり、喉《のど》につかえさせて咽《む》せたりする、栗饅頭を食べるにはまずそっと手に取って柔らかいか固いか、よく蒸《ふ》けているか色艶はいいかどうかを調べるんだわ、こうして固さや柔らかさや蒸け加減や色艶をためしているうちに、口のなかへ程よく生唾《なまつば》が湧《わ》いてくる、それから静かに割るんだけれど、そこでもすぐに口いっぱい頬張ってはだめよ、まず小さく欠いたのを少し入れて、あま味や練り具合をよく味わい、茶をひとくち啜《すす》っていちど後味を消し、舌を休ませてからこんどは栗のはいった嚙《か》みごたえのあるところを入れる。そしてまた茶を啜って甘味と渋味を充分に舌で味わい、更にあとを食べるという風にする、こうして、ゆっくりと焦《あせ》らずに、甘味とお茶とで舌を楽しませながら食べるのでなければ、本当に栗饅頭を頂いたことにはならないんだわ」

年増の侍女でさえかかる独白《ひとりごと》に熱中するくらいだから、甘味といえば選《え》り好みなしの若い腰元たちが、いかなる空想に耽《ふけ》り幻想に酔ったかはお察しなされよう、だが閑話休題と致す。

翌日は伯耆守との対面で、牛込若宮町の上屋敷へいった。

「いいか、くれぐれも云って置くがなにも申すなよ」紋太夫が例の如く噛んで含めるように呶鳴《どな》りつけた。「おなつかしゅう存じまする、こう云ったらあとは涙を拭《ふ》くまねだけしておる、十年ぶりで父に逢《あ》って、嬉しさ哀《かな》しさに言葉が出ないと云うふりをするんだ」

「だけども紋太さん、上屋敷にも腰元や侍女はいるかね、そうでないとわっちは」

「その口を閉めろ馬鹿者《ばかもの》、今日の対面は最初の度胸さだめだ、次には将軍家拝謁という大事がある、肚《はら》を据えてやるんだぞ」

六

伯耆守との対面は、すばらしい成功だった。長武侯は病床からわが子を眺め、そのすこやかに逞《たくま》しい成長ぶりを見て落涙あそばされ、「大助か、大助か」と幾たびも繰返し頷かれた。「りっぱな御成人でめでたい、余もこれで安堵《あんど》したぞ」

「――――」

若さまは手をついたまま、じっと伯耆守を見上げていた、万感胸を塞《ふさ》いで言句に詰るという態である、双眼からは滂沱《ぼうだ》と涙があふれ落ちた。十年不遇の公子がいま晴れて父君に会うのだ、お側にいる者はその胸中を思いやって貰《もら》い泣きをし、なかには嗚《お》咽《えつ》の声をあげる者さえあった。紋太夫などは下座のほうで見ていたのだが、思わず「うまいぞ伝吉」と叫びたくなったくらい、若さまの演技は神に入ってみえたのである。津山からの見舞い品を捧げ、一文字の短刀を戴《いただ》いて、この感動的な対面が終ったとき、若さまは静かに「母上の御位牌《ごいはい》へ御挨拶《ごあいさつ》を致したい」と云った。紋太夫やその一味の者はぞっと背筋を寒くした。こういう事には故実がある、で、それが筋違いになりはしないかと心配したのである。だが伯耆守は快く許し「奥へ案内するように」と老女に命じた。

大助さまが奥へはいっているあいだ、奸臣《かんしん》一味の者たちがどんなに胆を煎《い》ったかは御想像に任せよう、ついでに大助さまが無事に戻り、すべての首尾が上々であると知ったときの、彼等の安心の大きさも御推察にお任せする。正しく極上にして割引なしの大収穫で、若さま御一行は愛宕下の中屋敷へお帰りになった。紋太夫が初めて笑顔をみせたのはこの時である。

「母上の御位牌に挨拶をしたいなんて、よくあんな大胆不敵な智慧《ちえ》が出たな、どうして思いついたんだ」

「だってそれが人情てえものだろう」若さまはにやりと得意そうに笑った。「わっちがひょいと気づいたからよかったが、さもないとおやじ怒ったかも知れねえ、こいつは御褒美《ごほうび》の値打があるぜ、紋太さん」

「よし二三日は手足を伸ばして呑《の》め、家臣引見の式までは息をつかせてやる」

紋太夫は珍しい機嫌でこう頷《うなず》いた。

その夜の酒宴も格式ぬき順序ぬきの縄暖簾《のれん》的豪華さであった。若殿はどじょう汁や鰯《いわし》の塩焼をせがまれ、侍女たちに景気よく裸踊りをお命じになった。

「さあみんな裸になれ、すっ裸になって底抜けに踊ってみせろ」

だが本当に彼女たちの一人が帯を解き、緋色《ひいろ》の下着の袖《そで》をぬくのを見るとびっくりして手を振りながら、

「やめろやめろ」と叫んだ。「とんでもないやつだ、ここで本当に裸になるということがあるか、洒落《しゃれ》のわからねえ女は始末にいかねえ、おめえ屋島とかいったな」

「はい屋島と申します」

「洒落がわからなくちゃあいけねえぞ洒落が、なあ、盃《さかずき》をやるから一杯やんねえ」

なんだか訳のわからないことを云ってこじ付けたが、屋島なる腰元はお言葉の裏にある意味を解して全身かっとなり、お盃を受けながら思いのたけを籠《こ》めて若さまを瞶《みつ》めた。——その結果は酒宴の終ったあと、若さまが御湯殿へいらっしゃったとき現われた。酔心地でうっとり湯槽《ゆぶね》に浸っておいでなさる。

「やい紋の字をしょっぴいて来い、若殿の御入浴だぞ、来て垢《あか》を擦《こす》り奉《たてまつ》れだ、あーっときた、なんでえ面白くもねえ、侍女だって腰元だって乙に澄ましあがってとーんと一ちょう端唄《はうた》のいける女もいやあしねえ、あーっときた、気に入らねえ紋太夫、十八万六千石をちょろまかそうてんだ、けちけちしねえでいっぺん芸妓《げいこ》の総上げでもやってくれ、ばか者め、縛り首だぞ」

戸が開いて誰かはいって来た、お次にいる金吾だろうと思って、「どうだうまいだろう」と云ったが返辞がない。「誰だい」こう云って振返ると、濛々《もうもう》たる湯気の中に卵のように白い膚《はだ》と芥子《けし》の花のように赤いものが見えた。

「なんだ金吾、妙な浴衣《ゆかた》を持って来たな」

こう云って湯槽から出たとたん、若殿は火傷《やけど》でもしたように叫び、慌《あわ》てて湯槽の中へ逆戻りをなされた。よく脂肪の乗った艶つやとまるい素膚、僅《わず》かに腰を掩《おお》っている緋色の湯具、おそれと羞《は》じらいに上気した顔が、湯気を押分けて嫋々《じょうじょう》と現われたのだ。

「いかがあそばしました」お次にいた金吾武吉郎が、若殿の叫び声に驚いて戸を開けた。

「お召しでございますか」

若さまは、ただ指さしをするばかりだった。金吾はそこに居竦《いすく》んでいる腰元を見て苦笑し、手まねで給仕口から出てゆかせた。

「ああびっくりした」若さまは茹《ゆだ》って赤くなった体から、不動明王のように湯煙を立てながら出て来た。

「おらあ癇性《かんしょう》で人に体を触らせたことがねえ、まして女なんぞに来られて堪《たま》るものか、江戸の大名なんてみんなこうするのか」

「いかがでございますか存じませんが」金吾はにやにや笑って、「唯今《ただいま》のは垢擦りに上ったのではないようでございますな」

「垢擦りに来たんじゃあないって」若さまは金吾を睨《にら》んだ。「じゃあ――なんだ」

「御酒宴のとき仰《おお》せられた洒落でございましょう」

「だってあれは」こう云いかけたが、侮辱されたように片手を振り、「そんなばかなことがあるか、あんな言葉だけで、れっきとした処女《むすめ》が――浴衣だ、出る」

七

「そんなばかなことがあるか」若さまはひと晩じゅう寝所でこう呟いていた。「女性というものは温順貞淑なんだ、男には毛物《けもの》めいたものがある。しかし女性は神に近い存在だ、雪のように清浄で花のように無垢《むく》なものだ、たとえ相手が主人にしたところで、たったひと言なにか云《い》われただけで、そんな風に、いや――おれは信じない、これはなにかの間違いだ、決して女性はそんなもんじゃない筈《はず》だ」

だが明くる日も酒宴、次ぐ日も馬鹿騒ぎで、しかも女性の清純を確信する若殿は、そのたびに寝所から逃げださなければならなかった。伝吉はおんな好きである、従って伝吉の扮《ふん》する若殿もおんな好きでなければならない、故《ゆえ》に若殿は婦人とみれば口説く、これほど整然たる三段論法はござるまい。にも拘《かかわ》らず口説くことが成功するたびに若殿はひたすら逃げをうたれる、そのうえ女性の尊厳などを口にされるとはいかなる理由であるか、そも――いやそれより更にけぶなことが起こった。明日は家臣引見の式があるという前夜、若さまの寝所へ二人の侍がひそかに伺候した。宿直には金吾と宙野が詰めている。お寝間から低い囁《ささや》き声で、「無事に召伴《めしつ》れました、観念したとみえ神妙に致しております」などと云うのが聞えた。

「――増井琴太夫」

「御意にございます、次に大目付小林、中老角田、この三人で宜《よろ》しゅうございましょう」

「ぬかるな」

そしてしばらくすると二人は出ていった。宙野と金吾が目礼したところをみると、かれらは互いに知己であるらしい、寝所からは間もなく軽い寝息が聞えはじめた。

夜が明けると引見の日である。披露役は側用人松田久弥で、早くから中屋敷へ現われ、紋太夫と二人で若さまに御教導を繰返した。

「いいか今日おめみえに来るのは物頭以上の四十二人、おれが姓名を披露するとき、えへんと咳《せき》払いをしたら、それが味方の人間だということを覚えておけ」松田は特徴のある低い調子でこう云った、「――えへん、こう咳をしてそれから云う名前がわれわれの味方、即《すなわ》ち森家十八万六千石を建直す誠忠の同志だ、わかったな」

「咳払いは慥《たし》かでしょうな」若さまは念を押した。「もしそのとき咳が出ないようなことでもあると敵味方がごちゃごちゃになって」

「黙れその口を閉めろ」紋太夫が側から叱《しか》りつけた。「貴様は云われたとおり覚えればいいのだ、むだ言を云わずに申付けられたことを忘れるな、――それからもう一つ、江戸家老の梱方万里《こおりがたばんり》という者がなにか言上などと申すかも知れぬ、お人払いなどと申すかも知れぬが、誰がなにを云おうと聞かぬふりをするのだ。いいか」

こうしていよいよ時刻となった。江戸家老の梱方万里はじめ四十二人、若殿の御着《おちやく》御《お》目《め》見《みえ》なので盃は出ない。松田久弥が名を呼び挙げると、一人ずつ上段の前へ来て辞儀をする、中老以下は二人ずつ一緒である。梱方は六十あまりの白髪の篤実《とくじつ》そうな老人で、御前へ出ると眼にいっぱい涙を溜《た》めながら、やや久しく若さまの顔を見あげていた。――この家老は十年まえ世継ぎ争いのとき、大助さま擁立の主唱者で、側用人派のために敗北し、近年まで閑職にいたのであるが、伯耆守が病臥《びょうが》と同時に挙げて江戸家老に任ぜられたのである。こう申せばいま老人の大助さまを見る眼に涙の溢《あふ》れてくる仔細《しさい》がお判《わか》りなされよう。若さまは困ったようにちらと松田久弥の顔を見たが、一代の智恵《ちえ》を絞ったのだろう、万里がなにも云わないうちにこう声をかけられた。

「堅固でめでたいなじい、みな達者か」

「身に余るお言葉、忝《かたじけ》のう存じまする」老人は平伏しながら泣いた。「お健《すこ》やかに御成人あそばされめでたく――御世継ぎとして御帰館あらせられ、わたくしども一同、祝着《しゅうちゃく》に存じ奉《たてまつ》りまする」

「まだ祝言を聞くには早い、まだこれから踊ったり歌ったりしなければならぬようだ」若さまは調子に乗ったものか、とんでもないことを云いだした。

「江戸にはない踊りぶり歌いぶり、近ぢかにとっくり見せてやる、また会おうぞじい」

いやどうも、用人や紋太夫らのびっくりしたこと、だが終りの一句がぴたりと嵌《はま》っていたため、万里にそれ以上なにも云わせなかったのは偶然の収穫であろう。次いで筆頭年寄の増井琴太夫が進み出た、これにはえへんと咳払いがついている。以下四十人のうち咳無しの者が十七人、即ち過半数が奸臣一味という結果が顕《あら》われたのである。

——引見の式も成功であった、家臣たちが退出したあと、松田久弥、増井琴太夫、角田、瀬沼、五十塚、額田ら十八名は居残って、殆《ほと》んど暮れ方まで謀議を凝らしていた。若さまは例の御酒宴である。なにか腰元たちに悪戯《いたずら》をしているものとみえ、きゃあきゃあ、きいきい、たいへんな騒ぎだ。

「案外あの馬鹿が役に立つのは驚いた」増井琴太夫は、語を果して、先に帰るためにこう云いながら座を立った。「御対面の折もそうだが引見の席で梱方を扱ったところなど板に着いておる。ちょっと偽者《にせもの》とは思えないくらいだった、五十塚氏の丹精であろうが正に感服の至りだな」

「鋏《はさみ》と馬鹿はなんとやら申します」紋太夫は褒められて苦笑しながら、「なにしろ酒とおんなのほかに慾《よく》のない男でございますから、——しかしなお怠らず注意を致します」

では先にと云って琴太夫は出ていった。

八

増井が出ていって屋敷の角を曲ったかと思う頃、供をしていた侍が蒼《あお》くなって駈《か》け戻って来た。

「暴漢が現われて御老職を掠《さら》っていった」という。

「それっ」と居合せた者八人ばかりが押取《おっと》り刀でとびだしていった。——さあ活劇である。偶《たま》にはちゃんちゃんばらばらでも起こってくれないと話がしにくくって困る、いざ諸君ご一緒に見物を……と云いかけたら、やれやれもはや終りとみえ、出ていった連中が帰ってまいった。

「手後れでした」彼等は肩で息をしていた。「青松寺のほうへ逃げたと云うのですが、まったく人影がみえませんでした」

「いったいどうしてそんな事が起こったのだ」

「まるで通り魔と申す他はありません」増井の供侍が震えながら説明した。「お屋敷の土塀《どべい》を出外れまして、あの大榎《おおえのき》のところまでまいりました。すると木蔭《こかげ》から五人、覆面の者が現われて二人は私を羽《は》交絞《がいじ》めにし、三人が御老職にとびかかると、当身《あてみ》でもくれたのでしょうか、ひとこえ呻《うめ》く御老職をひっ担《かつ》ぎました、私もこれは一大事と思い、必死の勇をふるって二人を投飛ばし、早速ここへ御注進に」

「二人を投飛ばす力があったら、注進にくる暇でなぜ追いかけなかった」

「さればそれが一期《いちご》の不覚なれど」供侍はこう云って袂《たもと》から一通の手紙を取出した。「その代りかような物を拾ってまいりました」

見せろと云って松田久弥が取る。封のしてない無記名の手紙である、中を披《ひら》くと達筆な文字で「――お次は大目付、小林どの御要心のこと。大」と書いてあった。紋太夫が受取って、眉《まゆ》を顰《ひそ》めながら「はて、大とは」と首を傾《かし》げたとき、額田釆女がふと振返って、「奥がばかに静かではないか」と云った。そういえばきゃあきゃあ騒ぎが聞えなくなってだいぶ時間が経《た》つ、まだ酔い潰《つぶ》れるには早いだろうし、まさか、と思ったが紋太夫の顔色が変った。

「――門、門を頼む」

こう叫びながら彼は奥へ駈け入った。そこは盃盤《はいばん》をそのまま、燭台《しょくだい》ばかり煌々《こうこう》と明るいが人間は誰もいない。「誘拐《ゆうかい》」という文字が頭へきたので、我知らずとび出そうとすると、御屏風《びょうぶ》の蔭から赤い紐《ひも》のような物がみえる。そっと近寄っていって覗《のぞ》くと一人の腰元がこっちへ背中を向けて俯伏《うつぶ》しになっていた、赤いのはほどけた扱帯《しごき》の端である。

「――これ」紋太夫がそう呼ぶと、腰元はきゃっといって振返った。

「そんな所でなにをしておる」紋太夫は呶鳴《どな》りつけた。「若殿はどうなされた、若殿は」

「は、はい、わたくしは、存じませぬ」

「知らぬということがあるか、おまえはどうしてこんな所に隠れていた、なにごとが起こったのだ、お付の者たちはどうした」

「はいそれは、あの」紋太夫の血相が変っているので腰元はすっかり怯《おび》えてしまった。

「――あの、初め、わ、若さまが、おかくれになりまして」

「なにおかくれ、若殿は御死去か」

「いいえ唯《ただ》のおかくれでございます」

「はっきり申せ、なにがどうしたというのだ」

「あのう、あのう、隠れんぼう」腰元はぽっと頬を染めた、「――隠れんぼうでございます」

「と申すと子供のするあれか」紋太夫は溜息《ためいき》をつきながら汗を拭《ふ》いた。「なんというばか者、いや馬鹿《ばか》ばかしいことを、……ではみんな隠れているというわけだな」

「はい、こんどは若さまが鬼でございますから、みんな隠れているのでございます」

「出てまいれ」こう紋太夫が絶叫した。「おまえもいって呼んで来い、そして若殿をお捜し申すのだ」

「でも——若さまが鬼でいらっしゃいます」

黙れと叱られた腰元がとんでゆく。紋太夫の声でまず窓井益造が現われた。次いで腰元たちが二人三人と来る、金吾が来る宙野が現われる、いちばん最後に若さまが、蹌踉《そうろう》とよろめきながら出てまいられた。

「よう紋太さんおめえもへえるか、いやなに紋太夫そちもはいるか」若さまはこう云って五十塚によろけかかった。「こいつあ面白え、まざった者の鬼だぜ、いいか」

「おだまりあそばせ」紋太夫は人にはわからないように力いっぱい若殿の腕を掴《つか》み、上座へ伴れていって坐《すわ》らせた。「——将軍家おめみえ前の大切なお軀《からだ》でござる、かような軽がるしいお遊びは相成りません、お付のそこもとたちも慮外が過ぎる、心得ましょう」

叱りつけて置いて、紋太夫は立った。なにしろ一味の重鎮が攫《さら》われたのだから、じっとしてはいられない。三人の侍臣に念を押して出てゆくと、若さまは大笑いに笑いだした。

「みんな固くなるこたあねえぞ、紋太なんぞおれの家来だ、さあ呑《の》め、隠れんぼうが悪けれあめくらの鬼だ、じゃんじゃん騒ごう」

「若さま少し静かにあそばせ」宙野が渋い顔をした。「私どもが迷惑を致しますから」

「じゃあねぎま鍋《なべ》でも持って来い、そいつで呑み直しだ、早くしろ」

だが、酒宴見物もお飽きなされたでござろう、話も少々いそがしく相成った。——と申すのは、その明くる夜のことだが、琴太夫掠去《りやつきよ》の善後策を講ずるため、一味が中屋敷で集まった帰途、またしても大目付小林三之丞が暴漢に掠われたのである。こんどは供を五人伴れていたが、相手は十人で来て旋風のように誘拐し去った。後には封無しの手紙があり、「——お次は、中老、角田どの御要心のこと。大」と書いてあった。——大、大とはなに者であるか、紋太夫はすぐ若殿の安否を見にいった。酒宴の支度もしてあり、侍臣も腰元たちもいるが、若殿と宙野がみえなかった。

「若殿はいかがなされた」

「お湯殿でございます」窓井益造が肩を張って答えた。「お悪酔いをあそばされまして、醒《さ》ましにおいであそばしたのです」

「悪酔いを風呂《ふろ》で醒ます」

紋太夫は首を傾げながら、すぐに湯殿へとんでいってみた、お次には宙野儀兵衛がしんと坐っていた。

九

「彼はまだ入っているのか」紋太夫は引戸へ手を掛けた。「音がせぬようではないか」

「お錠が下りてございます」儀兵衛は紋太夫の手を押えた。「たいそうな悪酔いで、つい今まで暴《あば》れておりましたが、ようやくひと鎮《しず》まり致しましたので、少し寝るからと云って中から錠を下ろしてしまいました」

「ばか者が――」紋太夫は舌打ちをして、これと呼びかけたが、そこに衣服があるのを見て安心したのだろう、「昨夜は増井殿、今夜はまた小林うじが掠われた、恐らく御為派の仕事に相違あるまい、ことによると若殿をも覘《ねら》うかも知れぬ、よくよく注意を頼むぞ」

「承知仕《つかまつ》りました、その儀なれば些《いささ》かも御心配はございません、必ずお護《まも》り申しますから」

紋太夫は去った。しかしなぜだろう、五十塚が去ると宙野はほっと息をつき、静かに額の汗を拭《ぬぐ》った、まるで大難をのがれた者のような表情である。――そして間もなく、湯殿の中でかたりと音がした、給仕口の戸が開いて閉ったように聞える。続いて、「いるか」と低く呼ぶ声がした。

「これに」儀兵衛がそう答えると、なにやら衣摺《きぬず》れの音が聞え、すぐにざあざあと湯の音がした。

「あーっといい湯だ、おい紋太夫」若さまの声である、「このばか者ッとくるか、ばかの柱をかき揚げにして一杯やるからって、紋太夫にそう云え、はっは狼狽《うろた》えてやがる」

「もうこれきりにあそばせ」宙野が低い声で囁《ささや》いた。「角田は彼等がやります、お危のうございますから」

「危ねえのは腰元のほうだ、さっき楓《かえで》というのに、ちょいとからかったが、今夜もまた寝所じゃあ寝られねえな、ああ」若さまの声がそこでしんとなった。「――なあ儀の字、おれは本当に馬鹿かも知れないぞ、津山では殆んど女というものを知らなかった。おれにとっては亡《な》くなった母上がたった一人の女性だと云ってもいい、だからすべての女性が母上のようにみえる、貞潔で心温かく、汚《けが》れを知らず卑賤《ひせん》に染まず、咲きでた花のように純浄だと信じていた、ところがなんと、実際に触れたおんなはどうだ、ひといちばい美しいあの処女たち、賢さもあり行儀作法も心得たあの処女たちが——」

「婦人は美しいもの強いものに惹《ひ》かれると申します」宙野が慰めるように云った。

「詰るところ若殿のおひとがらと御美男に在《おわ》すのが」

「やめろやめろ、なにが美男だ、おれは本気なんだぞ儀兵衛——津山へ帰りたくなった」

これも怪訝《けげん》な会話であるが、お許しを願って次へ進もう。中二日おいて、若殿は上屋敷へお移りになった。「上屋敷はうるさいから今までのようにばか騒ぎはならん」紋太夫にこう戒められたが、早速その夜から酒宴、またしても侍女を口説くという始末である。中老の角田精一郎が掠われたのは、若さまが腰元たちとお庭へ出て、鬼ごっこをしていらっしゃる時のことだった。庭では鬼になった若さまが見えなくなり、一方では御殿を退出した角田がお屋敷内で姿を消した。紋太夫一味がどんなに仰天したかお察しあれ。こんどこそ若殿も掠われたというので角田精一郎は二の次にして騒いだ。しかし幸いなことに、その騒ぎのまっ最中に若さまは奥庭から出て来られた。

「どうもたいへんな庭だ」若さまは袴《はかま》の裾《すそ》をはたきながらこう云《い》われた。「まるで八幡の藪知《やぶし》らずだ、到《いた》るところに計略があって踏み込んだがさいご見当がつかなくなる、戦いの時に敵を誘い込むにゃあ持って来いだ」

「ばか者ッ黙れ」紋太夫は声を殺してこう叫んだ。「御殿を出るなとあれほど申したのを忘れたのか、ここには敵が雲霞《うんか》とおる、貴様その手に掴まったら」

「縛り首だろう、わかったよ紋太夫、それよりおまえさん忙しいんじゃないか」若さまはにやりと笑いなされた。「おれはこれから松ヶ枝てえ腰元としけ込むんだ、いいからいきねえ」

紋太夫は嚙《か》み付きそうな眼をしたが、ようやく自制してそこを去った。――その夜の奸臣《かんしん》会議は、重大な緊張したものであった。掠われた三人は一味にとってみな中枢《ちゆうすう》的人物である。増井琴太夫は年寄役の筆頭、角田は中老の元締りであって、いざというときにはその役の代表者として発言権を持っている。また小林三之丞は大目付として検察官の実権を握っているわけだ。もしこの三者を敵に悪用されるとすれば、ことによると一味にとって致命的な打撃となるかも知れない。

「これは先手を打つ時期だな」側用人の松田久弥が結論を与えるように云った。「御為派がこのように動きだしたのは、彼等も肚《はら》を据えたという証拠だ、彼等に時を藉《か》してはならんぞ」

「それがいいでしょうな」勘定奉行の灰山主税が直ちに頷《うなず》いた。「今まで黙っていましたが、あの封なしの文の『大』という署名がどうも怪しい、私には大助さまの意味ではないかと思われてならないんです」

十

灰山の言葉は、座にいる人たち全部を慄然《りつぜん》とさせた。大助さま、東海道袋井の駅で片付けた若殿、もしその人が生きて来たとすると——。

「いやそんなことはない」紋太夫は断乎《だんこ》と首を振った。「あの方が生きているということは絶対にない、万一そんなことが、——万一ですぞ、万一そんなことがあったとしても、既にこちらは御父子御対面も済み家臣引見も済んでおる、それこそ偽者として有無を云わせず片付けることができるではないか」

「たしかにそこは動かない」松田が膝《ひざ》を叩《たた》いた。

「今さら名乗って出たところで御為派以外の者が信ずる訳はないが、それにはやはり事を早く断行すべきだ」

「さよう早いほうが万全ですな」

こうして会議は終った。ところがその直後である、紋太夫が若殿の御殿へゆくと、奥でなにやらきゃあきゃあ女の声がする。宿直《とのい》には窓井と金吾がいるので、「どうしたんだ」と訊《き》くと、窓井が苦い顔をして、「どうも申上げようがございません、いって御自分でごらん下さい」と云う。紋太夫は舌打ちをして、またばか騒ぎかと呟《つぶや》きながら、寝所へはいろうとすると、中から若さまがとびだして来た、片手で腰元を引きずっている。

「なにごとです、若殿」こう紋太夫が呶鳴りつけた。「なにをさように御乱暴あそばすか」

「助けてくれ紋太夫、乱暴をするのはおれじゃあない、この連中が、おれを——」

「いいえお放し申しません」腰元はこう叫んだ。「わたくしお言葉がかかったのですから、今夜はどうしたってお放し申しません」

いやはや、若さまが腰元を引きずっているのではなく、腰元が若さまの手を放さないのである。そればかりではない、寝所の中ではまた四五人の声で、

「あたしは、お中屋敷でちゃんとお約束したんです」

「いいえ、わたしのほうが先です」

「なんというずうずうしい方でしょう、なんという」

「放して下さい、若さまはあたしをお召しなんですから」

「なんというずうずうしい」

「お黙んなさいあたしが」

「いいえ放しません、放すもんか」

「お中屋敷ではこうみえても局持《つぼね》ちだよ、へん」

「畜生、放さないかこのあばずれ」

「まあ呆《あき》れた、なんてずうずうしい」

「ええこうしてやる」

「あらおやりあそばしたわね、負けるものか」

こういう派手な叫びといっしょに、どたんばたんと取っ組合いが始まり、きいーきゃーとたいへんな騒ぎである。こちらでは若さまが摑まれた手を振り放そうとする、腰元はしがみつく、突きとばして逃げる、泣声をあげて追い駈《か》ける。

「助けてくれ紋太夫、こいつをどうにかしてくれ、おーい金吾」

「金吾なんか来たら、ひっちゃぶいてやるから」腰元は追いまわしながら叫ぶ。「どうしたって今夜という今夜は、ええ口惜《くや》しい」

いやどうも紋太夫、口が渇き眼がちらくらして暫《しばら》くは声も出なかった。しかし彼は智恵《ちえ》のある男だった。女性たちがこのように燃え上っては手はつけられない。それはちょうど一片の肉を争う猛獣の群に等しく、うっかり中へはいるとこっちがずたずたに引き裂かれてしまう、現に腰元のひとりは、「金吾なんかひっちゃぶいてやる」と云ったくらいではないか。これを鎮めるには肉を与えるより他に方法はない、少なくとも目的の肉が得られるという可能性を与えなければだめだ。

「みんな鎮まれ」紋太夫は天床板《てんじょう》も裂けよと呶号した。「そしてここへ一列に並べ、公平に籤引《くじび》きだ」

籤引きという一言は効果的だった。彼女たちはとっ組合いをやめ、髪の挘《むし》り合いをやめ、引掻《ひっか》きっこをやめた、そしてわれ先に駈けて来て、紋太夫の前へ並んだ。――三人、五人、七人、なんと十七人ござるぞ。「うーん」紋太夫は唸《うな》って若さまの顔を見た。若さまは両手をひろげて肩をすくめ、「済まねえ」というように泣きべそをかいた。「いま籤を作って来るからそこに待っておれ」紋太夫はこう云って、若さまと一緒に表へ出た。

「僅《わず》か十日やそこらで」紋太夫はつくづく若さまの顔を眺めた、「――僅か十日やそこらで十七人とは」

「我ながらこれには呆《あき》れた」

「呆れるのはこっちだ、いったいあれだけの人数をどうする積りなんだ」

「どうったってしょうがねえ、ちょいと口を利《き》くと出来ちまうんだ、おらあもううんざりした、みんなおめえに遣《や》るよ紋太夫」

「黙ればか者、それどころではない大事が迫っているんだ、はっきりしろ」

紋太夫は窓井と金吾を呼んで、「当りのない籤を十七本作って引かせろ」と命じ、また今夜は若さまを表へ寝かせるようにと注意して自分の小屋へ帰った。――それから三日めの夜のことである、松田久弥、灰山、額田、それに紋太夫の四人が若さまの居間に集まった。いよいよ予《かね》ての事を断行するときが来たのである。松田用人は長い巻紙に書いたるものをそこへ置き、「これをよくみろ」と若さまに云った。

十一

「第一条から第八条まで、江戸家老以下の政治壟断《ろうだん》、私曲秕政《ひせい》、収賄瀆職《しゅうわいとくしょく》の事実が挙げてある、これを明日、おまえが御前で読みあげ、記してある重職五名それぞれ永蟄居《ながちつきょ》、閉門、追放を申渡すのだ」

「そいつは面白えな」、若さまは乗気になって巻紙を取上げた。「そのほう不忠者ども、下れおろうーってえわけだな、音羽屋《おとわや》あとくるところか、しかしおれがそう云うだけで利くかしらん」

「下拵《したごしら》えしてあるんだ、若殿御詰問《ごきつもん》の儀ありということで、明日の御前会議はもう定《きま》っているし、罪条摘発があれば後はわれわれが始末をする、だがしくじったら大変なことになるぞ、もしおまえが下手なまねをすれば」

「縛り首か、大丈夫うまくやるよ、おまえさんたちがあっと云うくらいうまくやってみせらあ、本当だぜ」

「とにかく稽古《けいこ》をつけてやる、そこへ坐れ」

それから一刻《とき》あまり四人がかりで教え、これなら間違いあるまいというところでその夜は別れた。その翌日でござる、読者諸君、奸悪無道なる一味は、巧みに病床の伯耆守を動かして重職一統を召集し、いかがわしき若殿を傀儡《かいらい》にいよいよ御為派追放を計り申した。――黒書院上段には伯耆守が病床のまま臨席なされた。全重職十六名が下に居並ぶ。若殿は上段際に着座され、次いで側用人松田久弥が控えた。

「――みな出たか」若さまがまずこう発言をなされた。「今日は思う仔細《しさい》あって皆の者を呼んだ、いずれも多用のところ大儀である」

奸臣一味はびっくりした、びっくりしてからほくそ笑んだ。言葉つきも態度も堂々たるものだし、殊《こと》に相貌《そうぼう》が際立《きわだ》って凛然《りんぜん》としてきた。「こいつは占めた上々吉だ」勝負はこっちのものだと思い、末席にいる紋太夫などは貧乏揺ぎをしたくらいである。

若殿はお続けなされた。

「余は津山にある折から、藩政に就いてかんばしからぬ事のあるのを耳にしていた。父上が御病床に在すを幸い、重職らのうち奸悪の者あい計り、頻《しき》りに内政紊乱《びんらん》を策しておると申す、心痛のあまり余は人を遣わして精《くわ》しく内偵させ、その事実なることを慥《たし》かめてまいった、今日はこれよりその罪条を挙げ、不臣の徒に屹度《きっと》申付けるであろう——上《じょう》！」

こう云って、巻物を取上げると、重職たちは一斉に頭を下げた。どうしてなかなか、とても一夜稽古のでっちあげとは思えない、張りのある声はびんびんと書院の四壁に響きわたり、端座した体からは光を発するかと疑われる。「——第一条」若殿はこう読み始めたが、一々ここに挙げることはござるまい。第二条、三条と読み進んでゆくうちに、奸臣一味の者が妙な顔をし始めた。……どうも少し違うのである。挙げてある罪条は似ているが、一味で捏造《ねつぞう》したものとはどこかしら違う、第五条となり六条となるとますます違ってきた。少し違うどころか、それはむしろ自分たち一味の罪条に近い、いや自分たちの罪そのものになってきた。どうしたことだろう、なんの間違いだろう、これは中止だ、そう狼狽《ろうばい》しだしたときはもう遅かった。

「右八箇条の罪に依《よ》って申渡す」若殿はいちだん声を張上げて読んだ。「——側用人松田久弥、年寄役増井琴太夫、勘定奉行灰山主悦、以上家禄《かろく》召放しのうえ国払い」

「恐れながら」松田久弥が仰天して声をあげた。

「こは思いがけなき仰《おお》せ、さような儀は私いっこうに」

「まったく以《もつ》て覚えのない」灰山も震えながら云った。「これはなにかの間違いでござる」

「中老角田精一郎、追放」若殿は耳もかけず続けた、「大目付小林三之丞、永蟄居、中老瀬沼六郎兵衛、閉門、小姓組頭五十塚紋太夫切腹、額田采女、原野九郎兵衛……」

いやどうも、ずらずら奸臣一味がきれいに名を挙げられてしまった。――正にあっといった感じで、茫然《ぼうぜん》と我を失った一味の者を若殿はしずかに見下ろしながら、

「宙野、その者を曳《ひ》き出せ」と云った。

声に応じて宙野と金吾とが、お広縁へ一人の若者を曳きだした。若殿はその男を見ろと指さした。

「紋太夫あれを見ろ、伝吉だ」

「ああ――」紋太夫は馬鹿《ばか》のように口をあけた、「ああ伝吉、若様か」

正に伝吉である。この物語の初めに金谷の宿で、朴訥《ぼくとつ》な令嬢たちにもてたあの男で

ある。

「不審が晴れねば申してやろう、そのほう伝吉と余を袋井の宿ですり替えた積りであろう、だがその前夜すでに余は伝吉とすり替っていたのだ、袋井にいたのが伝吉で、あの前夜、金谷からまいったのが余自身であった、――これでもはや云うことはあるまい、増井、角田、小林の三名も罪条を自白しておる、遁《のが》れんぞ」

物語はめでたく終り申した。一味の処罰が済んで、腹心の士である宙野や金吾らと、はじめて心おきなく酒を囲んだとき、若殿大助さまにはこのように仰せられたと申す。

「これでどうやら、事はおさまった。みんなおまえたちの助力のお蔭《かげ》だ、――しかしおれにとって、今なにがいちばん嬉《うれ》しいかわかるか」

若さまこう云って、にこりとお笑いなされた。

「――それはもう、女を口説かなくともよくなったことだよ」

（「講談雑誌」昭和二十三年一月号）

古い樫木《かしのき》

一

女は泣伏したまま顔をあげることもできなかったが、男は覚悟をきめた態《てい》で、臆《おく》した色もなくこちらを見上げ、はっきりとこう返答をした。

「いいえ不義ではございません、道ならぬ恋こそ不義とも申しましょう、私どもはゆくすえをかたく誓った仲でございます、ただ御館《たち》の中でひそかに逢《あ》ったということは申し訳ございませんけれど、私もこれも勤めのある体なり、御屋敷の外ではなかなかその折がございませんので、やむなく人眼を避けた御庭の奥で逢っていたのでございます」

正則《まさのり》はむかむかしてきた。額に癇癪筋《かんしやくすじ》が立ち両手がぐっと拳《こぶし》になる、もうそこで高頬をがんと一つ殴りつけるところだ。けれども心は白じらとそっぽを向いていた、肉体は怒《いか》っているのに感情はついてゆかない、寧《むし》ろ反対に冷やかな皮肉な方向へそれてしまう、この不均衡はちかごろ頓《とみ》につよくなったものだ。

「邸内で密通する者は屹度《きっと》申しつけるという定めを知っているか」

「はい存じております、然《しか》し私どもは決して密通などは致しません、互いに愛し合ってこそおりますが、猥《みだ》りがましいことは爪《つめ》の尖《さき》ほどもございません、決して——」

「ばかなことを申すやつだ、男と女が互いに愛し合いながら、ふむ、——五郎兵衛」

正則は振向いて侍臣を呼んだ、「預けるから伴《つ》れてゆけ、追って申しつける」

女は表使いの女中である、男は富井主馬《しゅめ》という扈従《こしょう》組の若侍で、気はしの利《き》くみどころのある男だった。かれらが奥庭の樫木の蔭《かげ》で密会しているところを発見したとき、正則はひとこと叱《しか》りつけて許す積りだったが、男の態度や云《い》うことが気にいらないので、屋形へ伴れて来て糺明《きゅうめい》した。まだ奥と表のけじめがそれほど厳しくなかった時代ではあるし、ひとつ邸内に多くの若い男女が生活していれば有りがちなことだ、相済みませんと詫《わ》びればそれで許してやっていいのである、然し男は恥じるようすがなかった。自分たちは末を誓った仲である、不義ではない、愛し合ってはいるが猥りがましいことはしていない、こう云って昂然《こうぜん》と額をあげた。——正則は蛭《ひる》でものんだような悪心《おしん》を感じた、愛し合うとか、末を誓うとか、決して猥らなことはしないとか、男らしくもない片付けた理窟《りくつ》を並べる。好きになったら愛するがいいのだ、密通と云われようが不義と云われようが、本気で愛し合うならりっぱなものではないか。自分はそうして来た、男と女との愛情はそういうものだということを自分は知っている。

「渡辺に来いと云え、彦助だ」正則はこう云いながら立った、「——納戸《なんど》にいるぞ」

彼の性格には似合わない意地の悪い考えがうかんだのである。納戸部屋の一つで待っていた正則は、渡辺彦助が来るとそこへ方六尺の檻《おり》を造れと命じた。――それは三日めになって出来あがった。中は二つに仕切られてある、正則は二人を左右に分けて入れ、互いに反対の方へ向いて坐《すわ》らせた。

「そのほう共は家法を犯した、罪は死に当るが、その日まで此処《ここ》に監禁する」彼はこう云った、「互いにその位置を動いたり、顔を見たり話したりすることはならぬ、猥らな仲ではないと申すのだから、勿論《もちろん》そのくらいのことは守れるだろう、死罪の日取は追って申し渡す、禁を破ると、――」

そしてそこを去った。

その部屋は一日じゅう暗かった、日の光もささず風もとおらない、季節は六月で、閉めきってあるから空気は澱《よど》んで濁り、夜になっても冷えることがなかった。二人は運ばれて来る食事をとり、虎子《おまる》で用を足す、眠るときには着たまま横になり、覚めると同じ位置に坐る。暑いうえに蚊《か》がひどいので、よく眠れないのも辛《つら》いし、黙って坐り続ける苦しさも想像以上だった。然しかれらはよく禁を守った、位置も変えないし、振向いて見ることもない、ただ時どき女の噎《むせ》びあげる声が、絹糸をひくように細ぼそと哀れに聞えるだけである、こうして四日、五日と経《た》っていった。

正則は独りでよく庭を歩く。――屋敷は愛宕《あたご》山の下にあって、庭は広くひじょうに樹《き》が多い。江戸もまだ草創期で、天神谷に増上寺が出来てからはだいぶ変ったが、それでもまだその附近は郊外林野のおもかげが濃く、この邸内なども屋形まわりは別として、奥庭の大部分が自然のままの叢林《そうりん》である。松や杉や榧《かや》の古い樹立《こだち》があり、下生えの灌木《かんぼく》が繁《しげ》りに繁っている。正則は独りでよくそこを歩きまわった、愛宕山の裾《すそ》までゆくと蘚苔《こけ》むした岩の根から、泉の涌《わ》き出るところが幾箇所もある。まわりには歯朶《しだ》がみっしりと葉を重ね、水を含んだ蘚苔が琅玕《ろうかん》色の絨毯《じゅうたん》を布《し》いている。水は芹《せり》や蓼《たで》、やみぞ蕎麦《そば》をひたして、しぜんと細い流れになり、庭を迂曲《うきょく》して邸《やしき》の前の大溝《おおみぞ》へ落ちる。――その泉の畔《ほと》りに枯れた樫木《かしのき》が立っていた、眼どおり二十尺、高さ八十尺ほどの巨《おお》きなもので、樹齢はおよそ八九百年、樫には稀《まれ》なものだといわれる。枯れてからも年月が経つのだろう、五つ残っている大枝も幹も、すっかり白く曝《さら》されてしまって、遠くから見ると巨人の枯骨のようにも思える、正則はその姿に激しく心ひかれていた。

二

一年ほどまえにその樫は伐《き》られかかったことがある、佐太兵衛という庭番の老僕が、斧《おの》をふるっているところへ正則がゆき合せた。そのとき彼はつくづくと樫の姿を見たのである、どうして伐るのかと訊《き》くと、幹に大きな空洞《うつろ》があるし根元が朽ちかかっている、強い風でも吹いて倒れると危ないからだと云った。

――いや伐ることはない、人の来る場所ではなし危険なことはないだろう、そのままにして置くがいい。

正則はこう云って止めた。見れば見るほどそれは堂々として美しかった、幾百年の霜雪を凌《しの》いで生き、いさぎよく枯死して、惜しげもなく残骨を曝している、孤峭《こしょう》としていかにもみれんのない姿だ、自然に倒れるまでそっとして置いてやりたい、そう思ったのである。――それ以来、正則はしばしば来てその樫木の傍らで憩《いこ》った、表皮の剝《は》げた幹を撫《な》でたり、身を凭《もた》せかけたりした。彼は近頃よくものを想《おも》い、孤独を好むようになった、人間臭さがなければ、生きているという実感がなければ、一日も過せなかった彼が、いまでは折おり生きることに倦怠《けんたい》を感じ、人間臭さが鼻につくのである。人の世は余りに転変が激しい、人間の心は信じ難い、彼は五十九歳の今日までそれを観《み》て来た、たのむことのできるのは自分ひとりであるが、その自分もすでに頽齢《たいれい》で、肉体にも感情にもいちじるしい衰耗が感じられる、そのうえ絶えず云い知れない不安に追われるのだ。どういう不安かということは自分でも説明ができない、はっきりした理由もない、ひじょうに漠然としたものではあるが、それでもいちどその不安が起こると、絶望的な寂しさのために胸苦しくなる、そして庭へ出てゆく。……以前は女や酒が慰めてくれた、弓をひき馬をせめ、家臣たちと語ることで気が紛れた、然しいまはどれ一つとして彼を満たしてくれない、どうしても虚礼や追従《ついしょう》やごまかしが見えてしまう。

――世間のさまも変る、人の心も絶えず移ってゆく、有らゆるものが瞬時も停ってはいない、この世には不易なものはなに一つとして存在しない。

正則は古い枯れた櫟木の側にいるときだけ、おちついた安らかな気持になることができた。彼はその櫟に話しかける。おまえは幾百年というとしつき生きてきた、どれ程の人間の生き死に、幾十たびの栄枯変遷《へんせん》を見て来たことだろう。然しそのおまえもやっぱり死んでしまった。すると櫟木もまた彼にこう答えるようだ。――そうではない、見るのは今さ、生きているうちはなにも見なかった、どんな経験も夢中だった、いのちが終りこのように枯れて、自然の休息にはいってから、おれはようやく見る物や経験することの意味がわかるようになったのさ。……別のとき櫟木はこう呟《つぶや》くように思える。みんな同じことだ、おれは八百年も生きた、暴風雨《あらし》や旱魃《かんばつ》や寒さとたたかい、数知れぬ同族を凌いで生きて来た、然し今はなに一つ残っていない、このみじめな姿もやがて倒れて塵《ちり》になるだろう、なにもかも同じことだ。――勿論これが自問自答だということはわかっているし、さして卓抜な思考でないことも知っている、にも拘《かかわ》らず、そうやって樫木の姿を眺め、その幹に触れていると、正則はしずかな慰めを感じ、心がおちつくのであった。

四五日このかた正則は庭へ出ない、彼は絶えず監禁した二人のほうへひきつけられ、そっと忍んでいってはようすを見る。……かれらは命ぜられた位置に相い反いて坐り、決して振返ったり言葉を交わすようなことはなかった。

――ばかなやつらだ、あれでもゆくすえを誓った恋か。

正則は冷笑する、そして自分の若い頃に比べてみる。彼はそんな風に恋をしたことはない、そんなうじうじしたなまぬるい恋はしなかった。彼はすべてを忘れて燃え、ひたむきに相手を奪った、忘却と燃焼と奪うことが彼の恋であった。

――あいつらはそれをどう考えているのだ。

檻は狭い、どんなに離れても六尺を越えない、蒸され澱んだ空気のなかで、互いの若い躰臭《たいしゅう》に悩まされはしないか、どうくふうしたところで虎子で用を足すりはいは隠せまい、暑さと蚊とで寝ぐるしく輾転《てんてん》反側するとき、なまめかしくみだれた姿態を見ることはないか、……恋はなにものより激しく抗《あらが》い難いものだ、然も互いに愛し合っているとしたらなおさらである。

——よしよし、それが意地なら意地を張っておれ、いまに本音を吐かせてやるぞ。かれらが禁を破ったら、互いに眼を見交わし、すり倚《よ》り、格子《こうし》を隔てて抱き合ったら、愛の言葉を囁《ささや》き合ったら、そうしたら正則は二人を許す積りであった。然し五日と経ち六日と経ってもそんなようすがみえない、彼は苛《いら》いらしてきた、どうでも本音を吐かせたくなり、七日めに侍臣を伴れて檻の前へいった。

「改めて申し渡す、今日より数えて五日のちに死罪をおこなう、よいか、五日のちだぞ」

平伏していた女の軀《からだ》が見えるほど震えた。男の顔も蒼《あお》くなったようだ、正則はそれを見届けてからそこを去った。

三

夜半すぎに正則は忍んでいった。二人はやはり同じ位置にいるようだった、然しなにか話していた、正則は冷笑しながら近寄り、じっと耳を澄まして聞いた。……微《かす》かに囁くような声で女が語っている、それは人に話しかけるというより自分の回想に耽《ふけ》るもののようだ。

「なにも思い残すことはございません、死ぬことも怖くはございません、わたくしは愛して頂きました、どのような愛よりも浄《きよ》く深く、……強く」女はそっと噎びあげる、「あなたの愛がもし浮いたものでしたら、世間の人たちのように契《ちぎ》らずにはいなかったでしょう、――あなたは二年ものあいだ、いちどもそれをお望みなさいませんでした、うれしゅうございました」

「私はおまえと会った」男もまた囁くような声で云う、「このひろい世の中で、この数多い人間のなかで、私はおまえとめぐり会い、互いに愛し合うことができた、――これだけで生れて来た甲斐《かい》がある、果報だと思う」

「あの朝は霧が深うございました」やや久しく噎びあげてから、女が再び歌うように云いだす、「わたくしの髪が梅の枝にからみ、あなたが取って下さいましたとき、散りかかる花片《はなびら》が霧に濡《ぬ》れておりました」

「いつか私が遅れていったとき、おまえは泉の畔りに踞《かが》んでなにかを見ていた、私の足音にも気のつくようすがない、なにを見ているのだろう、私はそっと後ろから近寄っていった、――二羽のあじさしが泉の中で戯《たわむ》れている、おまえは頰笑みながら、いつまでもじっと眺めていた」

正則はやがてそこを去った。歯の浮くようなばかばかしさと、退屈で飽き飽きする気持で胸が重かった。けれども寝所へはいって横になってから、彼の耳にはいつまでも主馬と女の囁きがついて離れず、林の奥で霧にかすんでいる梅の花枝や、そっと笑み交わす二人の顔や、蘚苔に包まれた岩蔭で小鳥の戯れるさまなどが、古い絵巻の断片のように思い描かれた、そしてながいこと眠れなかった。

朝、彼が起きるのを待兼ねて、広島から急使の来たことが告げられた。正則は縁側でその者に会った、使いは長尾隼人《はやと》からの密書を差出した、福島丹波、尾関、大橋、大崎ら重臣の連署した書状で、幕府の隠密《おんみつ》と思える者が領内各所で年貢《ねんぐ》運上の仔細《しさい》を調べていった形跡がある、注意が願いたいという意味が書いてあった。正則は使者を去らせ、密書はすぐ焼いて捨てた。――間もなく長尾勘兵衛が謁を求め、なんのための急使であるかを知りたがった、重臣は殆《ほと》んど広島に残っている、江戸邸に於《お》ける責任者は勘兵衛ひとりといってよい、従って勘兵衛には密書の内容を知る必要があったのだ。

「いや知らずともよい」正則は興もなげに脇《わき》へ向いた、「国の者どもが詰らぬことに神経を立てている、いつも同じ疑心暗鬼だ、捨てて置け」

午後になって正則は庭へ出ていった。鬱陶《うっとう》しく曇った日で、叢林へはいってゆくと空気の冷えが感じられた。――ばかなやつらだ、彼はそう呟く、一昨年からそんな密使が時どきある、去年は城の修築を探索した者があるといって来た、みんな幕府の策謀を怖《おそ》れているのだ、徳川譜代でない許《ばか》りか、豊家《ほうけ》はえぬき武将として、幕府からとかく敬遠されていることは正則も知っている、殊《こと》に三年まえ家康が死んでからはそれが著しい、けれども彼には確信があった。関ケ原のとき武蔵のくに小山に於ける家康の陣営で、彼は誰より先に徳川軍の先鋒《せんぽう》となることを誓った、「西軍の旗挙げは治部《じぶ》少輔《しょうゆう》の野望である、幼弱八歳の秀頼《ひでより》公にその意のある道理がない、豊家の名は詐称《さしょう》に過ぎぬ」こう云った。家康はその発言の功の大きさを認め、七代のあいだはいかなる罪ありとも赦《ゆる》すという保証を与えたのである、――この保証のある限り幕府になにが出来る。正則は老臣どものわけのない疑惧《きぐ》が寧ろ肚立《はらだ》たしいくらいだった。

樫木から少し下ったところで、佐太兵衛が焚木《たきぎ》を拾っていた。その脇の灌木の繁みの蔭が、主馬と女の逢っていた処《ところ》である。そこに朽木の倒れた幹が転げている、主馬がそれへ腰をかけ、女は側に蹲《しゃが》んで、片手を男の膝《ひざ》にのせていた、木漏れ日の斑《まだ》らに揺れる下で、二人のほつれ毛がきらきらと光ってみえた。――佐太兵衛はいま拾った焚木を、その朽木の側へ無心に積上げている。

――こいつはおれと同じ土地で生れた。

正則は下僕の姿を眺めながらそう思う、尾張のくに海東郡二寺村というところで、正則の家は桶屋《おけや》であり佐太兵衛の家は百姓だった。彼は正則が二十五歳で伊予のくに十万石の領主になったとき、頼って来て身を寄せた。然しとうとう世に出る機会がなく、正則の草履を摑《つか》んだり、馬草を刈ったりしたうえ、庭番の下僕というところにおちついたのである。

——同じ土地に生れ同じ水で育ちながら、一方は五十万石の大守になり、一方はその粟《あわ》を貰《もら》って焚木を拾う、だが……。

佐太兵衛が正則をみつけて声をあげた、正則は頭を振りながら近寄っていった。「そろそろくにへ帰ったらどうだ」彼は古い友達にでも話すように云った、「もう隠居をしてもいいじぶんだ、くにの村に家はないのか」

四

「家はございます、たびたびの下され物で、田地も山も、相応以上に持たせて頂きました、帰れば楽隠居でございます」

「佐太には子があったのか」

「おんなを持ちませぬので子はございません、くにの家は兄の伜《せがれ》がやっております」

「妻を持たなかった、——いちどもか」

「若いときひどく懲《こ》りたことがございます」下僕はふと遠くを見るような眼をした、

「それがもとで村をぬけだし、こなたさまをお頼り申したのでござります。……それからはもうふつふつ、今でもおんなは怖《こお》うござります」

「今でも怖いとはよほどの事だろう、その仔細を話してみろ」

「どう仕《つかまつ》りまして、昔のことで忘れてもしまいましたし、やくもないお笑い草でござります」

どう強いても話すけしきがなかった。――いちど懲りてからおんなが怖くなったという、主馬とあの女とは契りも交わさぬ恋のために、死ぬことも恐れないと云っている、どっちにもそれほど恋が決定的なのだ。……あたら男が。正則が去ろうとすると佐太兵衛が顔をあげた。

「来年は尼ごぜの十七年でござりますな」

「――尼、とは」

「甚目寺《じんもく》の釈迦堂《しゃかどう》においでた、……お忘れでございますか」

あああれかと云《い》って正則は頷《うなず》き、ふと眼をあげてながいこと空を見ていた。

屋形へ帰ったとき、またいつもの不安な気持が起こっているのを正則は感じた。曇り日の午後の光がなおさらいけない、彼は奥へはいって酒を命じ、幼い娘たちを呼んだ。……保乃という側女の産んだ子で年は六つと四つになる、年からいっても孫であろう、初めから正則は溺愛《できあい》していたが、この頃はさらに激しくなって、二人の顔を見ていると胸が熱くなるような感動を覚える。

「おやたさま、だっこ」妹娘が膝へ来た、姉がすぐに真似《まね》た。なにごとにも妹のほうがすばやい、お屋形と云うのを聞いておやたさまと訛《なま》るのも、妹が始めて今では姉も呼びならっている。

「あの二人はまだお赦しが出ませんのですか」保乃がふとこう云って正則を見た、「もういいころでございましょう、赦しておやりなされませ、可哀《かわい》そうでございます」

「おれに向っておまえのようになんでもずけずけ云える者は一人もなかった」正則は妹娘の頭を撫でる、「だがそれでやめて置くがいい、おれはひとに指図をされるのがなにより嫌いだ」

「わるうございましたもう申上げませぬ」保乃はすぐにあやまって微笑した、「さあ万さま千いさま、こんどは保乃がだっこ致しましょう、おやたさまのお膝が重うござりますえ」

「まあいい久し振りだ、重くはないのう万、それ千いがおととを召します」

正則は膳《ぜん》の上の肴《さかな》を取って妹娘の口へ入れてやった。――然《しか》し間もなく彼は娘たちを伴《つ》れてゆかせた、云いようもなく心が沈んで、幼い者を見ているに耐えなくなったのである。さらに侍女たちをも遠ざけ、保乃ひとりを相手に暫《しばら》く酒を飲んだ。

「なにかお心にかかる事でもございますのか、たいそうお気色がすぐれませぬ」

「佐太のやつがくにのことを思いださせおった」

「それでおふさぎなされますのか」

「あいつには故郷がある」正則は持っている盃《さかずき》の中をじっと見る、「佐太めには帰ってゆく家がある、だが、——おれにはない、帰るべき故郷も家も、身を寄せる縁類さえもない」

保乃は眼を伏せた。正則は盃の中をみつめたまま「ふしぎだ」と呟く。

「おれは参議従三位《じゆさんみ》で、安芸備後《あきびんご》五十万石の領主だ、広島には城も屋形もある、然しこれはすべて預かりものだ、佐太の帰ってゆくような家でもなし故郷《くに》でもない、……佐太めがそれを思いださせた、ふしぎだ、彼には故郷である村が、今のおれにはまったく無縁の地にしか思えない」

こう云って彼は口を噤《つぐ》んだ。——故郷の二寺村の山河が眼にうかぶ、甚日寺の尼、彼は桶屋の伜の市松だった、暑い夏の日々、職人たちの弁当を届けに遠い処へよく往《ゆ》き来した、埃《ほこり》立つ長い道だった、彼は汗まみれになり、途中にある甚目寺で必ずいちどは休んだ。頼朝が建立《こんりゆう》したという古い寺で、境内に釈迦堂がある、そこに尼僧《にそう》がいて、市松が休むたびに冷たい井水や湯や菓子などを出してくれた。……彼はそのときの嬉《うれ》しさが身にしみて、世に出てからはずっと米塩を貢《みつ》いできたのであるが、佐太兵衛に十七年と聞くまでは、その尼の死んだことさえ忘れていた。——そうだ、あの尼が市松のおれと故郷をつないでいたのだ、市松のおれを知っている尼が亡《な》くなったとき、おれと故郷とのつながりは切れたのだ、然しもしおれが五十万石の大守でなかったら、……軀の小さい柔和な尼の顔が眼にうかぶ、正則は盃を下に置いた。

夜になってから雨が降りだし、気温が高くなった。寝苦しい夜である、正則は三ど納戸《なんど》部屋を見にいった、三どめは夜半を過ぎていたが、ようやく二人の囁きを聞くことができた。……かれらはゆうべと同じように低い乾いた声で、お互いの恋の思出を語り続けた。

五

「二人はめぐり会えた、二人はまじりけなく愛し合った」回想の合間あいまに男はこう繰返す、「幾たび云ってもこの果報は云い足りない、世間には会うべくして一生会えずに終る者が多いのに」

「ええわたくしあなたに会えましたわ、あなたに愛して頂きましたわ」

女は暫《しばら》く噎《むせ》びあげる、それからやがてまた語りだす。露草の咲いていた宵のことを、逢《あ》えないでいた日の悲しみを、月光の中で見た男の後ろ姿を、――そして主馬がそれに続ける、林の奥の静けさ、女の袖《そで》に付いていた草の実、初めて文を交わした時のよろこびなど。

「五十年、六十年生きるよりも」女がこう云う、「わたしたちはもっとよく、もっと本当に生きましたのね、少しも思い残すことはございませんわ」

正則は長くは聞いていなかった。そして寝所へ戻ったときには、ゆうべよりもさらに胸が重く、永いこと心がおちつかなかった。――かれらは互いにめぐり会い、互いに愛し合ったというだけで、五十年生きるよりも真実に善《よ》く生きたと云う。たわけたことを、……まさしく彼には笑殺にすら価しないたわごとだ、然しどういう訳だろう、いま彼は嗤《わら》い去ることができない、戦《いくさ》に負けた者が敵の凱歌《がいか》を聞くような、劣敗感に似たものが頭のどこかにひっかかっている。若いかれら二人に対して、自分の生きて来た五十九年が無意味であるような感じさえ起こる。

――今夜はどうかしている。正則は激しく頭を振った。おれの五十九年がどうして無意味だ、播磨《はりま》の三木城で初陣《ういじん》の手柄をたてたのは十八歳、鳥取城でも山崎の戦でも人におくれをとったことはない、志津ケ嶽《たけ》では七本槍《やり》の第一として知らぬ者はない、その後も小牧雑賀《さいが》の陣、筑紫《つくし》に肥後に小田原に戦い、朝鮮にまで馬蹄《ばてい》の跡を印した、大きな合戦でおれの旗標《はたじるし》の立たなかった例はない、たとえおれは死ぬとしても、青史《せいし》からおれの名の消えることはないだろう、おれは生きた、五十九年のあいだ充実した生き方をした。

ほんの一刻《とき》それは彼を慰めてくれる、然し長くは続かない。自分の死んだ後に名が残ったとしても、それが自分になんの関係があるか、なるほどおまえは幾十たびの合戦に臨み、数知れぬ高名てがらを立てた、だがそれならそこからおまえはなにか得たものがあるのか、なるほど馬に乗る者だけでも七百人あまりの家来がいる、然しかれらは扶持《ふち》をくれて養っているに過ぎない、芸備五十万石はいつ国替えにならぬとも知れないではないか――否《いな》、おまえは間違っている、自分の身のまわりをよく見るがい い、おまえは誰かを本当に愛したことがあるか、おまえのために本当に幸福になった者がいるか、心から誰かに愛されたことがあるか、おまえが死ぬとき利害関係なしに心から泣き悲しむ人間がいるか、……おまえは人を亡《ほろ》ぼし城を焼き領地を奪った、ただそれだけだ。

朝になって起きたとき、正則は身も心も疲れきっているのを感じた、殆んど反射神経と衝動だけで生きてきた彼には、系統を立ててものを考えることができない、それは肉体的に彼を疲らせるだけである、――これはなにか病気が起こっているに違いない。こう思う、けれどもそれはさらに不安と苛《いら》だたしさを唆《そそ》るだけであった。

鳥居忠政が来たと知らせられたとき、正則は小姓に月代《さかやき》を剃《そ》らせていた。左京亮《さきょうのすけ》忠政とはかなり親しい交わりがある、伴れはないというので話しに来たのだろうと思い、支度を直して出ていった。

忠政は久闊《きゅうかつ》も述べずにいきなり云った。

「上意をお伝え申す」

正則は黙ってけげんそうに相手を見た、その言葉も意味もまるでわからなかったのだ。そして忠政が上意書《がき》をとりだし、彼に対する譴責《けんせき》の箇条を読み始めたとき、ようやくなに事が起こったかを諒解《りょうかい》し、くらくらと烈《はげ》しい眩暈《めまい》におそわれた。

「大禁を犯して広島の城を増築し候《そうろう》こと、領内の治め方よろしからず、虐政《ぎゃくせい》を以《もっ》て土民を苦しめ候こと――」

忠政の読みあげる声はもう耳に入らなかった、全身の血が逆流し、忿怒《ふんぬ》と絶望が胸をひき裂くかと思えた。

――とうとう来た、とうとう。

彼はただ夢中でそう呟《つぶや》く、頭が混乱してなにも考えられない、ただ非常にすばやく無系列に、雑多な幻像が明滅する、埃だつ戦場、暗い窓、どことも知れぬ山、女たち、醍醐《だいご》の春の宴《うた》げ、夜明けの杉の森、秀吉の死顔、露草、そしてまた雨の戦場、……これらのめまぐるしい幻像の背景に、濁った暗い川の流れが見える、ゆるやかな嘲弄《ちょうろう》するように緩慢な速度で、だが片ときも休まずそれは流れている。

——とうとう来た、とうとう。

正則の摑《つか》んでいる手指の中で、琥珀《こはく》の袴《はかま》の千切れる音がした。忠政はまったく平静な無感動な調子でこう結んだ。

「よって安芸備後両国四十九万八千石の領地召上げ、その身は津軽へ配流《はいる》の儀仰《おお》せ下され候——」

六

その返答は暫《しばら》く待ってくれるように、正則はこう云って奥へはいった。廊下をゆくにも足がきまらない、なにもかもぐらぐら揺れている、建物ぜんたいが崩壊しそうな感じだ。今しがた全身を圧倒した忿《いか》りは、石のようにかたく冷え縮まって、絶望と狼《ろう》狽《ばい》だけが彼を摑みひきまわす。

——改易、配流、否そんなことは有る筈《はず》がない。これは非常な間違いだ、……おれは七代のあいだいかなる罪も赦すと保証されている、大御所がおれにそれを保証した、これを知らない者はない、間違いだ。

然し休息の間へはいった彼はすぐに夫人を呼び、「白に着替える」と云った。

「お方も和子たちも白に着替えてくれ」

夫人は訝《いぶか》しげに正則の顔を見た。それは紙のように白く乾いて、ぶきみにひきつり歪《ゆが》んでいる、曾《かつ》て見たことのない痴呆《ちほう》のような顔である。

「なにか変事でもございましたか」

「申しつけたことをして貰おう」こう叫んだときにわかに足が震え、再び激しい眩暈におそわれた、「はやく、お方も、和子たちも急ぐ、――聞えたか」

夫人は立っていった。正則は坐《すわ》ったがすぐに立ち、廂《ひさし》の間《ま》へ出て人を呼ぼうとした。茂右衛門、加児《かに》、玄蕃《げんば》、そんな名がちらちらする、改易、流謫《るたく》、……忿りが迫って来る。

「江戸城をひと揺りゆすってくれよう、久方ぶりだ、戦の仕ようを手本に残すのも面白い、かれらは悪い相手に挑んだものだ」

こう呟きながら、心はおろおろとよろめき、将軍秀忠がいま京にいること、自分の家臣も殆《ほと》んど全部が広島にあること、妻や幼い子たちのことなど、ばらばらに彼の頭をかき紊《みだ》した。――夫人が侍女と共に白装束を持って来た、着替えにかかると間もなく、長尾勘兵衛が謁を求めていると知らせて来た、三度まで「ぜひ」と云って来たが、正則は「ならぬ」としりぞけた。……彼の支度が終り、夫人が侍女を伴れて去った、独りになった彼は煙のみえる香炉を取って、前に置きながら坐った。

白いものに着替え髪を直して夫人が戻ったとき、正則の表情は幽鬼のように変っていた、髪は逆立ち、歯をくいしばり、両の拳《こぶし》をわなわなと震わせていた。

「お方、秀忠めがおれをくわせた、五十万石は改易、おれは津軽へ流される」

さすがに夫人も蒼くはなったが、眼はしずかに良人《おっと》の顔をはなれなかった。彼女は駿河守《するがのかみ》牧野忠成の妹である。――正則は片膝で敷物を打ち頬を痙攣《ひきつ》らせた。

「福島の家には七代安堵《あんど》の公約がある、いまになって反故《ほご》にする以上かれにも覚悟はあろう、おれも従三位正則だ、流人になって恥をさらすほど老いぼれはせぬ、お方、――和子といっしょに死んでくれ、それを見届けてから、おれは上使と刺違えて死ぬ」

夫人は正則の眼をみつめたまま、静かに悠《ゆっ》くりと頭《かぶり》を振った。それは子供をたしなめる母親のようにおちついた静かな身振りだった。

「どうした、いやだというのか」

「さしでがましゅうございますけれど、それは御思案ちがいだと存じます」

「云ってくれ、どう違うのだ」

「わたくしが申すのではございません、御自身で仰《おっ》しゃるのをわたくしが伺ったのでございます」

「おれが、……おれが、なにを申した」

「奥庭の樫木《かしのき》でございます」夫人はふと声を低くした、「あの樫が伐《き》られようとしたとき、そのままにして置けと仰付けられました、――幾百年の霜雪を凌《しの》いで生き、いさぎよく枯れ、惜しげもみれんもなく、堂々と残骨をさらしている、みごとではないか、自然に倒れるまでそっとして置こう、わたくしにもこう仰せられたことを、お忘れでございますか」

　正則は眼をつむった、夫人の言葉は水のように彼を浸し押包んだ。彼のなかでなにかが眼覚める、音楽にも似た感動が胸にひろがる、そしていま閉じた瞼《まぶた》の裏に、巨《おお》きな古い樫の枯木がうかびあがった。

　――なにをそうじたばたするんだ、市松、樫木は彼にこう呼びかける。おれは千年ちかくも生きた、だがひこばえで枯れたのと同じように枯れてしまった、みんな同じことだ、この残骸《ざんがい》もやがて土に化してしまう、同じことだ、慌《あわ》てることはないじゃないか、市松。

夫人は続けてこう云った。

「殿さまは殿さまらしくお生きあそばしました、誰に遠慮も気兼もなく、ずいぶん御無理も押通して、——いかにも殿さまらしく、思うままに生きておいでなされました、いまここで狭い御思案をあそばしては、これまでのことがすべてあだになるように存じます、……樫木の枯れざまをりっぱだと仰せられ、堂々とみれんも惜しげもない姿だと仰せられました、——改易も配流もなにほどのことがございましょう、お受けあそばしませ、樫木のように堂々と、みれんのない枯れざまをみせておやりあそばせ」

七

保乃がこれも白を着て、二人の姫を伴れてはいって来た。夫人は泣いていた。正則は娘たちを招いてその両手をとり、静かに立って表へ出ていった。忠政は待っていた。そのような重大な使者とはみえない姿勢で、——席には福島の侍臣数名と、長尾勘兵衛が坐っている、どの顔にも動顛《どうてん》の色が強い、かれら許《ばか》りでなく邸内ぜんたいが震撼《しんかん》し慟哭《どうこく》している感じだ。然し忠政はそれを見もせず聞きもしない、思いたって訪れた客のように泰然と坐っていた。——二人の子の手をひいて正則が出て来た。彼は子たちを左右にして座に就き、穏やかな、寧《むし》ろ沈んだ声で待たせた詫《わ》びを云《い》った。

「上意の御趣意はたしかに承った、大御所には申上ぐべきこともあるが御他界のいまはぜひもない、お受け申す」正則はこう云ってから改めて親しい人の調子になった、「――実は妻子をころし、其許《そこもと》と刺違えてとも思ったが、しょせん狂気の貶《そし》りを買うだけと諦《あきら》め申した、ただ其許には日ごろのよしみに頼ってお願いがある、この二人の子たち」

忠政はじっと正則の眼に見入った。

「この幼いもの二人の、ゆくすえをみてやって頂きたい、鳥居どの、お頼み申す」

忠政は頷《うなず》いた、そしてその眼は明らかに濡《ぬ》れていた。

左京亮を送りだし、着替えをしてから、重だった家臣を集めて改易の旨《むね》を告げた。泣く者、怒る者、ひと合戦を叫ぶ者など、いっとき座は喧噪《けんそう》に掩《おお》われた。正則は白じらとした気持で、なんの感興もなくかれらを制止し、反抗騒擾《そうじょう》をかたく禁じた上、さっさと奥へはいった。――午後になって彼は納戸部屋から二人を呼出した。かれらは死罪の時が来たと思ったのだろう、どちらも蒼白《そうはく》になり身を震わせていた。

「申し渡した死罪はとりやめる」正則は手文庫をひき寄せながら云った、「なぜなら、おれ自身が流れる身になった」

主馬が驚愕《きょうがく》して顔をあげた。

「五十万石は潰《つぶ》れた、おれは津軽へやられる」正則は文庫の中から金包を取出し、それを二人の前へ投げやった、「――餞別《せんべつ》だ、それを持って立退くがいい、このさき武家奉公はするなよ」

「お待ち下さい」主馬は眸子《ひとみ》から火を放つように正則を見上げて叫んだ、「おぼしめしに反《そむ》くようですが私は立退きません、御家万代なればともかく、御改易がまことなら立退くことはかないません」

「わからぬことを云う、福島の家は滅亡、家臣は離散するのだ、立退かんでどうする」

「殿のお供を致します、たとえ津軽が蝦夷《えぞ》でございましょうとも――」

「ばかなことを申せ、国替えでも転封でもない、おれは流されるのだ、これからはおまえたちにやる一粒の米もない、おれ自身が配所の恵みで生きなければならないのだ」

「覚悟のうえでございます、一粒の米も頂こうとは存じません、馬方、人足、なんでも稼《かせ》ぎましょう、私はお供を致します」

主馬の眼はきらめいている、梃《てこ》でも動かない表情だ、正則はそれをねめ返していた。

——それから静かに頭を振った。

「いやいけない、おれの生涯は終ったがおまえたちはこれからだ、若いおまえたちを敗残の道伴《みちづ》れにはできない、立退くがいい主馬、そして二人で仕合せに生きるがいい」

「お願いでございます、殿、——」主馬は膝《ひざ》ですり寄った、「お供の願いをお許し下さい、決してお煩《わずら》いはかけません、どうぞお許し下さい。お願いでございます」

明くる朝はやく、まだ仄暗《ほのぐら》い時刻に、正則はあの樫木の側に立っていた。幕を張ったような霧で、枯れた幹はびっしょり濡れ滴《したた》れていた。——あの二人はついて来る、ふとそう思う、供はかたく禁じたが、二人ともあくまでついて来る眼をしていた。恋に純粋なものは義理にも純粋なのか知れない。

正則は樫木をつくづくと眺め、やがて持っていた斧《おの》を取直した。

「おれの後にどんな人間が来るか知れぬ、心なき人の手にかけるのは忍びない、おれと一緒にゆこう、なあ老人」彼はこう云って、発止と斧を打下した、「おれも裸に剝《む》かれた、参議従三位も五十万石もすぽりと脱いだ、……これも悪くはない、桶屋《おけや》の市松にかえるだけだ」

ひと言云っては斧を打込む、力いっぱい、樫木は体ぶるいをし、木《き》屑《くず》が飛ぶ、もはや不安も憂愁もなかった、爪先から頭まで、市松の本性が甦ってくる、軀がこころよく熱し、胸いっぱいに思う存分の呼吸ができる。——待て待て、彼は斧を置いて諸肌をぬぐ。

「それゆくぞ、堂々と倒れてくれ、みれんのない倒れぶりを見せてくれ、そら一つ」

逞《たくま》しい半裸の肩に肉瘤《にくこぶ》が立つ、斧は丁々と林にこだまを呼ぶ、——そこから少し下った灌木《かんぼく》の繁《しげ》みの前にさっきから来て立っている女性がある。正則夫人である。夫人は右手をあげ、指で眼がしらを押えながら、愛児を呼ぶ母親のように口のなかでそっとこう呟いた。

「——市松どの」

（「苦楽」昭和二十三年六月号）

花も刀も

みぞれの街

一

道場からあがり、汗みずくの稽古着《けいこぎ》をぬいでいると、秋田平八が来て「おめでとう」と云《い》った。

「みごとだった。平手《ひらて》、みごとだったよ」

「今日は調子がよかったんだ」

「そうじゃない、実力だ」

「いや、今日は調子がよかったんだ」と、幹太郎《みきたろう》は云った。「しかし、なぜ先生は納《な》屋《や》さんとの勝負を一本で止《や》めたんだろう」

「一本で充分だったのさ」

「そうは思えないんだが」

幹太郎は首をかしげたが、「汗をながして来る」と云い、下帯《したおび》ひとつのまま手拭《てぬぐい》を持って裏へ出ていった。

掛札が筆頭《ひっとう》から五枚までの者は汗を拭《ふ》くのにも、風呂場《ふろば》を使うが、平手幹太郎は六枚目なので、平《ひら》の門人と同じように、井戸端へ出なければならなかった。

――彼が出ていったとき、そこには六七人いて、彼を見るなり、口ぐちに祝いを述べながら、半挿《はんぞう》（洗面用の盥《たらい》）を持って来たり、水を汲《く》んだりした。

秋田平八が「おめでとう」と云い、そこにいる内門人《うちもんじん》たちが祝いを述べたのには、理由があった。

毎年十二月の試合は、単なる月例試合ではなく『稽古おさめ』の式を兼ねているし、その成績によって、次の一年の席次がきめられるのである。

その日の試合に、幹太郎はめざましい腕をみせ、掛札の五人の幹部をみんな打ち込んだ。筆頭であり代師範である納屋孝之助とは、一本だけで終った。師範の淵辺《ふちのべ》十左衛門が「それまで」と宣告したので、決勝には至らなかったが、しかしその一本は、紛れのないもので、つまり、彼は第一位の成績をあげたのであった。

「もうよせ、たくさんだ」と、幹太郎はかれらに云った。

「まだわかりもしない順位のことなんか口にするな、林や殿井などはそんなことより自分のくふうが大切だろう、今日は二人ともいいところがなかったぞ」

かれらは黙った。かれらは幹太郎をよく知っていた。彼はいつもまじめであり、修行の鬼とでもいいたいくらい、すべてを刀法にうちこんでいる。後輩に対しても極めて謙遜《けんそん》であるが、こと刀法に関する限り、一言《ひとこと》もゆるがせにしないというふうなので、どんなばあいでも不用意に云い返すようなことは決してしなかった。

「酒の席でも試合のことなんか云うなよ」

幹太郎はこう云って水をかぶった。

風はないが、十二月下旬の昏《く》れがたで、寒さはきびしかった。彼は半挿の水でなく、釣瓶《つるべ》で汲んで、ざっざっと肩から浴びた。五尺七寸たっぷりある、筋肉でこりこりした軀《からだ》が、きびしい寒さのなかでみごとに水をはじき、たちまち、若い健康な血の色に染まった。角ばってはいるが、北国人らしいおもながの、彫《ほり》のふかい顔には、堅い自信と張りきった力感があふれている。それがいま、こみあげてくる微笑のために、誇りとよろこびとで輝くようにみえた。

――やった、おれはやった。

とうとうおれはやったぞ、と幹太郎は心のなかで叫んだ。

稽古おさめの祝宴は五時から始まった。

門人はぜんぶで八十七人いたが、主持《しゅうもち》であるとか、その他の事情で出られない者もあり、その日集まったのは五十余人。それに、出稽古さきの諸家《しょけ》――松平和泉守《いずみのかみ》、戸田内膳、堀田信濃守《しなののかみ》、松平備後守《びんごのかみ》、板倉伊賀守らから、その係りの人が出席した。

宴席は初め道場で行われた。

師範と招待客を正面にし、掛札の順に膳《ぜん》が並ぶ。給仕は内門人の少年五人と、新参の者たちが受持つのであるが、それは盃《さかずき》が一巡するまでのことで、まもなく上座の主客と、掛札五枚までの幹部は奥へ去ってしまう。そこにはべつに席が設けてあるし、素人《しろうと》ふうに拵《こしら》えた芸妓《げいこ》がいて、とりもちをするのであった。

師範の淵辺十左衛門は常陸《ひたち》の出で、笠間《かさま》の近くに家があり、妻子はそっちに住んでいた。この道場では、十左衛門は独身生活であるが、毎月五日ずつ家に帰る。稽古おさめが済むと、正月の四日まで帰省する。内門人、特に年少の者たちには、それがはねをのばす好《よ》い期間になっていた。

その日——主客と幹部が奥へ移ったあと、道場ではみんなくつろいで飲みだした。幹太郎は飲まないので、隣りに坐《すわ》った秋田平八と話しながら、彼に酌をしたり、肴《さかな》を摘《つま》んだりしていた。

平八は幹太郎より三つ年長《としかさ》の二十五歳で、いちじは掛札三席までいったが、三年まえに右足の脛《すね》を骨折して跛《びっこ》になった。それ以来ずっと道場の経理を担当しているが、刀法にはすぐれた鑑識をもっていて、幹太郎にとっては誰よりも——ときには師の十左衛門よりも、よき助言者であった。

主客を奥へ送っていった少年たちのうち、村上小次郎が戻って来て、幹太郎の耳へ、

「先生が外出しないようにと仰《お》しゃってます」と、囁《ささや》いた。

幹太郎はどきっとした。

「なにか御用でもあるのか」

「あとでお話があるそうです」

そう囁いて少年は去った。少年たちは道場の酒宴に加わることができない。かれらはかれらだけで祝いの膳に坐るのであった。

「なんだ――」

少年が去ると秋田平八が振向いた。幹太郎は少年の伝言を告げた。

「そうか、いよいよきたな」

「どうだかな」

「ほかにあるものか」

平八は微笑して云った。

「順位の更改《こうかい》にきまっている。あがるぞ」

「どうだかな」と、幹太郎は顔をひき緊《し》めた。

「二席とはいえないかもしれないが、三席にあがることは確実だ。これまで六枚めにいたのが、おかしいくらいだったからな。おれはまず三席はまちがいないと思う」

「有難いが、低い声でたのむ」と、幹太郎は赤くなり、「取らぬなんとかの皮算用はよそう」と云った。平八は頷《うなず》いて、盃を口へもってゆきながら云った。

「明日は国へ知らせてやれるぞ」

「うん――」と、幹太郎は呟《つぶや》くように云った、「もしそうなったら、父はよろこんでくれるだろう」

彼はふと遠くを見るような眼をした。

二

幹太郎は故郷をおもい、父をおもった。

父の弥七郎も剣士をこころざし、ずいぶん修行したようである。父の口からはなにも聞かないが、母親の話によると、若いころから幾たびも修行に出て、二年も三年も帰らないことがあった。そのため、田地や山林も売り、いまでは一町歩たらずの田畑と、同じくらいの山林が残っているだけである。

――いま残っている分をなくすことはできない。

と、母親はよく幹太郎に云った。

——これを手放すようでは、先祖に申訳がない。おまえもこれだけは守っていておくれ。

父はやがて、自分に才能のないことを認め、自分の夢を幹太郎によって実現しようとした。

幹太郎は六七歳から木剣を持たされ、十歳まで、父の手で基本的な『刀法の型』をみっちり教えられた。十二歳になると仙台城下へ出て、鈴木道之進という師範についたが、そこで彼は才分のあることを認められ、十八歳で江戸へ出て来たのであった。

——これで田地を売らずに済む。

と、彼は思った。

——経《た》ってみれば案外早かった。

江戸へ来てまる四年。ここで三席になることができれば、（彼自身は『次席』だと思うが）道場でも毎月の手当は出るし、出稽古をするから、べつにかなりな収入があるので、こんどは母に送金することができる。

母からの手紙によると、今年は山の木を売ったそうであるが、これで母も安心するだろうし、父はもっとよろこんでくれるだろう、と彼は思った。

――そうだ、それから妹たちの嫁入り支度もしてやれる。

彼には妹が二人あった。かやはもう十七歳になるし、その下のつやも十三歳である。田舎の十七歳はもう婚期に当るから、かやも良縁さえあれば、これでかたちだけの支度はしてやれるだろう。こう思うと、江戸へ来てから四年間の辛労も、あたたかく彼をあやすかのように思えた。

八時ちかくに、五人の客が帰った。

それを送りだすとまもなく、幹太郎は師範から呼ばれた。秋田平八は微笑しながら、立とうとする幹太郎に頷いた。

「あとで奢《おご》ってもらうぞ」

「そうありたいものだ」と、幹太郎は答えた。

淵辺十左衛門は居間で茶をのんでいた。彼は五十二歳になる。色の黒い、どこにも特徴のない平凡な顔だちであるが、軀だけは逞《たくま》しく、力士のような肩を持っていた。剣客というよりも、農夫か樵夫《きこり》といった感じで、髪《か》毛《み》もまだ黒かった。

幹太郎が坐ると、十左は静かな調子で、今日の(彼の)試合ぶりを褒め、腕の上達したことを褒めた。

幹太郎は顔がほてってき、胸がどきどきした。十左は言葉まで改め、これまで「平手」と呼びすてにしていたのを「そこもと」と云った。

「わしは教えるだけ教え、そこもとは会得《えとく》するだけ会得した」と、十左は続けた、「四年間よく辛抱し、よく修行されたが、わしとしては、もはやそこもとに教えることはない。だが、この道に極まりはないのだから、他《ほか》にもっとよき師を選び、さらに修行を積まれるがよいと思う」

幹太郎には十左の云う意味がちょっとわからなかった。彼はおそるおそる訊《き》いた。

「と、仰《おっ》しゃいますと」

「つまり――」と、十左は云った、「もうこの道場を出て、他の師に就かれるがよいというのだ」

「お待ち下さい、それは」と、幹太郎は吃《ども》った、「それは思いもかけぬお言葉です。私はこの道場でもっと修行を致しとうございますし、それに、これまでの習慣によると、今日の試合で私の席次はあがり、代師範のなかにはいる筈《はず》だと思うのですが」

「いや、それはできない」と、十左は云った。

「なぜですか」

「そこもとはわが流儀に外れた技《わざ》を遣《つか》う、この道場では流儀外れの技を教えることはできない」

「どこがですか」

幹太郎はかっとなった。

「私のどこが流儀に外れているんですか」

「それは自分で考えることだ」

「いや仰しゃって下さい、私に悪いところがあれば、それを指摘して下さるのが貴方《あなた》の責任ではありませんか」

「それは師弟のあいだのことだ」

「師弟のあいだ！」と、幹太郎は息をのんだ。彼は殆《ほと》んど息が詰りそうになった、「では私は、もうこの道場の門人ではないのですか」

「もういちど云おう、そこもとは会得すべきものはすべて会得した、これ以上わしの教えることはない、それだけだ」

「するとつまり、つまり、私に出てゆけというわけですか」

「私はそうは云わなかった」

「わかりました」

幹太郎は軀がふるえてきた。

——おれが邪魔なんだな。

——おれの腕が上達して、首席の代師範さえ打ちこんだ。師範の淵辺十左衛門も勝ちみはないかもしれない。それでおれを追放しようというのだろう、と彼は思った。

「要するに、私がいるとぐあいが悪いということですね」

彼はふるえながら云った。

「代師範を五人も総舐《そうな》めにし、どうやら貴方もこころもとないので、それで私を追い出そうというのでしょう」

「わしがこころもとないって」

「ほかに理由がありますか」

そのとき次の間で声をかけ、襖《ふすま》をあけて納屋孝之助がはいって来た。

「平手、道場へ出ろ」と、孝之助は云った、「いまの言葉は、先生ばかりでなくこの道場ぜんたいを侮辱するものだ、改めて勝負をするから道場へ出ろ」

「本気ですか納屋さん」と、幹太郎が振向いた。十左が、「よせ、無用だ」と制した。

幹太郎は冷笑した。

「本気ならどこへでも出ますよ、だがいざとなって逃げるんじゃないでしょうね」

「文句はあとだ、出ろ」

「望むところだ」と、幹太郎は立ちあがった。

十左が「よせ」と叫び、孝之助が、「大丈夫です」と云った。

幹太郎はそのまま廊下を道場へゆき、「みんな場所をあけろ」と喚《わめ》いた。門人たちはさかんに飲みながら、話したり笑ったりしていたので、幹太郎の声がわからなかった。

「おい、場所をあけろ」

彼は道場のまん中に立って絶叫した。

「膳を片づけろ、もうひと勝負するんだ」

道場の中が急にしんとなり、みんなが幹太郎のほうへ振向いた。

「平手、どうしたんだ」と、秋田平八が呼びかけた。

三

幹太郎は自分の竹刀《しない》を取って戻った。

「どうしたんだ、平手」

平八が不自由な片足をひきながら、彼のほうへとんで来た。幹太郎は竹刀をぴゅっぴゅっと振りながら、平八を見て顔を歪《ゆが》めた。

「おれは放逐だ」

「なんだって」

「おれはこの道場から放逐されたんだ」

「平手、――」

秋田平八は口をあいた。

そこへ納屋孝之助と、淵辺十左衛門が出て来た。幹太郎は竹刀で二人をさし、平八に向って云《い》った。

「置き土産におれがどれだけ遣うかみせてやる」

「待て平手、それはいかん」

「止めるな」

幹太郎は向き直った。

「試合はならん」と、十左が叫んだ。

「納屋、試合はならん、わしが許さんぞ」

「道場の面目のためです」

孝之助はそう云いながら、自分の竹刀を取り、道場の中央へ出て来た。

このあいだに、門人たちはめいめいの膳や徳利を持って、不安そうに隅のほうへ片寄った。十左と平八とは、なおその試合を止めようとしたが、二人はもう左右に別れ、相い正眼に構えて動かなかった。

幹太郎は、二度、三度と、大喝した。

「やるなら尋常にやれ」と、十左が叫んだ。

「乱暴はならんぞ」

幹太郎はまた一喝した。

二人とも道具を着けていない。そして、両者とも逆上していた。二人が逆上していることは、誰の眼にもわかった。

孝之助が絶叫し、床板を踏みならして打ちこんだ。

真向《まっこう》から左の胴へ切返すもので、彼のもっとも得意な手であった。だが幹太郎はその逆をいった。孝之助の竹刀が胴へ切返すより一瞬早く、幹太郎の竹刀の尖端《せんたん》が相手の額を突き、ついでその鍔《つば》を返し、火の出るような体当りをくれながら、相手の顎《あご》を突きあげた。

孝之助は仰向けに顚倒《てんとう》した。

殆んど丸太を倒すようで、床板を打つ後頭骨の音が、みんなの耳にぞっとするほどはっきりと聞えた。

孝之助の口から血がながれだし、起き直ろうともがいたが、そのまま動かなくなった。

「納屋！」と、十左が叫んだ。

平八が片足をひきながら倒れている孝之助の側へゆき、衿《えり》へ手をさし入れて胸をさぐった。

道場の中がしんと鎮《しず》まった。

「大丈夫です」と、平八が十左に云った。

「頭を打ったから失神したのでしょう。ほかに別条はないようです」

「その血はなんだ」

「歯です、歯が折れたから出たんです——村越と井野、納屋さんを部屋へ運んでくれ」

平八に呼ばれて、二人の門人が立っていった。

幹太郎は「先生」と云った。

「出てゆけ」と、十左が叫んだ、「きさまは破門だ」

幹太郎は頭を垂れた。

彼は全身から力がぬけ、気持がみじめに挫《くじ》けるのを感じた。道場ぜんたいを微塵《みじん》にしてやろうというくらいに燃えあがっていた怒りが、倒れて失神したまま口から血をながしている孝之助の姿を見たとき、まるで断崖《だんがい》から落ちでもするように、いっぺんに昂奮《こうふん》がさめ、心がちぢみあがった。

「いますぐに出ろ」と、十左はあびせかけ、「二度とその顔を見せるな」と云って、荒あらしく奥へ去った。

二人の門人が孝之助を運んでゆき、平八が幹太郎の側へ寄って来た。幹太郎のうなだれた顔に、涙がながれていた。

「おれの部屋へゆこう」と、平八が云った。

幹太郎ははっと顔をあげた。平八の声で初めてわれに返り、気がつくと門人たちが、不安そうな眼でこっちを見まもっていた。彼は身ぶるいをし、首を振って平八から離れた。

——おしまいだ。

と、幹太郎は思った。

「平手、おれの部屋へゆこう」と、秋田平八が追って来た。

「おれに事情を話してくれ、先生にはおれから願ってみる」

「だめだ、万事終りだ」

「短慮はいかん、国のことを忘れたのか」

幹太郎は自分の部屋へはいり、黙って荷物をまとめた。

彼の体はふるえ、再び怒りがこみあげてきた。

平八が、「お父上のことを思え」と云った。

幹太郎は顔を歪め、まとめた荷物を手で叩《たた》いた。

——だめだ、おしまいだ。

と、彼は思った。

「これを預かってくれ」と、幹太郎は立ちあがった、「事情は話さなくとも自然にわかるだろう、いろいろ世話になったが、出てゆくよりしようがないんだ」

「しかし出ていってどうする」

「わからない」幹太郎は刀を取って差した、「なんにもわからない、おれは人も世も信じられなくなった、おれは僅《わず》かに田地や山林を守り、親や妹たちに人並な暮しをさせたいと思った。それを第一の目的に修行し、そのため人の試みない技をくふうして来た、それが……それが、こんな結果になってしまった、なぜだ、おれには説明ができない、いまはなんにもわからない」

「神田の旅籠《はたご》町におれの知った家がある、そこへいっていないか」

「有難う、しかしなんとかやってみる」

「旅籠町の山源と聞けばわかる、おれと同郷の出で小さいが料理茶屋をやっているんだ、ひとまずそこへおちつかないか」と、平八が云った。「先生が笠間へ帰省したら、自分もすぐ山源へゆく、そこでよく相談をしよう」と、平八は云った。

「そうするかもしれない」と、幹太郎は云った。

「いろいろ有難う、ではこの荷物を頼む」

「短気を起こさないでくれ」

「そうしよう」

幹太郎は顔をそむけ、「送らないでくれ」と云って、部屋を出ていった。

外へ出ると雨が降っていた。まだ降りだしたばかりらしい。こまかな弱い降りで、人どおりの絶えた、暗い麴町《こうじ》の往来を、ひっそりと濡《ぬ》らしていた。

「お母さん――」

幹太郎はそう云って立停った。

彼の喉《のど》へ嗚咽《おえつ》がこみあげてきた。

四

幹太郎は空家の軒下に立っていた。

日昏《ひぐ》れ刻《どき》で、みぞれが降っていた。さっきまで雨だったのが、いまは小さな白いものが混っている。鼠色《ねずみいろ》の雲に掩《おお》われた空から、それはまっすぐに降って来て、板葺《いたぶき》のはしゃいだ屋根を叩き、すっかり朽ち割れている庇《ひさし》を叩いた。

そこは本所四つ目の路地裏であった。棟が波を打ち、柱の傾いた長屋が並び、それがほとんど空家らしい。隙間《すきま》だらけで、乾割《ひわ》れた雨戸が閉ったままだし、夕餉《ゆうげ》どきだというのに炊《かし》ぎの煙も見えず、人の声もしなかった。

「どうしてみんな空家なんだ」と、幹太郎は呟《つぶや》き、そして、ふところ手をしたままで、がたがたと震えた。

「こんな裏長屋が、こんなに揃《そろ》って空家だなんて、おかしなことがあるもんだ」

彼は顔を歪めた。

空腹と、寒さと疲れとで、頭が痺《しび》れ、体が宙に浮いているような感じだった。

「ひどいことになったな」と、彼は呟いた、「なんとかしなければならない」

本当になんとかしなければならない。どうしよう。もう待ったなしだ。ぎりぎり結着だぞ、と彼は思った。

淵辺の道場を出てから二十余日、天保四年の正月も、中旬をもう過ぎていた。僅か二十余日でどん詰りまで来た。もう五日も食事らしい食事をしないし、一昨夜からは木賃宿に泊る銭《ぜに》もなく、空家へ一と晩、ゆうべは石原町の、なんの神社とも知れない、小さな社殿の中にもぐりこんで、夜を明かした。

「旅籠町へゆこうか」

彼は足もとへ眼をおとした。

旅籠町の『山源』へゆけば、秋田平八に会えるだろう。彼に預かってもらった荷物もある。荷物といっても四五枚の着替えと、書物が二十冊ばかりだが——秋田は怒っているだろうな。あんなに云ってくれたのに、おれは『山源』を覗《のぞ》きもしなかった、と幹太郎は思った。

そのとき一人の子供が、この路地の中へはいって来た。

年は七つくらいだろう。襤褸《ぼろ》というより布切《ぬのきれ》を集めて体へ縛りつけたような、おそろしくみじめな恰好《かっこう》をしている。この寒さにはだしで、それでも頭には破れた油紙をかぶっていた。

子供は幹太郎を見てぎょっとし、逃げ腰になりながら、狡猾《ずる》そうな眼ですばやく彼を観察した。

「なんだ、坊や」と、幹太郎が云った。すると、その声で安心したように、子供が近よりながら云った。

「おじさん、雨宿りか」

「うん、まあそうだ」

「むだだぜ」と、子供が云った。

「この雨はやみアしねえ、待ってたってやむ雨じゃありアしねえ、雪になるぜ」

「そうらしいな」

「わかっているのかい」

「そうらしいと云ったんだ」

「ふん、——」

子供は幹太郎のようすを無遠慮に眺めた。ひどくませた、そんな年ごろの子供には似あわない眼つきだった。

「おじさん寒そうだな」と、子供が云った。幹太郎はそれをそらすように、両側の長屋へ顎をしゃくった。

「こっちも向うも、みんな空店《あきだな》のようだな」

「うん、不景気だからな」

「不景気で引越したのか」

「そうでなくってよ」と、子供は云って、水洟《みずっぱな》を横撫《な》でにして、「人足《にんそく》に出たって仕事なんぞ、ろくにありやしねえ、番札で働きに出るのが五日に一度くれえだ、それで五合の米が百文するんだから、女房、子のある者は江戸じゃあ食えねえ、田舎のある者はみんな田舎へ帰っちまうさ」

「坊やの家では帰らないのか」

「おじさんはどうだい」

と、子供は云った。幹太郎は苦笑した。

——おそろしくませた子供だ。

と、彼は心のなかで思った。子供は妙な咳《せき》をし、幹太郎の差している刀をちらちら

と見ながら、ふと低い声で云った。

「こんな処《ところ》に立っていられちゃ困るんだがな、おじさん」

「どうして」

「どうしてでもさ、やまねえとわかってるのに、雨宿りをしていてもしようがねえ、

どこかほかへいってくれねえかな」

「どうして此処《ここ》にいてはいけないんだ」子供は警戒するように幹太郎を見、それから、「おじさん町方《まちかた》じゃねえのかい」と云った。幹太郎は首を振った。

路地口に人の足音がし、なにか話しながら、どぶ板を踏んで人がこっちへ来た。幹太郎が振返ってみると、古い蛇ノ目傘をさした娘と、頭から半纏《はんてん》をかぶった男との二人づれで、それを見るなり、子供がまた幹太郎に云った。

「ほかへいったほうがいいよ、おじさん、あのあにいはちょっとうるさいぜ」

「長《ちょう》、客か」と、その娘がこっちへ来ながら云った。

長と呼ばれた子供はかぶっていた油紙をとり、鉢のひらいた頭を横に振った。

「雨宿りをしているんだ」

「雨宿りだって」と、伴《つ》れの男が云った。

二人はそこへ来て、敵意のある眼で、じろりと彼を見た。

「お武家さん、なにか用でもあるんですか」と、男が云った。

三十二三で、左の眼《め》尻《じり》から頬へかけて、べったりと青痣《あおあざ》があり、眼に陰険な光がある。

色の褪《さ》めた紺の長半纏に、色鼻緒のぺしゃんこな女下駄をはいていた。

「いま子供の云ったとおりだ」と、幹太郎は答えた。

「すると本当に雨宿りですか」

幹太郎は頷いた。

男は笑いもせずに云った。

「じゃあ済みませんが、ほかへいって下さいませんか」

「此処では悪いか」

「だから頼んでいるんだ」と、男が嘲笑《ちょうしょう》するように云った。

「こんな処に立ってたって、この雨はやみアしねえ、表通りなら往来があるから、拾ってってくれるような茶人《ちゃじん》があるかもしれませんぜ」

「拾ってってくれる、——」

幹太郎は震えながら反問した。

長と呼ばれた子供が、「この人は顎を出しているらしいよ」と云った。

男は幹太郎に、「そうだよ」と云った。

「拾ったうえに、うどんの一杯ぐれえ、ふるまってくれるかもしれねえ」

「三公、喧嘩《けんか》はよしとくれ」と、娘が云った。

「無礼なことを云うな」

幹太郎がどなった。長が「おじさんよしなよ」と叫んだ。それが幹太郎をもっと怒らせた。二十余日このかた屈辱に満ちた明け昏れと、いま飢えと寒さとで、みじめにちぢみあがっている自分の姿を思うと、その男の卑《いや》しい嘲弄《ちょうろう》がどうにもがまんできなかった。

――こいつ、と幹太郎は刀を抜いた。

娘が「三ちゃん」と叫び、男が怒号しながらとびあがった。幹太郎の足の下でどぶ板が割れ、彼は横ざまに転倒した。

なりわい

一

幹太郎は天床《てんじょう》を眺めていた。

薄い古夜具にくるまって、仰向けに手足を伸ばしたまま、箱枕《はこまくら》の当るところが、痛くなると、僅かに頭の位置を変えるほか、身動きもせずに、さっきからぼんやりと、天床を眺めていた。

「平手さん」

襖《ふすま》の向うで、低いしゃがれた声が云った。

お豊《とよ》が眼をさましたのだろう、幹太郎は、「うん」といった。

こちらは六畳、隣りは四畳半、二た間きりの長屋の一軒で、お豊ひとりの住居《すまい》だった。家の中にはなにもない、食事は必要に応じて、四つ目橋の袂《たもと》にある『魚菊』からとりよせる。『魚菊』は仕出し魚屋と小料理を兼業し、店でも飲み食いをすることができた。

――もちろん幹太郎は、起きるようになってからそれを知ったので、そのときはまだなにも知らなかったのだが。

「ねえ、平手さん」と、また眠たそうな声で、お豊が云《い》った。

「あんた、おなかすいたでしょ」

「そうでもない」

「いま起きるから待っててね」

「そうすいてもいないよ」

「もうお午《ひる》ごろだわね」

そうっといって（夜具の中で）伸びをし、大きな声で欠伸《あくび》をするのが聞えた。

七日まえ――

幹太郎は三平という男に叩《たた》き伏せられ、みぞれの降る路地で気を失った。飢えと疲れとで、まいっていたことも事実だが、そうでなくても、そんな喧嘩となると、道場で修行した剣法などは、さほど役にはたたなかったかもしれない。――刀を抜いたとたんにどぶ板を踏み割り、三平の頭突《ずつ》きを胸にくらった。

幹太郎は刀をとばされ、みぞれで濡《ぬ》れた土の上へ、仰むけざまに転倒し、そのまま気を失った。そして、気づいたときには、この六畳に寝かされていた。

それから七日、彼は高熱と下痢が続いて、起きることができなかった。

初めの五日間は、女が付きっきりで看護をしてくれた。一昨日から熱だけはさがったので、女は夕方から稼《かせ》ぎに出はじめたが、下痢のほうは相変らずだし、食慾《しょくよく》も殆《ほと》んどなかった。

女の名はお豊、年は十七歳で『魚菊』のかよい女中をしているという。夕方から出ていって夜半に帰る。酒の匂《にお》いをさせ、折詰などを持って帰るので、かよい女中といっても、小料理のほうで客の相手をするのだろう。十七という年にしては、吃驚《びっくり》するほど伝法な、崩れたところがあるかと思うと、なにも知らない子供のように、あけっ放しで無邪気なところもあった。

お豊はやがて起きあがり、夜具を片づけたり、雨戸をあけたりした。

――どうしよう。

幹太郎は惘然《ぼうぜん》と思いあぐねた。

もう七日も世話になっている。見も知らぬ娘一人の家に、いつまで厄介になっているわけにはいかない。だが、此処《ここ》を出ていってどうするか、旅籠町の『山源』へゆくという手はある。それが残された唯一《ゆいいつ》の道だが、こんな状態で秋田平八に会いたくはない。

――平八自身が不自由な軀《からだ》で、道場の経理などという、身につかぬ事務をやっているのに、五体満足なおれが心配をかけるのは不当だ。

「それはできない」と、彼は口の中で呟《つぶや》いた、「身のふりかたでもついてからでなければ、とうてい彼に会いにはゆけない」

幹太郎は眼をつむって、深い溜息《ためいき》をついた。

そのとき門口《かどぐち》に人の声がし、お豊が出ていった。三平という（いつかの）男らしい。暫《しばら》く低い声でなにか話していたが、そのうちに小さな子供の声がまじった。これもあのときの、こまっちゃくれた子供で――お豊の話によると、彼は親も兄弟もないし、身をよせる家もない浮浪児だそうであるが、――ひどくせきこんだ調子で「ねえちゃん、よしなよ、そんなことよしなよ」と云うのが聞えた。

「おまえは黙っといで、幸坊《こうぼう》」と、お豊が云った、「おまえが心配しなくっても、あたしは自分で気の向かないことはしやあしないよ、――三ちゃん、もういちど、はっきり云うけれどね、いやだと云ったらあたしはいやなんだ、思わせぶりや勿体《もったい》ぶってるんじゃない、いまのおかみさんに暇をやって、あたしを河内屋《かわちや》の正妻にしてくれるならともかく、あんなじじいの囲い者になるなんて、骨が腐ったってまっぴら御免だよ、二度とそんな話は聞きたくないって、はっきりそう云っておくれ」

「たいそう、はばな口をきくな」と、三平の云うのが聞えた、「ひとが温和《おとな》しく出ればつけあがりやがって、そんなごたいそうな口をきいていいと思うか」

「いいとも悪いとも思やしない、いやなことをいやだと云ったまでさ、それもおまえさんに云ったんじゃない、河内屋へそう返辞をしてくれって」

「うるせえや」と、三平がどなった。それまでとはがらっと変った、凄《すご》みのある高調子で彼は云った。

「ばいたのくせにえらそうな口をききゃあがって、うぬをなんだと思ってやがるんだ、てめえ、おれに向ってそんな口をきけた義理じゃあねえ筈《はず》だぞ」

「おや、乙なことを聞くね、あたしがおまえになにか義理でもあるというのかい」

「白ばっくれるな」

「それはこっちで云うせりふだ」

お豊の声も高くなり、幸坊という子供が「よしなよねえちゃん、よしておくれよ」と、とめにかかった。お豊はひどく棄《す》てばちな口ぶりで、ずけずけとやり返した。あたしがばいたならおまえはなんだ、あたしの稼ぎのうわまえをはねて、やっとおまんまにありついているおまえはなんだ、ときめつけた。口惜《くや》しかったらどうとでもしてみろ。ぬかしたなあま。云ったらどうした、あたしの軀に傷でもつけたら、おまえの口が乾《ひ》あがるんだよ。くそ、このあま、と三平の逆上した声が聞え、幸坊が、「危ない、逃げなよねえちゃん」という叫びに続いて、平手打ちでもくれたらしい高い音とお豊の「ひっ」という悲鳴が起こった。

「畜生、殴りゃあがったな」

「ぶち殺してくれるぞ」

殺してみろ、と叫びながら、お豊が、六畳へとびこんで来た。

幹太郎は夜具の上に半身を起こしていたが、お豊はとびこんで来るなり、壁際《かべぎわ》にあった彼の脇差《わきざし》を取って、それを抜こうとした。幹太郎は、はね起きて「ばかなことをするな」と云い、お豊を抱き止めて脇差を取り返した。

「あいつあたしを打ちゃあがった」

お豊は身をもがいた。

「放して、あいつを殺してやるんだ、その刀を貸して」

「なんだ、――」と、あいている襖から三平がこっちを覗《のぞ》き、毒々しい口ぶりで嘲笑した。

「なんだ、あのゆき倒れはまだいたのか」

幹太郎は脇差を持ち直した。

二

三平はうしろへとび退《の》いた。

幹太郎が脇差を持ち直すのを見て、ぱっと四畳半のほうへとび退いたが、怖《おそ》れているようすはなかった。それは、つい七日まえにも同じような事があり、難なく勝った経験があるからだろう。三平は右腕の袖《そで》を捲《まく》って、拳骨《げんこつ》を突きだしながら喚《わめ》いた。

「ほっ、おめえ、それを抜く気か」

「いいから帰れ」

「それを抜く気かって訊《き》いてるんだ」

「黙って帰れ」と、幹太郎は云った、「詳しいことは知らないが、この人はいやだと云っている、それで用は済んだ筈だ、一人暮しの娘を威《おど》して、力ずくでいうことをきかせようなどとは、男いっぴきのすることじゃあないだろう」

「やかましいや、食い詰めたあげくの行倒れが、洒落《しゃれ》たことをぬかすな」

三平は、平べったい顔に嘲笑をうかべてどなると、突然、ふところへ手を入れて九寸五分を抜き、「出てうせろ」と喚いた。

「このお豊はおれの息のかかっている女だ、この家はおれが頼んで、河内屋の旦那《だんな》から借りてやった家だ。おめえこそ、とっとと出てうせろ」

「なにを云やがる、この野良犬《のらいぬ》め」と、お豊がとびかかりそうにした。幹太郎はそれを引止め、うしろにかばいながら、「出てゆけばいいのか」と云った。三平は「出てゆけ」と喚き返した。

「けがのねえうちに出てゆくのが身のためだ、へんにきいたふうなまねをすると、生きてこの土地は出られねえぞ」

「お豊さん、ゆこう」

幹太郎はそう云って、脇差をそこに置き、壁に掛っている着物を取った。

どうするの、平手さん、とお豊が訊いた。いっしょにゆこう、と幹太郎が云った。

そうね、それがいいかもしれないわ。早く支度をするがいい。支度なんてありゃあしない、着たきり雀《すずめ》ですもの、あんたのを手伝ってあげるわ、とお豊が云った。

「やいやい、なんだと」と、三平がまた六畳を覗いた、「おめえ、お豊を伴《つ》れてゆこうってのか」

幹太郎は「そうだ」と云った。

「ふざけるな」

「ふざけてはいない。出てゆくだけだ」

「うせるなら一人でうせろ、その女にちょっかいを出すな」

「それはこっちで云うことだ」

幹太郎は大小を差すと三平に向って静かに云った。

「きさまの云うとおり、おれは食いつめて飢え死にするところを助けられた、お豊さんは命の恩人だから、いっしょに伴れてゆく、きさまこそへたに騒ぐと後悔するぞ」

「やれるものなら、やってみろ」

三平は九寸五分を構えた。

「お豊を伴れて、無事に出てゆけたらおなぐさみだ、やってみろ」

幹太郎はお豊に振向いた。

お豊は頷《うなず》いた。なにも持ってゆく物はないな。ありません。よし、私のうしろからおいで、と幹太郎が云った。

三平はうしろへさがった。

「ねえちゃん」と、土間で幸坊が云った。

幹太郎は四畳半へ出ると、お豊をうしろに、三平のほうへ向き直り、お豊を手で押しやりながら、

「幸坊、ねえちゃんと先へゆけ」と云った。どこへゆくの、と幸坊が訊いた。辻橋《つじ》だ、北辻橋で待っていろ、と幹太郎が云った。

三平は腕捲りをした手に、九寸五分を逆手に持って、壁を背に身をかがめた。

「お豊、てめえゆく気か」と、三平は叫んだ。

幹太郎は刀の柄《つか》に手をかけた。三平はまたどなった、「お豊、てめえ、おれに煮え湯を飲ませるつもりか」そして、頭をさげながら、さっと幹太郎にとびかかった。幹太郎は左へひらきざま、抜き打ちに(刀のみねで)三平の肩を、痛打した。

平手さん、とお豊が戸口の外で叫んだ。

三平は隣家との仕切り壁へ突当り、悲鳴をあげて倒れながら、左の手で肩をつかんだ。脆《もろ》くなっている壁が割れて、倒れた三平の上にばらばらと壁土がこぼれた。

「やりゃあがったな」

斬《き》りゃあがったな、と三平が叫んだ。幹太郎は「動くな」と云った。いま医者を呼んでやる、動かずにじっとしていろ。殺しゃあがれ、と三平が泣き声でどなった。傷に触るな、と幹太郎は土間へおりながら云った。手で押さえて静かにしていろ、動くと出血して死ぬぞ、医者の来るまでじっとしているんだ。畜生、ちきしょう、さあ殺せ、と三平は泣きだした。ひとおもいに殺しゃあがれ、うう、おらあ、もう眼が見えねえ。

幹太郎は刀にぬぐいをかけ、鞘《さや》に納めながら外へ出た。

さいわい、長屋は空家ばかりで、これだけの騒ぎに出て来る者もなかった。三人は路地をぬけて堀端へ出ると、いま、『北辻橋』と云ったのとは逆に、東へいって千間川のほうへ曲った。

「おらも伴れてってくれっか」と、走りながら、幸坊が訊いた。

いいだろう、と幹太郎はお豊を振返った。お豊は手拭《てぬぐい》を出して、あねさんかぶりにしながら、幹太郎を見て「あんた、あてがあるの」と反問した。ない、だがどうにかするさ。あたし一文なしよ。わかってる、だが幸坊は伴れていってやるほうがいいか。そうね、置いてはゆけないわねえ、とお豊が云った。でも平手さんしだいだわ、足手まといなら返しましょう。大丈夫だよ、ねえちゃん、と幸坊が云った。いそぎ足にゆく二人におくれまいとして、まっ赤な顔をして走りながら、彼はお豊の袂をぎゅっと握った。

「おら、厄介はかけねえよ、ほんとだよ、ほんとに厄介はかけねえから、ねえ」

「わかった、いっしょに伴れてゆくよ」と、幹太郎が云った。

幸坊はお豊の袂を引きながら、お豊の許可を求めるようにふり仰いだ。お豊はそれに頷いてみせ、幹太郎に向って、

「あんた本当に三公のやつをやったの」と訊いた。

幹太郎は苦笑して、なに峰打ちだ、と答えた。あらいやだ、だって三公はいまにも死にそうな声をあげてたし、平手さんもおどかしてたじゃないの、とお豊が云った。医者を呼んでやるからじっとしてろ、動くと出血して死んじまうぞなんて。峰打ちだ、と幹太郎が云った。毛ほどの傷もありはしない、自分で斬られたと思いこんだだけだ。あらいやだ、まあ呆《あき》れた、とお豊は笑いだした。それなのにもう眼が見えないなんて、泣いていたじゃないの、こんなことってあるかしら、お豊はそう云ってなお声をあげて笑った。

――旅籠町の『山源』だ、と幹太郎は考えていた。

二人を抱えた以上、そうするよりしかたがない。秋田に心配させるのは悪いが、事

情がこうなっては、やむを得ないだろう。思いきって『山源』へゆくことにしよう、と幹太郎は心をきめた。——二人を背負ったことが、却《かえ》って道のひらける機会になるかもしれない。

幹太郎はそう思った。

「おじさん、追っかけて来るぜ」と、幸坊が云った。

振返ってみると、いま来た河岸《かし》っぷちを、二人の男たちの走って来るのが見えた。

三

幹太郎はお豊に振返った。

「あいつのなかまか」

お豊は眼をしかめ、走って来る男たちを、たしかめようとしたが、「あたし、ちか眼だから、わからない」と、首を振った。

「長には、わかるよ」と、幸坊がじだんだを踏んだ。

「てっぽう安《やす》に本野のやつだよ、ねえちゃん、早く逃げなくっちゃだめだよ」

「よし、あの橋を渡れ」と、幹太郎が云《い》った、「天神さまの裏門のほうに、島屋という茶屋がある。そこへいって待っててくれ」

「裏門のほうで、島屋ね」

お豊は頷き、幸坊といっしょに走っていった。

幹太郎は道のまん中に立って、待った。

二人の男は近づいて来た。あんまり気負いこんだ走りかたなので、往来の人たちは吃驚《びっくり》して、道を除《よ》け、路傍の家からは、とびだして来て眺める者があった。

一人は五分月代《ぶさかやき》の肥えた男で、洗いざらしの印半纏《しるしばんてん》で作った長半纏を着、尻切《しりき》れ草履をはいていた。他の一人は三十歳ばかりの、御家人くずれだろう、色の褪《あ》せた木綿の黒紋付にようやくそれと判別できる雪駄をはき、腰に刀を一本だけ差している。まるで病みあがりのように顔色が悪く、月代も髭《ひげ》も伸び、角張った顔の頬は、そいだようにこけていた。

「女を返せ」と、肥えたほうの若者が喚いた、「洒落たまねをすると、生かしちゃあおかねえぞ、うぬはいってえなんだ」

「そこをどけ」

と、もう一人がいった。

二人とも息せききっていて、はっはっと苦しそうに、喘《あえ》ぎながらの叫びだから、凄《すご》みもなし、威しもきかなかった。幹太郎は刀を差している男に向って「貴方が本野という人か」と訊いた。男は「そうだ」と答えた。

「御浪人のようですね」と、また幹太郎が訊いた。

「要らぬ詮索《せんさく》だ」と、本野が叫んだ。

幹太郎は振返って、お豊と幸坊の姿が、見えないのをたしかめると、左手でぐっと刀をそらしながら、自分も浪人同様の身の上だ、侍と侍で話をしよう、と云った。

「この野郎なめるな」と、肥えた若者が喚いた。

おれは『てっぽう安』というちっとは顔を売った男だ、相手はおれだ、なめるな、とその若者は喚きたてた。幹太郎はちょっと見ただけで、また本野という浪人者に云った。

「私はあのお豊という娘に恩があるのです、それを三平という男が難題をふきかけるものだから、些《いささ》か恩返しのつもりで伴れて出たのです」

「うるせえ、そんな御託は、たくさんだ」と、安が、脇からどなった、「されいな口をききゃあがって、ほんとのところはお豊をかどわかしてゆき、どこかのしまへでも叩《たた》き売るつもりだろう、銀流しみてえな面《つら》あしやがって、わかってるぞ、こん畜生」

「まあ待て」と、本野という浪人が云った、「貴公は、お豊の素性を知るまい、いまどういう事が起こっているかも知らぬだろうが、あの女にはいろいろわけがあり、いまは仕合せになれる運がまわって来ているのだ」

「仕合せですって」

「さよう、またとない幸運と云ってもよかろう、だからここで」

「もうよそう、むだな問答だ」と、幹太郎が云った、「私は三平の云うことを聞いた、あんな若い娘ひとりを、みんなが食いものにしようとしていることも、見当がつく、もう充分だ」

「貴公は、信じないのか」

「私は、お豊をもらうよ」

「待ちゃあがれ」

安が喚いた。

幹太郎は歩きだした。安は匕首《あいくち》を抜き、うしろから幹太郎にとびかかった。安が匕首を抜くと同時に、本野という浪人も刀の柄に手をかけた。幹太郎は川岸のほうへ大きく跳び、二度、三度と突っかけて来る安の匕首を躱《か》わしながら、さっと相手のきき腕を取ると、足搦《あしがら》みをかけて投げとばした。安は妙な声をあげ、足をばたばたさせながら、千間川の中へ頭から落ちこんだ。

幹太郎は振向いた。

本野という浪人は、刀の柄にかけていた手を放して、顔を歪《ゆが》めながら「後悔するぞ」と云い、そろそろと、うしろへさがった。

「もし貴公が正直な人間なら、あとできっと後悔するぞ」

そして、安を助けるために、川の岸のほうへ走っていった。

幹太郎は大股《おおまた》にそこを去った。千間川は浅いが底は泥で、『てっぽう安』は頭から泥まみれになり、本野に助けてもらいながら、岸へ這《は》いあがった。幹太郎は歩きながら三度ばかり振返って、そのようすを見てふきだしそうになった。左右の岸にも（ずっとはなれて）かなりな人が立って眺めている。這いあがった安が、その人たちに向って、なにか悪態をついているようであった。

——貴公が正直な人間なら後悔するぞ。

本野という浪人者の言葉が、ふしぎに幹太郎の頭に残った。

——どういう意味だろう。

娘ひとりを食いものにしようという人間ではないか、なんの意味があるものか、そう否定しながら、しかも、ふしぎにその言葉は彼の頭に残った。

天神橋を渡って、河岸ぞいにゆくと、右手に太宰府《だざいふ》天満宮《てんまんぐう》の裏門が見え、門に向って曲る左右に、茶屋が並んでいる。なかには二階造りの、料理茶屋を兼ねた家もあって『島屋』というのもそういう家であった。——淵辺《ふちのべ》の道場にいたころ年に二度か三度は、他の門人たちと来ていた。参詣《さんけい》は名目でみんな飲み食いや遊ぶのがめあてであり、酌に出る女のなかには、いかがわしい者もいるようであった。幹太郎は酒を飲まないし、悪くふざけるようなこともないので、お兼という女主人や、女中がしらのお杉などに好かれ、

——こんどは一人でいらっしゃいな。

などと、よく云われたものであった。

門のほうへ曲ると、右手の茶屋の軒下に、お豊と幸坊がより添って立っていた。『島屋』へ行ったが、家が大きいので、はいりそびれたらしい。幹太郎を見ると、二人ともほっとしたように駈《か》けだして来た。

「どうした……」と、お豊がさぐるような眼で、彼を見た。幹太郎はそれには答えず、歩きながら向うを指さして、「あの家だ」と云った。

「二人ともやっちゃったかい、おじさん」と、幸坊が訊《き》いた。

幹太郎はそれにも答えず、おまえ長という名もあるのか、と訊いた。あるさ、と子供は歩きながら云った。いっぱし遊び人なら二つ名前のあるのが本当じゃあねえか。ほうおまえ遊び人か、と幹太郎が笑った。そうでなくってよ、と幸坊は小さな肩をそ

びやかした。

幹太郎は突然、はっとしたようにそこへ立停った。

四

急に立停って、幹太郎は向うを見た。

『島屋』から三人の侍が出て、互いになにか話したり笑ったりしながら、こっちへ来る。おそらく昨夜は泊ったのだろう、三人とも赤い顔をしているし、まん中の一人はひょろひょろするほど酔っており、左右から支えられて、ようやく歩いていた。

――悪いやつに会ったな。

幹太郎は舌打ちをした。

左にいるのが納屋孝之助、右が掛札五枚めの村田市之丞《いちのじょう》、まん中にいるのは次席師範代の川地東吾である。川地はふだんは温和《おとな》しいが、ひどく酒癖が悪くて、酔うと手のつけられないようなことがよくあった。

除《よ》けるには、まにあわない。

距離があまりに近かったし、こちらと同時に、向うの三人も気づいていた。

納屋孝之助は、どきっとしたらしい。あのときの（傷はもう治ったのだろう）勝負が肝に銘じているとみえ、さっと顔色を変え、軀《からだ》を硬《こわ》ばらせた。

「よう、珍しいな」

川地東吾が呼びかけた。

それを聞いて、お豊と幸坊は幹太郎のうしろへ隠れた。納屋は危険を感じたようで、村田市之丞に眼くばせをし、東吾を黙らせようとした。東吾は黙らなかった。

「このまえは、だいぶ勇壮だったそうじゃないか、あとで聞いて吃驚したよ」と、彼は云った。両者の間隔は、もう九尺ばかりにちぢまってい、幹太郎は構わず歩いていった。

「おれがいたら、そうはさせなかったんだ、納屋さんも加減したんだろうがね」と、東吾は云った。

「おれは飲みに出ちゃったんだ、飲みに出なければ逆に肋骨《あばらぼね》の二三本は叩き折ってやったんだが」

「悪く思わないでくれ」と、村田市之丞が云った。

「このとおり酔っているんだ」

「おれは酔っても腕まで酔いはしないぞ、おい平手」

「よせ川地！」と、納屋が制止した。

幹太郎は（お豊と幸坊を伴れたまま）かれらの脇《わき》を通りすぎた。

——ばかな酔いどれだ。

幹太郎はそう思った。

そのとき、うしろで「やい、野良犬《のらいぬ》」と喚くのが聞えた。その女はなんだ、野良犬、と東吾が喚き続けた。きさまは女衒《ぜげん》でも始めたのか、きさまは女《わめ》で食うほどおちぶれたのか、と喚くのが聞えた。

「なにさ、あのさんぴんは」と、お豊は立停った。

「いいよ、酒乱なんだ」云わせておけ、と幹太郎はお豊に云い『島屋』の店へはいった。

店には誰もいなかった。

いま三人を送りだして、みんな奥へひっこんだところらしい。幹太郎は二度、三度、声をあげて呼んだ。すぐ右手にある帳場にも人のいるようすはなく、どこかで、はたきをかける音が聞えた。

「もっと、大きな声じゃなければだめよ」

お豊がそう云い、自分で大きく叫んだ。

すると向うの階段の上で答える声がし、ばたばたと人がおりて来た。お千代という

若い女中で、幹太郎を見ると、

「まあしばらく」とにこにこ笑った。しかし、幹太郎が「あがってもいいか」と訊くと、突然なにか思いだしたようすで「いま、お杉ねえさんを呼んで来ます」と云い、はたきを持ったまま、ばたばたと奥へ走っていった。

「あんた大丈夫なの」

と、お豊が囁《ささや》いた。

幸坊も不安そうに、片手でお豊の袂《たもと》を掴《つか》みながら、あたりを眺めまわした。おそらく女あるじと相談でもしていたのだろう、ややしばらくして女中頭のお杉が出て来た。

「いらっしゃいまし、しばらくでございますね」

お杉は挨拶《あいさつ》をしながら、無遠慮に幹太郎のみなりを見、それからお豊と幸坊を見た。

——おれのことを聞いたな。

淵辺道場から放逐されたことを聞いているに違いない、幹太郎は屈辱で軀がふるえた。かつて「こんどお一人でいらっしゃいな」と幾たびも囁いたときのあの親しみや好意は、いまの彼女からは微塵《みじん》も感じることができなかった。けれどもほかに当てはない。幹太郎は彼女に頼んだ。

秋田平八に預けた物がある。それを取って来るまでこの二人を置いてもらいたい。

夕方までには必ず戻るから、と幹太郎は云った。お杉はしぶった。お豊や幸坊をちらちらと見やりながら「困りましたね」と眉《まゆ》をしかめ、今日は日本橋のほうの旦那《だんな》がたの寄合があるので、どの座敷も塞《ふさ》がっている、平手さんのことだからなんとか都合したいが、今日だけはぐあいが悪いのだとお杉は云った。

——これが人情というものか。

幹太郎は「出ちまえ」と思った。

だがお豊は狙《ねら》われている。また三平たちにみつかっては面倒だ。そう気がつき、恥ずかしさを忍んで頼んだ。

座敷でなくてもいい、蒲団《ふとん》部屋でもなんでも、ただ半日だけ置いてくれればいい、食事もみんなと同じもので結構だし決して迷惑はかけない、と幹太郎は云った。お杉はようやく承知した。さすがに、それでもだめだとは断われなかったのであろう、

「では汚ない部屋でよければ」と頷《うなず》いた。

「では頼んだからね」幹太郎は、ほっとして、お豊に云った、「私は日の昏れるまえに戻る、長は裏へいって、足を洗ってからあがるんだ、おとなしくするんだぞ、いいか」

幸坊はこくっと頷いた。

お豊はこころぼそげに、肩をすぼめながら幹太郎を見た。彼は「大丈夫だ」と微笑し、きっと昏れがたまでに戻ると云って、逃げるように外へ出ていった。

——怒るな、向うだってしょうばいだ。

と、幹太郎は自分に云った。

道場にいるときとは違う、こんなにおちぶれた恰好《かっこう》で、おまけに（みなりの悪いのを）二人も伴れている。しょうばいとなれば、こころよく迎える筈《はず》はない。道場にいたとき親切にしたのはいい客だったからだろう。それを自分だけ特に好かれている、と思ったのは、うぬ惚《ぼ》れだ、こう思って彼は唇を歪《ゆが》めた。

「みんな、なりわいだ、こいつを忘れるな」と、幹太郎は呟《つぶや》いた、「淵辺十左がおれを逐《お》いだしたのも、おれのあみだした手が自分の流儀の邪魔になるからだ、これ以上おれの腕があがったら、自分がやってゆけなくなると思ったからだ」

みんな、それぞれが生きてゆくためだ。幹太郎は自分を説きふせるようにそう思い、そう思うことによって、「生きゆく」ということの困難さにふさがれたような、重苦しい気分におそわれた。

まったく一銭もないので、神田の旅籠町まで歩きとおした。

旅籠町へはいって『山源』を訊こうとしていると、うしろから名を呼ばれた。振返ってみると秋田平八であった。

「ようやく来る気になったね」

平八は不自由な片足を曳《ひ》き曳き、明るく笑いながら、こっちへ近づいて来た。

「いい話があるんだ、待ってたんだよ」

五

幹太郎は夜の十時を過ぎてから亀戸《かめいど》へ戻った。

もう『島屋』は寝ていた。

表も雨戸が閉っているし、脇の勝手口《あがりぐち》へゆく木戸にも鍵《かぎ》が掛っていた。道のまん中へ出て見あげたが、二階も戸が閉っていて、客のいるらしいけはいもなく、しんかんと寝しずまっていた。

彼はまた軒先へはいり、雨戸を静かに叩いた。

——おうよちよちと爪《つめ》で戸を叩き
川柳点《せんりゅうてん》にそういう句がある。

夜半に乳貰《もら》いにいった父親が、赤児をあやしながら、時刻がおそいので寝ている先方に遠慮をし、拳《こぶし》ではなく、指の爪先《つまさき》でそっと戸を叩くというのであろう。——その哀《かな》しい姿を幹太郎はいま自分の身にひき比べ、やりきれなくなって乱暴に叩き続けた。

やがて家の中で返辞が聞え、戸の隙間《すきま》から灯の色が見えた。

「平手だ、平手幹太郎だ」彼は殆《ほと》んどどなった。

くぐりがあいて「どうぞ」という、お杉の声がした。彼女はまだちゃんと着物を着ていたし、その息は酒臭かった。幹太郎がはいると、あとを閉めながら「日の昏れまでに戻るって云《い》ったくせに」と口の中で聞えよがしに呟いた。

「済まなかったな」と、幹太郎は云った、「二人はどこにいる」

お杉は「こっちです」と云い、あがり框《かまち》に置いた手燭《てしょく》を持って、先に歩きだした。

二人は本当に蒲団部屋にいた。

そこは階下の女中部屋と、家人たちの厠《かわや》に挟《はさ》まれていて、昼でも陽のさすことはないし、壁をとおして厠の匂《にお》いのするような、陰気でじめじめした部屋であった。

畳は三畳敷きだが、蒲団が積んであるため、まん中に二畳ぐらいしか空いていない。お豊と幸坊とは（着たなりで）一枚の古蒲団にくるまったまま、ごろ寝をしていた。

お杉が「行灯《あんどん》をいれますか」と訊いた。

「部屋を替えてくれ」と、幹太郎は云った、「いくらなんでも、これじゃあひどい、いまじぶん店を閉めるくらいだから、ほかの座敷がぜんぶ塞がっているわけでもないだろう」

「大きな声をしないで下さい」

「なんだって」

「蒲団部屋でいいと云ったのはあなたじゃありませんか」

お杉の甲高い刺すような声に、幹太郎は、がまんを切らした。しかし、彼が叫びだすより先に、お豊がはね起きて「平手さん」と呼びかけ、片手で幹太郎の袂をつかんだ。

「よして、平手さん、ここで結構よ」と、お豊が云った、「寝られるだけでも有難いじゃないの、ねえさん済みません、もう行灯は要りませんわ」

「しかしこれでは、おれの寝るところがないよ」

「いいじゃないの、幸坊を挟んで寝ましょうよ。そのほうが温かくていいわ」

お豊は作り声で、

「ねえさんもう結構、済みませんでしたわね」と、お杉に云った。

お杉は黙って、いかにも邪慳《じゃけん》に、廊下を去り、二階へあがっていった。部屋はまっ暗になった。

「寝ましょう、平手さん」お豊が彼の手を握った。

「済まなかった、こんなことをされようとは思わなかったんだ、堪忍《かんにん》してくれ」

「もうたくさん、そんなことわかってるわよ」とお豊は彼の手をひきよせ「ここへおはいんなさいよ」と云って、蒲団の端を捲《まく》った。

彼は「まあ待て」と云った、「いい話があるんだ」

「寝て話せばいいわ」

「おれは扶持《ふち》にありついたんだ」と、幹太郎は云った、「今日はもと道場で友達だった、秋田平八という男に会ったのだが、仙台藩の品川屋敷で師範を捜している、扶持はごく少ないが、いまいる正師範がやめれば、五石《こく》くらいにはあがるらしい」

お豊は彼の手を片方で握ったまま、片方の手でやさしく愛撫《あいぶ》した。お豊の手は熱くて、握り合わせたほうは、じっとり汗ばんでいた。

幹太郎の生国は陸前《りくぜん》のくに桃生郡《ものうごおり》で、伊達《だて》家《け》の領分に属してるのが好都合であった。伊達家には北辰《ほくしん》一刀流の千葉周作が出稽古《でげいこ》をしているが、本邸と品川とに、常雇いの師範が置いてある。品川下屋敷には、佐藤市郎兵衛というのがいるが、もう年が六十七歳で、稽古にも精彩がなくなった。そこで、名目《めいもく》は佐藤の代師範ということで、扶持も三人扶持という低額なものであるが、佐藤はまもなく辞職するらしいし、そうなれば待遇もよくなる、仮にいちじ凌《しの》ぎとしてでもどうか、と平八にすすめられたのであった。

「よければ支度金も五両もらえるというので、おれは即座に承知して来た」

「よかったわね」と、お豊は云った。

「でもあたしは淋《さび》しいわ」

「どうして……」

「どうしてでも……ねえ」

お豊は「もう話をやめて寝ましょう」と云い、突然、力まかせに彼を引きよせた。

あんまりの突然だったので、幹太郎は彼女のほうへのめった。すると、お豊は両手で彼の軀に絡《から》みつき、両方の手で彼の頸《くび》をはさんだ。そして、さらにすばやく、幹太郎の唇へぴったりと自分の唇を押しつけた。

幹太郎は強引に顔を反らせた。

「お願い、お願いよ」と、お豊は喘《あえ》ぎ、幹太郎の頬へ、額へと、ところ構わず唇を押しつけながら、手と足で彼を緊《し》めつけ、そうして狂ったような声で囁いた。これが最後だから、あした別れてしまえば、この世で二度と会えないのだから、ねえ平手さん、ごしょう一生、たったいちど、お願いよ、とお豊は喘いだ。

「待て、それは思い違いだ」

幹太郎は彼女の両手を摑み、それを左右にひらいて押えつけると、半身を起こして彼女の上へ（暴れることのできないように）のしかかった。幸坊は身動きもしなかった。おそらく眼をさましているのだろうが、じっと蒲団にくるまったまま息をひそめていた。

「よくお聞き、お豊、私はおまえたちと別れやしない、そんなことはないんだ」と、彼は喘ぎながらいった。

「それは、いっしょに住むことはできない、私は下屋敷のお小屋に寝泊りをする、けれども、半月にいちどずつは、泊りに帰るんだ」

硬く緊張していた、お豊の軀《からだ》から、そのときすっと、力のぬけてゆくのが、感じられた。

「私は支度金の中から、おまえたち二人の住む家を借りる、それまでは、さっき話した友達の、知り合いの家に置いてもらうことにして来た、わかるか」

お豊は静かに泣きだした。

幹太郎は彼女からはなれ「三人で立直ろう」といった。

「私もしっかりやる、おまえも女ひととおりの稽古事を始めようし、幸坊も世間なみの子供らしく育てよう、わかるな」

闇《やみ》の中で顔は見えなかった。しかし、幹太郎は手さぐりでお豊の手を握った。――お豊はあまく、酔ったように、忍び泣いていた。

新粧

一

三月中旬の或日――

淵辺《ふちのべ》道場の秋田平八のところへ女の客が訪ねて来た。

「会えばわかるといって、名前を云わないんです」

少年の村上小次郎がにやにやしながら云った、「どうなさいますか」

「だらしのない顔をするな、口をむすべ」

と、平八は叱《しか》った。

――お豊だな。

彼はそう思った。訪ねて来て名を告げない、しかし女客とすれば、ほかに思い当る者はなかった。彼は「内接待《うちせったい》へとおしておけ」と云い、やりかけの事務を続けた。

この道場で『内接待』というのは、門人たち用の客間のことで、脇玄関《わき》のすぐ次にあった。

事務にひと区切りつけて、平八がその座敷へはいってゆくと、旅姿の娘が一人、脇に小さな荷包を置いて坐《すわ》っていた。

「私がおたずねの秋田平八です」と彼は坐って云った。

見知らぬ娘は顔をあげた。極めて色が白く、肌のこまやかな瓜実顔《うりざねがお》で、薄くひき緊《しま》った唇が紅をさしたように赤く、黒眼の大きな双眸《そうぼう》は、いかにも賢そうな、澄んだ光を湛《たた》えていた。

――どこかで見た顔だな。

平八はそう思った。

「わたくし平手幹太郎の妹でございます」と、娘は云った。

平八はああと声をあげ「ではかやさんですね」と云った。娘はそうだと頷《うなず》き、自分の名を知っていてくれたことが、さも嬉《うれ》しいというように、眼と唇とで微笑した。

「平手からいつも聞いていたんですよ」と、平八も微笑した、「もう一人のつやさんという妹さんは、たしかまだ十三だったでしょう、だから貴女《あなた》は、かやさんだと思ったんです」

「妹は十四になりました」

「ああそうか、年が明けましたからね」と、平八は笑った。

一人で来たのですか、と平八が訊《き》くと、商用で江戸へ来る知人があって、その人といっしょに来た、とかやは答えた。なにか用があったのですか。はい、兄に会いたいと思いまして。平手が此処《ここ》にいないことは御存じでしょう。はい、いちど手紙がまいりました。では伊達家へはいったことは、と平八が訊いた。かやはかぶりを振った。

「事情があって道場を出た、住居《すまい》が定まったら知らせる、という手紙がまいったきりでございます」

「それで私を訪ねて来られたんですね」

「はい、じつは父が急に亡《な》くなったものですから」

「お父上が――」

「この正月の二十三日でございました」と、かやは顔を俯向《うつむ》けた。

かれらの父の弥七郎は、その朝はやく、瀬越《せごし》九郎兵衛という旅の剣客と、庭さきで木剣試合をした。もちろん型をこころみたのであるが、その中途でとつぜん吐血をし、あっというまに死んでしまった。医者は「心臓が弱っていたところへ過激なことをしたからだ」と、診断したそうである。

試合のあやまちではなかったのか、と平八が訊いた。そしてその瀬越という人はどういう人ですか。父が伴《つ》れて来て、五日ばかり泊っていました。刀法修行の旅をしているというほかに、わたくしたちはなにも存じません。けれど父の急死がその人のためでないことは慥《たし》かだと思います、とかやは云った。

だが、弥七郎が死んだために、借財の取立てがきびしくなり、家屋敷も土地も残らず取られそうである。それで母ではどうにもならないから、兄にいちど、ぜひ帰って来てもらいたい、とかやは云うのであった。

——困ったことになった。

平八は当惑した。

「じつはこの二月から、平手は伊達家の下屋敷の道場へ助教にはいったのです、師範はいるのですが、老齢のために役に立たない、平手が一人で稽古をつけているんです」

「それで——」

「そういうわけで、まだはいったばかりでもあるし、稽古をぬけるわけにはゆかないだろうし、彼もちょっと困ると思うんです」

「でも——ほかのことではなく父が死んだのですから」

かやは平八を縋《すが》るように見た。

平八は頷いた。慥かにそのとおりである、だが平手の帰国が許されるとは思えない。伊達家ではおそらく他《ほか》から人を雇うだろう。扶持を与え始めてから一と月そこそこだし、稽古をやめて待つほどの好意をもつまい。おまけに人は余っている。伊達ほどの大藩が求めるといえば、いくらでも即座に集まるに相違ない――平八はこう思った。

「とにかく」と、彼は云った、「下屋敷は品川のさきで遠すぎますから、私がいって平手に話すことにしましょう」

「わたくしでは、いけないのでしょうか」

「ところが遠すぎるし、話の都合で平手を伴れて来ます、そのほうが好便《こうびん》ですから」

平八はそう云うと、すぐに座を立った。

彼は親類の者が来たからといって、外出の許しを乞《こ》い、かやといっしょに道場を出た。

四辻《よつつじ》のところまで、駕籠《かご》をひろいにゆく途中、かやは平八の足を見て「どうなすったのか」ときいた。そのときの気遣わしげな眼の色と、いかにもいたわしそうな表情とは、平八の心に強くあたたかく、そして深い印象を与えた。彼はそうなった理由を語りながら、彼女から与えられる印象に感動し、一種の幸福感に包まれるように思った。

「兄もよく秋田さまのことを手紙に書いてくれました」と、かやが柔らかい声で云った。そして「ですから」とちょっと云いよどんだが、すぐにまた、平八を見ながら続けた。

「ですから、秋田さまのことは詳しく存じていましたし、おめにかかったとき、やっぱり想像したとおりの方だったので、ちょっとびっくり致しましたけれど、でも……おみ足のことは、兄がいちども書いてくれませんので、わたくし少しも存じませんでした」

「私のことをそんなに書いたんですか」と、平八もかやを見た。

かやは「はい」と云って、ふと頬を染めた。平八は自分の動悸《どうき》が高くなるのを感じた。かやは戸惑いしたように「どちらへまいるのですか」と、話を変えた。

神田にころやすい家がある、そこで待っていて下さい、と平八が云った。

駕籠で、旅籠町の『山源』へゆき、そこへかやを預けてから、平八はまた駕籠をひろって品川へ向った。

「ふしぎだ、ふしぎな気持だ」と、彼は駕籠の中で呟《つぶや》いた、「こんな気持は初めてだ」

平八は眼をつむった。

あたたかな、深い幸福感が（いまははっきりと）彼を包むようであった。彼は眼をあけたりつむったりしながら、あまやかな気持で、ずっとものおもいに耽《ふけ》っていた。

伊達家の下屋敷は、品川の宿《しゅく》を出はずれた荏原郡《えばらごおり》大井《おおい》村にある。その門前へ近づいたとき、駕籠舁《かご》きが「旦那《だんな》、伊達さまのお屋敷になにかありますぜ」と云った。

平八は駕籠の垂れをあげ、向うを見るなり「おい、おろしてくれ」と云った。

二

秋田平八は駕籠から出て、駄賃を払い、いそぎ足に、下屋敷のほうへいった。

表門の中からとびだして来た（伊達家の）侍たちが十四五人邸内のほうに向って輪をつくり、なにか声高《こわだか》に喚《わめ》いたり、手を振ったりしていた。

——なにごとだろう。

道の片方は竹藪《たけやぶ》と雑木林《ぞうきばやし》で、疎《まば》らに酒屋とか、八百屋《やおや》、雑貨屋などが並んでいる。それらの家の軒先にも、人が出て、その騒ぎを眺めていた。

平八が十二三間のところまで近よったとき、門前の侍たちがさっと崩れたち、邸内から一人の侍が走り出て来た。

その侍は抜刀を持っていた。

彼は道の左右を見、それから抜刀をふりあげ、坂道（平八のいる）のほうへと、走りだした。しかしそのとき、稽古着のままの平手がとびだして来、六尺棒を持って、その侍の前に立塞《たちふさ》がった。

「どけ、邪魔をするな」と、その侍が叫んだ、「どかぬと斬《き》るぞ」「お戻りなさい」と幹太郎が叫び返した、「どうせ逃げられはしない、みれんなまねはおよしなさい」

その侍は歯をむきだした。

幹太郎は棒を斜めに構えた。侍は絶叫し、刀を脇から上段へもってゆき、大きく踏みこみながら斬りおろした。平八の眼にはそう見えた。しかし、上段へもっていって斬りおろしたとみた刀は、三転して――たぶん燕返《つばめがえ》しとでもいうのだろう、ぎらっと逆に返ったとみるや、幹太郎の棒をほぼ半ばから切断した。かっ！という音と、切れて飛ぶ棒の半分が見え、築地塀《ついじべい》の武者窓の下へ、幹太郎の追い詰められるのが見えた。

――あ、平手。

と、思わず平八は前へ出た。

幹太郎は棒の半分を青眼に構え、背中は殆《ほと》んど築地塀にふれていた。頭上すれすれに、格子《こうし》の嵌《はま》った武者窓があり、その侍の刀は三尺ほどの間隔で、幹太郎の胸さきに突きつけられていた。

伊達家の他の侍たちは、これを遠巻きにしたまま、一人として、幹太郎に助勢しようとはしなかった。

——この足、この足が……。

と、秋田平八は歯嚙《はが》みをした。

足が不自由でなかったら、どうにかできる。この足が使えたら、そう思うと胸が沸き返るようだった。せめて声でもかけてやりたいが、声をかけて幹太郎が眼でもそらせば、相手の刀は幹太郎の胸を即座に刺しとおすだろう。その侍は（明らかに）相当な腕をもっている。あの刀さばきは凡手では不可能だ。

——平手、あせるな。

と、平八は心のなかで叫んだ。

幹太郎は微動もしない。その侍も動かなかった。およそ呼吸十五ばかり、二人は睨《にら》みあったまま機を計っていたが、突然、両者の口から叫び声があがり、幹太郎が体《たい》を沈め、侍が突きを入れた。そして幹太郎は脇へとびのき、その侍はがくんと頭を仰向けに振り、築地塀へのめりかかったが、そのままずるずると塀に凭《もた》れたまま横に倒れた。

築地塀には（突き刺さって）折れた刀が残って、冷たい光を放っていた。

遠巻きにしていた他の侍たちは、にわかにざわめきたち、倒れた侍のほうへより集まった。

「平手――」

平八は幹太郎のそばへいった。

幹太郎は稽古着の袖《そで》で、顔の汗を拭《ふ》きながら振返った。彼の額はまだ蒼《あお》く肩で息をしていた。

「胸を突きやぶられた」と侍たちが云いあっていた、「着物越しに突きとおった、即死だ、あの棒で、すさまじいな」などと云うのが聞えた。

幹太郎は侍たちの一人になにか断わり、「お小屋にいるから」と云《い》って、平八に頷き、門のほうへ歩きだした。

門をはいってすぐ右にゆき、生垣《いけがき》についてまわると、材木を置く木小屋があり、そのさきに、車井戸を挟んで小さな家士住宅が並んでいた。幹太郎はその一軒に平八を案内し、まず「ちょっと汗をながして来る」と、着物を持って厨《くりや》へいった。

「いまの騒ぎはなんだ」

部屋の中を見まわしながら、平八が訊いた。幹太郎は厨から「わけはよく知らないが、刃傷沙汰《にんじょうざた》だ」と答えた。いまの侍が同僚を一人斬り、これは即死らしいが、止めにはいった二人に傷を負わせた。なんとかしてくれ、と道場へ知らせに来たので出ていったんだ。しかし、と平八が云った、「かなり腕の立つ男らしかったな」うん、と、幹太郎が云った。

「菱川《ひしかわ》なにがしといって、この下屋敷では第一のつかい手なんだ」

そうらしいな、あの塀へ追い詰められたときは、見ていてどきっとしたよ。うん、相当なもんだ、と幹太郎が云った。

「少しまえに本邸から移って来た男で、本邸では千葉周作に仕込まれたそうだがね、おかげで北辰一刀流の手を見たように思う」そして、なにか用があるのか、と訊いた。

「まあ坐ってから話そう」と、平八は答えた。

部屋は六畳二つに玄関が三畳。ほんの一坪の庭に面した六畳は床の間付きであるが、古ぼけた茶箪笥《ちやだんす》と火鉢、炭取などのほかには、家具らしい物はなにもなく、床の間には刀架《かたなかけ》があるだけだった。

「いま火だねを貰《もら》って来る」

「茶ならたくさんだ、それより道場のほうはいいのか」

「道場のほうは断わった」

そう云いながら、幹太郎が厨から出て来て、平八と向きあって坐った。

彼はやや肥えていた。血気もよく、ひき緊った肥えかたで『山源』で会ったときからみると、人が違ったかと思うくらい、健康と精気に満ちた感じだった。

「あのときの女や子供はどうしている」と、平八が訊いた。

芝の金杉橋の近くにいる、と幹太郎は答えた。恩のある女だから、堅気《かたぎ》になるまで面倒はみてやるつもりだ。うん、その話は聞いたよ、と平八が云った。しかし、二人の生活をみるのはたいへんじゃないか。なに、どうにかなるさ。ときどきゆくのか。うん、月に二度、稽古《けいこ》休みがあるから……そう云って、もうこの話はよそう、とでもいいたげに「用事はなんだ」と平八を見た。

平八はわけを話した。

幹太郎は「あ」といった。平八はかややから聞いたことをすべて話し、そのあとで「いま帰国することは無理だと思う」という、自分の意見も述べた。

幹太郎は黙って頭《こうべ》を垂れた。

「父の一生は失意に終った」と、彼は呟くように云った。

「剣士になろうとして、家も妻子も忘れて修行したが、ついに故山《こざん》へ帰って鍬《くわ》を握り、自分の夢をこのおれに托《たく》した、おれには父の胸中がよくわかった、一日も早く一流の剣士になって、父によろこんでもらおうと思った、しかし、もうそのときは来ない」

「旅の修行者と試合をしながら亡くなったというのは、いかにも御尊父らしいと思う」

「父は純粋な人だった」と、幹太郎は云った、「才能はなかったかもしれないが、純粋に刀法へうちこみ、刀法のほかにはなんにも眼もくれなかった、おれは、まだ死なせたくなかった、もう少し生きていてもらいたかったよ」

彼の眼から激しく涙がこぼれ落ちた。

三

玄関に人の声がしたのを、二人は気がつかなかった。

「先生、平手先生」と、玄関で高く呼んだ。

幹太郎は答えながら立った。道場の監事をしている白川久三郎で、

「遠藤老職が呼んでいる」という知らせだった。

「すぐにですか」

「だと思いますね」と、久三郎が云った、「よろしければ、私が案内します」

「では暫《しばら》く」

幹太郎は戻って、平八にその旨《むね》を告げ「待っていてくれ」と云った。いいとも、と平八は頷《うなず》いた。いまの件についてだな。うん、たぶんそうだろうと云いながら、幹太郎は納戸《なんど》から袴《はかま》を出してはいた。

「遠藤とはどういう人だ」

「この下屋敷の年寄役だ、名は帯刀《たてわき》と云って、なかなか頑固でむずかしいじいさんだよ」

「いい話に相違ないぞ」

「どうだかな」

幹太郎は顔をそむけた。

平八も口をつぐんだ。去年十二月の「おさめ試合」のときのことを思いだしたのである。幹太郎が筆頭代師範まで勝ちぬいて、まちがいなく出頭と思い「おめでとう」と祝った。幹太郎も「捕らぬ狸《たぬき》の皮算用はよそう」といいながら、むろんそれを期待していた。ところが実際はまったく逆で、彼は淵辺道場を追われる結果になった。いま平八が「いい話だぞ」と云ったとき、幹太郎もそれを思いだしたのであろう。顔をそむけた彼の態度で、平八もそのことに気づき、なにやら悪い前兆のように感じて、口をつぐんだのであった。

出て行った幹太郎は、四半刻《はんとき》（三十分）あまりで戻った。

「済まなかった」

幹太郎の声は明るかった。

平八は不吉な予感に捕えられていたので、幹太郎の明るく力のある声を聞いてほっとした。幹太郎は微笑さえしていた。

「秋田のいったとおりだ」と、彼はすわりながら云った。

「菱川を逃がせば藩の面目にもかかわり、あとにいろいろ面倒が残る、よくやってくれた、と云って上機嫌だった」

「それだけか」

「うん、まあそうだ」

幹太郎はあいまいに言葉をそらした。

——なにかもっと具体的な話があったな。

そう思ったが、平八はそのことには触れず、坐《すわ》り直して、「じつは」と話を戻した、

「これは、私が単純に考えたことなんだが、どうだろう、御尊父が亡《な》くなられたのを機会に、御家族をこちらへよんであげたらと思うのだが」

「それは無理だ」と、強く云って、幹太郎は自分で慌《あわ》てた。赤くなりながらその意味

を弁明した。

父が亡くなっても、残った田地で、田舎なら三人は食ってゆける。江戸は諸式が高いから、いまの自分の扶持《ふち》では、とうてい満足な生活はさせてやれない。不自由だろうが、もう少しのあいだ田舎にいてもらうよりしかたがない、と云うのであった。

平八は不審そうな眼で彼を見まもった。

——お豊や幸坊をやしなっているのに、家族を呼べないというのはどういうことだ。

と、思ったのである。

「しかし——」

と、平八は云った。

「もしあれなら、金杉にいるという二人のことは、私がなんとか考えてもいいぜ」

「なんとかとは」

「お豊という女は——私はいちど会っただけでよくわからないが、水しょうばいをしていたらしいじゃないか、よければ『山源』に頼んで、女中に使ってもらうという法もある」

「それは、できない」

幹太郎は首を振った。

他人には理解できないかもしれないが、お豊から受けた恩は大きい、と幹太郎は云った。単に飢《うえ》を救われただけでなく病中の面倒までみてもらった。それも楽な生活をしているわけではなく、お豊は料理茶屋のかよい女中で稼《かせ》いでいた。年もゆかない娘が、そんな稼ぎをしながら男一人を救ってくれたのである。また、お豊をくいものにしようと覘《ねら》っている男たちが数人いるから『山源』のような店で働いていればその男たちにみつかって、伴《つ》れ戻される危険もあるだろう。自分としてはお豊を堅気な女に立直らせ、まともな生活のできるようにするか、適当な相手と結婚させるか、どちらかにおちつくまで世話をするつもりだ、と幹太郎は云いきった。

——彼はお豊を好いているな。

平八はそう思った。

幹太郎の言葉には、単に「恩を返す」というだけでなく、もうひとつ、強い愛情が含まれていた。彼はお豊を愛している。平八はそう直感し、いまは好きなようにさせておくよりしかたがあるまい、と思った。

「ではかやさんをどうする」

「ここへよこしてくれ」と、幹太郎は云った、「いちど会って、それから国へ帰らせよう、話せば妹もわかってくれるだろう」

「いま『山源』にいるのだが、出て来るわけにはいかないか」

幹太郎は「出られない」と首を振り、それから平八を見た。

「家族を江戸へ呼ぶというのは、妹が云いだしたのか」

「いや、いやそうじゃない」

平八は眼をそらし「自分の思いつきだ」と云った。そう云いながら、平八はふと自分にうしろめたさを感じた。

——平手のことを臆測《おくそく》したが、自分もかやを好きになり、かやに身近にいてもらいたいために、あんなことを云ったのではないか。

こう反省したのであった。

「ではそうしよう」

これから帰ってかやさんをこちらへよこそう、だが帰国されるようなら、自分が二日ばかり暇をもらって、江戸見物をさせてあげたい。なお、なにか相談することがあったら、使いをくれればすぐに来るから、そう云って平八は立ちあがった。

「面倒ばかりかけて、済まない」と、幹太郎は低頭した。

平八は微笑しながら「よしてくれ、お互いさまだよ」と云った。

幹太郎は道場から少年を伴れて来、坂の下へいって駕籠《かご》を呼んで来るように命じた。

それから平八を門の外まで送って駕籠が見えなくなるまで見送った。

その午後になってかやが来た。

幹太郎は係りへ届け、自分の住居へいれておいて、その日の稽古を済ませたのち、夕食をともにし、夜の更《ふ》けるまで語りあった。

――父が死んだのに、帰りたくても帰れない、という事情を、かやはよく了解した。おそらく秋田平八から云い含められたのであろう、土地や家屋敷まで借財のために取られそうだ、ということは話さなかった。

「もし必要なら、残った山林のほうは売ってもいいだろう」と、幹太郎は云った。

「ええ、なんとか致します」

かやは俯向《うつむ》いて「母と相談してどうともするから、そんなことは心配しなくてもいい」と云い、弱よわしく微笑した。

四

かやは、二た晩だけ泊って帰った。

商用で来たという伴れは、同じ村にいる父の碁敵《ごがたき》だそうで年は六十歳。江戸に五日滞在して、国へ帰る。かやもそのとき同行する約束であるが、そのまえに、秋田平八が江戸見物の案内をするということで、旅籠《はたご》町の『山源』へ戻ったのであった。

――秋田ならいい。

平八なら、妹を預けても、大丈夫だ。そう思って、幹太郎は好きなようにさせた。

四日めに妹から手紙が来た。

――秋田さまに、楽しく江戸見物をさせてもらった。

という書きだしで、家のほうの問題についても、いろいろ心配をかけたし、力になってもらったから、会ったときよく礼を云《い》ってくれるように、また、久しぶりで兄上の元気なようすを見ることができてうれしかった、という意味の文面であった。

――家のほうのことも心配をかけ、力になってもらった。

幹太郎はその文句が気にかかった。

かやが、じつは（平八に口止めをされたからであるが）詳しいことを話さなかったので、父の死後、借財のために土地や家屋敷まで取られそうになっているという事情は知らなかったのである。

「家のほうの問題とは借財のことだろう」

彼はそう呟《つぶや》いた。そのくらいの見当はついたが、それほど切迫しているということは、想像がつかなかった。

「まあいい、よほど困ればそういって来るだろう」

そう呟いて、彼は妹の手紙を巻いた。

その月の末——

師範の佐藤市郎兵衛が辞任し、幹太郎が正師範になった。

市郎兵衛が老齢であったからでもあるが、幹太郎が菱川なにがし（菱川重兵衛という大番頭を勤めていたという）を仕止めたことで、交代が早くなったもののようであった。

品川屋敷の道場は十日と二十五日が稽古休みであった。

正師範の任命は二十七日で、三日間の休暇がさがったから、幹太郎は『山源』へいって、秋田平八に使いを出した。

平八は「少しおくれる」という返辞をよこし、午後五時すぎに駕籠で来た。

「今日は祝ってもらうことがあるんだ」

幹太郎は平八の顔を見るなり云った。

平八はすぐ察したらしく「師範になったんだな」と云った。

「まあ坐ってくれ」と幹太郎は、平八に上座を示した。そこには、すでに席が設けてあり、二人が坐るとすぐに、酒肴《しゅこう》の膳《ぜん》がはこばれた。

「今日は私も一と口だけ飲もう」と、幹太郎も盃《さかずき》を取った。

坐ろうとした女中を断わり、二人だけで一刻《とき》ばかり話した。幹太郎は飲まないので、平八に酌をしながら、まず妹が世話になった礼を述べ、それから、正師範にあげられたこと「二十五両三人扶持」もらえること、お小屋をひきはらって、道場附属の住居に移れること、などを語った。

「少し薄給のようだな」と、平八は云った。

「二十五両三人扶持とは、大藩にしては案外、けちじゃないか」

「いや、ほかに幾らか手当が出るらしいよ」と、幹太郎は云った。

「そうでなくっても、私には充分だ、まだ正式に免許を取っていないんだし、いつまでも二十五両三人扶持というわけでもないだろうからね」

「それはそうだ」

「もう一つ――これは云わないほうがいいんだが」と、幹太郎は云った、「秋になると本邸で総試合がある。年に一度きまってやるらしいが、本邸のほうは千葉周作が指導している、そこでおれの念流と、北辰一刀流とを比べてみたいんだ」

「千葉周作とやるつもりか」

「それはむろん不可能さ、だがおれのくふうした技《わざ》をみっちり仕込んで、北辰一刀流にぶっつけてみるんだ、いま三人ばかり有望なやつがいるからね」

　幹太郎は眼を耀《かが》やかせた。

「藩公が在府のときは、臨席するそうだが、そんなことより、おれは千葉周作に舌を巻かせてみたいんだよ」

「いいだろうね――」と、平八が穏やかに云った、「しかしあまり無理をしないように頼むよ」

「まあ見ていてくれ」と、幹太郎は云った、「おれにそう云うだけの自信があるんだ」

「むろんそうだろうがね」

　しかし自重するように、と平八は繰り返して云った。

　幹太郎は平八といっしょに『山源』から駕籠で別れ、そのまま芝の金杉三丁目にある、お豊の家へいった。

　そこは本通りから浜手へぬける横丁で五戸建ての長屋造りではあるが、格子戸《こうしど》をはいったところが三畳、ほかに六畳と四畳半という間取りで、すぐ裏に井戸があった。

　本通りの角で駕籠をおりた幹太郎が、横へ曲ってゆくと、近所の子供たちと遊んでいた幸坊がみつけ、「お、平手さんのおじさん」と走って来た。

「幸坊の長《ちょう》か」

幹太郎が云った。

幸坊は走りよろうとしたが、なにを思ったかふいに立停り「ねえちゃんにそう云って来る」と云いざま、ひどく慌てて駈《か》けだした。

お豊は格子戸のところまで出迎えていた。

「お帰んなさい」と云って、お豊は彼から刀を受取り、六畳へはいりながら「どうなすったの」と訊《き》いた。二十五日に来なかったことをいうらしい。幹太郎は「いい知らせがあるんだ」と云って、座蒲団《ざぶとん》を長火鉢の前からはなして坐った。

しかし、坐るとたん、その座蒲団に、いままで人が坐っていたかのような、ほのかなぬくみのあるのが感じられた。

長火鉢のそこは彼の席であり、その座蒲団は彼の専用のものであった。お豊のは向う側にあるが、彼女は座蒲団が嫌いで、自分のがあっても敷いて坐ったことはなかった。

「誰か来ていたのか」と、幹太郎が訊いた。

「いいえ、どうして」と、お豊は振向いた。

きれいに澄んだ眸《ひとみ》にも、薄く化粧をした顔つきにも、なにか隠しているような感じはまったくなかった、幹太郎は「いやなんでもない」と首を振り「夜になってから幸坊を外で遊ばせないほうがいいな」と云った。ええ、そういって叱《しか》るんですけれど、と、お豊が茶の支度をしながら云った。この辺は九時ごろまで子供を外で遊ばせるから、幸坊だけ云ってもなかなかきかない。「それでもこっちへ来てからよくなったほうよ」と云った。

幹太郎は正師範になったことを話した。

「まあ——」と、お豊は眼をみはった。

「すごいじゃないの、一と月に二十五両も下さるの」

「一と月じゃない一年にだ」

「一年に——」と、お豊はがっかりしたような顔をした。

五

幹太郎はちがった意味で失望しながら、「月づきの手当が、べつに少し出るらしい」と云った。

「もちろん、たいしたことではないだろうがね、しかし、それだけあれば、僅《わず》かずつでも、故郷へ送ることができると思う」

「それはそうね」

「もちろん、倹約してのはなしだがね」

「それはそうよ」と、お豊は立ちあがった、「とにかくお祝いに一杯飲みましょう、いそいでなにか、みつくろって来るわ」

「私は、いいんだぜ」

自分は済ませて来た、と云おうとしたが、お豊は聞きながしにし、「お勝手が汚れているから見ないでね」と云って出ていった。

「――まあいいさ」と、幹太郎は独り言を云った。

二十五両が一と月分でなく、一年分だと聞いたときの（お豊の）あからさまにがっかりした顔が、幹太郎にかなしい失望を与えた。それはたいした報酬ではないかもしれない。特に故郷の家へ補助しなければならないのだから、にわかに生活が楽になるわけではない。

――だが、せめて正師範にあげられたことだけでも、よろこんでもらいたかった。正直にいって、それが幹太郎を失望させたし、不満でもあり、かなしかった。

「まあいいさ、お豊は育ちが違うんだ、お豊のように暮して来た者に、金がなにより頼りだということはやむを得ないかもしれない」

彼はそう呟いて、自分をなだめた。

お豊が出てゆくと、すぐに、幸坊が帰って来た。幹太郎は（『山源』での）ほんのひと口の酒が、まだきいているとみえ、体がだるいし喉《のど》が渇いていた。

「夜遊びをしてはだめだな」と、幹太郎は幸坊に云った。

幸坊は「うん」と頷《うなず》いたが、悪かったという顔ではなく、なにかもの云いたげな眼つきだった。

「寺小屋へは、きちんとかよっているか」

「うん、いってるよ」

「清書《せいしょ》があったら見せてくれ」

幸坊は聞えないふりをして「平手さんのおじさん」と話をそらし、増上寺の山内の欅《けやき》へ登って、雀《すずめ》の卵を取ったことや、金杉橋の下流で魚がよく釣れることなどを、能弁に語りだした。まあ待てよ、と幹太郎は遮《さえぎ》った。まあちょっと待て、おれはまだいちども聞かなかったが、おまえ、どこで生れたんだ。親やきょうだいはどうしたんだ、と幹太郎は訊いた。

「知らねえよ」

と幸坊はそっぽを向いた。

「知らないって——自分の生れた処《ところ》も、親きょうだいのことも知らないのか」

幸坊は「ああ」と云った。

「でたらめでよければ云えるけれど、平手さんのおじさんに嘘《うそ》はつけねえから——」

幹太郎はじっと幸坊を見た。

——本当なんだな。

大きな火事や洪水《こうずい》があれば、親きょうだいに死なれ、親類の所在もわからないような孤児の出ることがずいぶんある。これらの多くは『ところ預け』となって、町内の負担で養育されるのだが、うまく成長する例は稀《まれ》で、浮浪者、乞食《こじき》などにおちるのが大部分のようであった。おそらく幸坊もそういう孤児の一人だろう、そう思うと、幹太郎は心に痛みを感じた。

「よし、勉強するんだ」と、彼は幸坊に云った。

「ちゃんと寺小屋へかよって勉強すれば、いまに立派な人間になれる、自分でそのつもりになれば、親きょうだいがなくっても立派な人間になれるからな」

幸坊は黙っていた。

幹太郎は水が飲みたくなったので、立ちあがって勝手へゆこうとした。すると幸坊が「いけないよ」と、とびあがって袖《そで》をつかんだ。どうして、喉が渇いたから水を飲むんだよ、と幹太郎が云った。ここにあるじゃないか、と幸坊は長火鉢の湯沸しを指さした。

幹太郎は幸坊の眼をみつめた。

——汚れているから勝手を見ないでくれ。

お豊もそう云った。

なにかあるな、幹太郎はそう思ったので、幸坊の手をふり放してゆき、障子をあけた。勝手は（お豊の言葉どおり）ひどくちらかっていた。喰べたあとの器物がちらかっているだけで、べつに変ったこともなかった。しかし幹太郎はその器物が多いのと、この家《や》のものでなく、丼《どんぶり》や皿小鉢がてんや物であり、燗徳利《かんどっくり》や盃まであるのに気がついた。

——誰か来ていたな。

さっき座蒲団に、人の坐《すわ》ったらしい余温《よおん》のあったことを思いだしながら、幹太郎は水瓶《みずがめ》から柄杓《ひしゃく》で水を飲み、それから長火鉢の前へ戻った。

「客があったのか」と、彼は幸坊に訊いた。

幸坊はそっぽを向いたまま首を振った。そこへお豊が帰って来、「おそくなってごめんなさい、ちょっと顔をなおして来たの」と云いながら、長火鉢の向うへ坐った。

幹太郎は眩《まぶ》しそうな眼をした。

お豊は着物も帯も（さっきのとは）違うものを着ていたし、白粉《おしろい》や口紅も濃く、そしてつよく香料を匂《にお》わせていた。上品とはいえないが、縹緻《きりよう》もめだってよくなった。体や手足などもまるみと艶《つや》を増し、胸や腰のあたりが、ずっとゆたかに肉づいていた。

「どう――きれいでしょ」と、お豊は微笑しながら、ながし眼で幹太郎を見た。

男の表情で、自分が美しくみえたことを認め、それがさも満足だという微笑である。

幹太郎は頷いた。

「うん、きれいだ」

だが危険な美しさだ、どう危険であるか、ということはわからないが――たとえば、道傍《みちばた》に咲いた大輪《たいりん》の牡丹《ぼたん》が、たやすく誰かに折り取られるような、一種の危うい脆《もろ》さをもっている、というふうに彼は思った。

「あんたが来たから、お静さんのところへ寄って、着物も帯も白粉も紅も、みんな借りちゃって、直して来たの、――気にいって」

「きれいだよ」と、幹太郎は云った、「だが、お静さんというのは誰だ」

「近所の人、平手さんの知らない人よ」

そのとき勝手口で「お待ち遠さま」という声がし、お豊が活潑《かつぱつ》に立っていった。勝手で器物の音がし、お豊がなにか囁《ささや》くのが聞えた。幹太郎は溜息《ためいき》をついた。なにか自分の力に余るものを背負いでもしたような、重くるしさと、だるいような感じにおそわれたのであった。

お豊は幸坊を呼び、膳を二つ出して、そこへ酒と肴《さかな》を（勝手から運んで）並べた。刺身があり汁椀《しるわん》があり、塩焼、甘煮《うまに》、香の物まであった。長火鉢の火をかきおこして、酒の燗をつけながら、

「今夜はあたしが、お祝いしてあげるのよ、今夜だけ飲んでね」と、幹太郎にせがんだ。

「あたしも酔うわ」と、お豊はみだらな眼つきで、幹太郎を斜交《はすか》いに見ながら云った、「酔ってあんたを困らしてあげるわ、今夜こそあんたを困らしてあげる、いいこと、覚悟してちょうだい」

幹太郎は眩しそうに眼をそらした。

六

幹太郎はその夜はじめて、金杉の家に泊った。

仙台屋敷は門限が厳しいのと、お豊にせがまれて、盃に三つほど飲んだ酒に酔ったのとで、つい動くのが億劫《おっくう》になり、休暇が三日あるのを幸い、泊る気になったのであ

った。

「二人は広いほうで寝てくれ、おれは一人だから四畳半でいい」と、幹太郎は云《い》った。

お豊は幸坊が四畳半で、自分と幹太郎が六畳に寝るのだと云い、幸坊を蒲団屋へ走らせた。お豊はすっかり酔って、幹太郎にからみつき、ところ構わず吸いつこうとしたり、袖や衿《えり》から手を入れて、彼の肌に触ろうとしたりした。

「よせ、おれは酔って気持が悪いんだ」

幹太郎はお豊を押しのけた。

「うるさくすると帰るぞ」

「あらいやだ、あたしなんにもしやしないじゃないの、なにをそんなに怒るの」

「おれは気持が悪いんだ」

「だから、介抱してあげるんじゃないの、そんなに邪慳《じゃけん》にするもんじゃなくってよ」

お豊はまたからみつこうとし、幹太郎は立ちあがった。お豊は体をふらふらさせながら、充血した眼で彼を見あげた。

「怒ったの、平手さん」

「頼むから構わないでくれ」

「薄情ねえ、いいわよ」

お豊は横坐りになり、片手を畳に突いて、ぐらっと頭を垂れた。髷《まげ》の根がゆるんで揺れ、釵《かんざし》がばたっと落ちた。

「苦しいんじゃないのか」と、幹太郎が訊いた、「水をやろうか」

「苦しいわ……でも酔ったから苦しいんじゃない、酒に酔ったくらいで、苦しくなんかなりゃあしないわ、でもあんたにはわからないわね、平手さんには」

そして体から力がぬけてしまったように、くたくたと横に寝ころんだ。

幹太郎はその寝姿をしばらく見まもっていたが、やがて勝手へいって、水瓶の水をなん杯も飲んだ。勝手はきれいに片づいている。彼がそこで見た皿小鉢や徳利は、さっき来た仕出し屋の者が持ち去ったのであろう。

——いったいどんな人間が来ていたのか。

幹太郎はこう思いながら溜息をついた。

幸坊といっしょに蒲団屋が貸し蒲団を背負って来た。貸し蒲団という商売のあることは、このまえにお豊から聞いたことがある。

幹太郎は借り賃を払って、蒲団屋を帰し、自分のを四畳半に敷いた。——それから、幸坊にてつだわせて、食膳をざっと片づけ、六畳へ二つ寝床を敷いたのち、お豊を揺り起こした。

幸坊は「起きやしないよ」と云った。そのまま寝かしとけばいいよ、お酒を飲むといつもごろ寝をしちゃうんだ。風邪をひくじゃないか、寝床へ入れてやればいいさ、いつもは、放《ほう》っておいても独りではいるんだ、と幸坊は云った。

幹太郎はお豊を抱いて、寝床の中へ移した。

「うーん、いやだ」

と、お豊は手を振った。触っちゃいやだ、あたし眠いんだから触らないでよ、そう云って寝返りをうち、そのまま眠ってしまった。

幹太郎は行灯《あんどん》を暗くし、幸坊が寝るのを待って四畳半へゆき、唐紙《からかみ》を閉めた。

お豊が寝てしまったので、寝衣《ねまき》にするものが出せない。彼は肌着だけになり、着物や袴《はかま》を片づけてから、横になった。――疲れと酔いとですぐ眠れたらしい、深い眠りのなかで、誰かに押えつけられ、苦しくなって眼をさますと、夢ではなくて、本当に誰かがしっかりと抱きついていた。

「抱いて、ねえ、抱いて平手さん」と、お豊が囁いた。

あらあらしく熱い呼吸《いき》と囁きを聞いて、幹太郎は強引に起き直った。お豊は彼にとびつき、両手でつかみかかって、彼を押し倒そうとした。幹太郎は、「よせ」と云いながら、お豊の腕を逆に取り、ひき伏せて、上からぐっと押えつけた。

「いや、いやいや、放して」

お豊は狂気のように暴れた。

「よく聞いてくれ、お豊」と、幹太郎は、押えつけたまま、云った、「初めによく云ったろう、おれはまだこれから修行しなければならない人間だ、おれには野心があるし、おまえにだって将来がある、おまえもこれから女ひととおりの芸事作法を身につけて、良い縁があったら結婚しなければならない、そうだろう」

お豊は嗚咽《おえつ》し始めた。

緊張していた体から、力がぬけて、ぐったりと手足を伸ばし、俯伏《うつぶ》せになったまま、声をころして嗚咽した。

「あたしが嫌いなのね」と、お豊が泣きながら云った、「あたし、人のお嫁になんかならないわ、好きなのはあんただけよ、死にそうなくらい、あんたが好きだわ、でも平手さんはあたしが嫌いなのね」

「おれが嫌っていないことは自分でよく知っている筈《はず》じゃないか」

「じゃどうしてあたしを可愛《かわい》がってくれないの、嫌いじゃないっていうのが本当なら、可愛がってくれないわけがないじゃないの」

「それとこれとはべつだ」

「べつなもんですか、男と女が好きあっていれば、お互いに可愛がるのがあたりまえじゃありませんか」と、お豊は云った。

幹太郎は言葉に窮した。自分の肌でじかにたしかめるほかに、男の愛情を信ずることができない。お豊の気持はあまりに単純で「それだけではない」と説得する言葉が、彼にはみつからないようであった。

「もうおそいから寝よう」

「あたし平手さんのおかみさんにしてくれっていうんじゃない、そんなこと夢にも思いやしないわ」

お豊が云った、「平手さんは修行して、江戸一番の先生になる、ええ、きっとなるわ、平手さんが出世して偉い先生になるってこと、あたしにはちゃんとわかってるわ、あたしなんか、生れも育ちも卑《いや》しいし、体だってきれいじゃないんだから、おかみさんにしてくれとか、一生お側にいたいなんて思やしない、——ただ、いっしょにいられるうちだけ、こうして逢《あ》えるあいだだけでいいから」

「その考えは違う、それは違うぞ」と、幹太郎は云った、「おまえの身の上のことはよく知らないが、人間は生れや育ちは問題じゃない、そんなことをいえば、おれだって田舎の貧乏郷士《ごうし》の伜《せがれ》だし、豊臣秀吉という人は、水呑《みずの》み百姓から太閤《たいこう》殿下といわれるまでになった、生れや育ちよりも、いまなにをするか、これからなにをしようとしているか、ということが大事なのだ、よく聞いてくれお豊、おれも若いしおまえも若い、おれたちはこれからの人間だ」

「わかったわ、もうなんにも云わないで」と、お豊が云った、「ただ一つだけ聞かせてちょうだい、平手さんはお豊が好きなの、それとも嫌いなの」

「好きだよ」

「ほんとのことを聞かして」

「好きだよ」と、幹太郎は声を強め、「だからお豊に、良い娘になってもらいたいんだ」と云った。

「ありがと、うれしいわ」と、お豊は云った、「本当に好きだと云ってもらえるなら、あたし、それだけで本望よ」

そう云って、まるでうたうように泣きつづけた。

――幹太郎は憫然《びんぜん》と、天床《てんじょう》を見あげていた。

その人

一

「待て野口！」と、幹太郎が云った、「もう一本だ」

野口重四郎は肩で息をし、竹刀《しない》を取り直したが、もう力を出しつくしたとみえ、竹刀は大きく揺れていた。

夏六月の下旬、陽はすでに落ちて、広い道場の（みがきこんだ）床板が、武者窓から斜めにさしこんで来る残照をうつして冷たく鋼色《はがねいろ》に光っている。道場の一隅に、上《うえ》村《むら》弥兵衛と伊勢《いせ》万作の二人が、幹太郎と重四郎の稽古《けいこ》を見ていた。

「どうした野口」と、幹太郎が云った。

すると、重四郎は竹刀を構えたままよろめき、どしんと尻《しり》もちをつくなり、面《めん》を外して、いまにも死にそうに喘《あえ》いだ。

幹太郎は竹刀をおろした。彼は籠手《こて》だけ着けた素面《すめん》であるが、稽古着は汗がしぼれるほど濡《ぬ》れていた。彼は近よっていって、重四郎の肩をやさしく叩《たた》き、上村と伊勢のほうを見返りながら、「みんなきついらしいな」と云った。

「どうだ伊勢、上村」と、彼は二人を見た。

「そんなにこたえるか」

「こたえますね」と、伊勢万作が云った。幹太郎は頷《うなず》いた。

「本邸の総試合まで、あと一月あまりだ」と、彼は云った。

「出るのは七人だが、勝負はこの三人だと思う、そこもとたち三人は上位《じょうい》までゆく、ことによると勝ち抜くかもしれない。いや、おそらく一人は勝ち抜くだろうと信じている」

伊勢も上村も眩しそうに眼を伏せた。かれらには、確信がなかった。上村は三人のなかの年長者で二十三歳になり、総試合にも二回出ている。二十一歳の伊勢は一度、今年はじめて出るのは野口重四郎だけであった。そして、上村も伊勢も、中位《ちゅうい》までこぎつけるのが精いっぱいだったし、本邸や中屋敷の者で、ずばぬけた腕を持っている者が、少なくとも十人以上いることも知っていた。

「経験にこだわってはだめだ」と、幹太郎は云った、「経験からまなぶのはいいが、経験にとらわれてはいけない、上村は二度、伊勢は一度、それぞれ総試合の場を踏んでいる、しかし、いまの二人は去年までの二人ではない、特に私のくふうした切尖《きっさき》はずしの技《わざ》は効果がある、あの呼吸をものにすれば、派手ではないが勝ち味は充分だ、そう思わないか、上村」

「そう思います。思いますが、しかし」

「しかしは、よけいだ」と、幹太郎は遮った、「勝負には勝つという確信が大切だ、互角の腕なら勝つという確信をもつ者に分《ぶ》がある、慢心はいけないが、自分を信ずる気力を失うことはみずから負けることだ、――あと僅《わず》かな日数だから、きついかもしれないが、奮発してくれ、たのむぞ」

上村と伊勢は頷いた。幹太郎は「ではあがろう」と云い、重四郎の肩をもういちど叩いて、

「野口はあとで私の部屋へ来てくれ」と云った。

水を浴びて着替えをし、蚊遣《かや》りの焚《た》いてある縁側で涼をいれていると、野口重四郎が廊下づたいにやって来た――道場に附属したこの住居《すまい》は、十畳と八畳の客間が並び、ほかに居間、寝所、納戸《なんど》という広い間取で、べつに掃除や炊事をする六兵衛という下僕夫婦の小屋が付いていた。客間が二つ並んでいるのは、道場の行事が行われるとき、襖《ふすま》を外して広く使うためで、十畳のほうは、書院造りになっていた。

幹太郎は六兵衛を呼んで茶を命じ、八畳の客間のほうへ重四郎を招いた。

重四郎は目付役野口雄策の三男で、家格は『代々召出《だいだいめしだし》』といい、伊達家では中位の下に当る。去年、十九歳で下屋敷詰の小姓組にあげられたということであるが、道場での成績は群を抜いており、上村、伊勢よりも上を使うのではないかと思われるほど

であった。——二十歳という年にしては体も小柄だし骨も細く、顔だちもととのいすぎていて、ぜんたいがひどくきゃしゃにみえた。それが竹刀を取って道場に立つと、人が変ったように精悍《せいかん》になり、体までひとまわりも大きくなるように思われる。そして、太刀は地味であるが、その的確さと鋭さは水際立《みずぎわだ》っていた。

「なにか心配ごとでもあるのか」

茶を啜《すす》ってから、幹太郎は穏やかな調子で訊《き》いた。

重四郎はすすめられた団扇《うちわ》も取らず、固く坐《すわ》ってうなだれたまま、黙っていた。

「半月ほどまえから調子が落ちるばかりだ、この四五日はもっともひどい、いったいどうしたというんだ」

「私はだめです」と、重四郎が俯向いたままで云った。幹太郎は団扇を止めて次の言葉を待った。しかし重四郎があとを続けないので、「どうしてだ」と促した。すると重四郎は、私は道場をさがります、と云った。幹太郎は、しばらく黙っていたが、やがて「わけを聞こう」と、少し強い口ぶりになった。

「いつかも云ったとおり、おれは野口をたのみにしている、上村も相当やるだろうが、勝負まで勝ち残るのは野口だと思う。稽古をきびしくしたのもそのためだ、それを知っている筈ではないか」

「私はだめです、だめな人間です先生」と、重四郎は云った、「どうか、私のことをそんなふうにお考えにならないで下さい、私は本当にだめなんです、そして、今日限り稽古もやめさせて頂きたいんです」

「それは本気なのか」

本気です、と重四郎は答えた。

この問答のあいだ、彼は頭を垂れたままで、いちども幹太郎を見ようとしなかった。

「理由《わけ》も云えないのか」と、幹太郎が云った。

重四郎は両手をついて「どうかおゆるし下さい」と云い、低頭して立ちあがった。

——尋常なことではないな。

去ってゆく重四郎の、うしろ姿を見送りながら、幹太郎は大きく溜息《ためいき》をついた。

夕食のあとで、白川久三郎が碁を打ちに来た。道場の監事である彼は、幹太郎より三歳年上で、妻と二人の子があり、酒も強く、つきあいのひろい男であった。碁を二局打ったあと、幹太郎は六兵衛に酒の支度を命じた。久三郎が碁を打ちに来る目的の半分は『酒』にあるらしい、三人の妻子を抱えていては、なかなか酒まで手がまわらない、などとよく云うので、彼が来れば酒を出すようにしていたのであった。

燗徳利《かんどつくり》が三本あいたころ、幹太郎はふと思いついて、重四郎のことを訊いてみた。

久三郎は「へえ」とけげんそうな顔をし、それから、急にぐったりしたような声で、

「するとやっぱり事実ですかな」と云った。

「なにか仔細《しさい》があるんですか」

「いやな話でしてね、――」と、久三郎は渋い顔をした。

人の蔭口《かげぐち》だからよくわからないが「老職の若い妻と重四郎が密通している」という噂《うわさ》がある、と久三郎は云った。その若い妻というのは、良人《おっと》と三十も年が違い、これまでにもしばしば、いやな評判があった。いつかの（幹太郎が仕止めた）菱川なにがしの刃傷沙汰《にんじょうざた》もそれが原因で、重四郎はおそらくその女に誘惑されたのだろうと思う、と久三郎は語った。

幹太郎はぐっと唇を噛《か》んだ。

二

久三郎が帰ったあと、幹太郎は縁側へ出て、ながいこと、もの思いに耽《ふけ》った。ときどき団扇を動かすのが、いかにも重たく、もの憂《う》げであった。

――野口が重職の妻と密通している。

本当だろうか、と幹太郎は、まだ信じかねる気持で、暗い庭の向うへ眼をやった。

武家屋敷の生活は規矩《きく》がきびしく、男女のつきあいなどには、特に厳重な制約があった。もちろん厳重な制約があればあるほど、お互いに惹《ひ》きあう気持は激しくなるだろうし、どんなに、厳重に結った垣にも、必ずぬけ出る隙《すき》はあるものだ。

——事実とすれば、捨ててはおけない。

白川久三郎は重職の若い妻だというだけで、その姓も名も云わなかった。だが、重四郎との不倫は、かなり評判になっているというし、相手の女は淫奔《いんぽん》らしい。このまえ起こった菱川なにがしの刃傷沙汰も（仔細はわからないが）その女のことが原因だとすれば、おそらく重四郎は、女に誘惑されたものだろうし、女のために身をほろぼす危険が充分にある。

——早くしなければならない。

早くどうにかしなければ、彼は破滅してしまうだろう、と幹太郎は思った。

「まず話してみよう」

そう呟《つぶや》いて、幹太郎は立ちあがった。

いちどは「明日でもいいじゃないか」と思ったが、事が事なので、一刻も待てず、脇差《わきざし》だけ差して住居を出た。

独身者のお小屋はべつになっていて、表門に近く、小者長屋と生垣を隔てた一劃《いっかく》にあった。もう十時をかなりまわったらしい、曇っている空には星も見えず、あたりはまっ暗闇《くらやみ》で足もとも危ないくらいだった。

「――提灯《ちょうちん》を持って来ればよかったな」

そう呟いて、五棟並んでいる武庫《ぶこ》を右に、杉林のある道を曲ろうとしたが、そこで向うから来た者と危なくぶっつかりそうになった。

こちらも驚いたが、相手はもっと吃驚《びっくり》したらしく「あっ」と、声をあげて、棒立ちになったとみると、すぐ、幹太郎の脇を走りぬけてゆこうとした。幹太郎は反射的に、さっと相手の肩を摑《つか》んだ。殆《ほと》んど無意識に手が伸びたのであるが、強い香料の匂《にお》いと、小柄な体つきとで「女だな」と直感し、それが、そんな行動をとらせたのだろう。摑んだ肩は小さく柔軟で、温かかった。

相手は身をふり放そうとした。

「お待ちなさい」と、幹太郎は相手の腕を取った。

すると相手は向き直り、幹太郎へ自分の体を押しつけようとした。彼は危険を感じて身を捻《ひね》り、伸びて来た相手の利腕《ききうで》を摑んだ。その手は懐剣を持っていた。

「無法なことをする」と、幹太郎が云《い》った、「なに者だ。賊か」

そう云いながら利腕を逆にし懐剣をもぎ取った。

この争いは呼吸五つばかりの、ごく短い時間のことだったが、幹太郎が相手の懐剣を奪い取ったとき、うしろから人の襲いかかるけはいを感じた。

幹太郎は女を突き放し、「私は道場の平手幹太郎だ、はやまるな」と、叫んでとびさがった。

襲いかかった人間は踏み停り、黙って身を踞《かが》めてこっちをうかがった。刀を抜いているらしく、闇の中に白く刃のゆれるのが見えた。幹太郎は、「よせ」と、低い声で云った。

女はすでに逃げ去っていた。

「よせ、誰だかわかっているぞ」と、幹太郎は云った。

相手は激しい呼吸をし、なお黙ったまま、じりじりとうしろへさがりだした。幹太郎は前へ出ながら、「待て、話すことがある」と云った。

「おちつけ、野口――」と、呼びかけたとき、向うは身をひるがえして、鼬《いたち》のようにすばやく、闇の中へ逃げ去っていった。

幹太郎は持っている懐剣を、無意味にゆらゆら振りながら、やや暫《しばら》くどうしようかと迷っていたが、これから追っていっても、すなおに話は聞かぬだろうと思い、諦《あきら》めて住居へ引返した。

明くる朝――時刻になっても野口重四郎は稽古に来なかった。少年の門人を迎えにやると「昨夜《ゆうべ》から姿が見えない」という返辞だった。幹太郎は上村と伊勢に道場のことを頼み、監事の白川久三郎を自分の居間へ呼んだ。

幹太郎は昨夜のことを話し、懐剣をそこへ置いた。

「前後の事情から判断すると、たしかに野口とその婦人だったように思う」

「おそらくそうでしょう」と、久三郎も頷いた。

幹太郎は「困った」と呟き、重四郎が帰るまで、夜中脱出したことを隠す法はないだろうか、と相談した。久三郎は頭を傾けて、

「そんなふうだとすると、戻って来ないのではないかと思うが」と答えた。

「婦人のほうはどうだろう」

幹太郎が訊いた。

久三郎も同じことを心配していたらしい。

「わかりません」と、首を振り「とにかくたしかめて来ます」と云って立っていった。

久三郎はすぐに戻った。

はっきりわからないが、どうやら女も出奔したらしい、と久三郎は云った。重職だから、うっかり公表はできないだろう。その家の召使に訊くと、早朝から家士が幾人

も市中へ出ていった、と告げたそうであった。

「では二人はいっしょだろうか」

「そうでしょうね」と、久三郎は頷いた、「昨夜お会いになったとき、二人で出奔するところだったのじゃありませんか」

「ばかな男だ」幹太郎は発止と膝《ひざ》を打った、「まだ二十《はたち》という年で、才能も将来もあるのに、人の妻と駈落《かけお》ちなどしてどうするつもりだ、これで一生がめちゃくちゃじゃないか、ばか者」

ばか者と叫んだとき、幹太郎の眼から涙がこぼれおちた。

久三郎は「野口の友人と相談してみます」と、座を立ち、なにかあったらすぐに知らせる、と云って去った。幹太郎は懐剣（それは備前物のよろいどおしを直したものらしかった）を包んでしまいながら、

——こうなったら逃げのびてくれるように。

と、心のなかで祈った。

その翌日の午後、総試合へ出る者だけ六人が、道場に残って稽古をしていると、一人の見知らぬ侍が、久三郎といっしょにはいって来て、道場の隅に立ったまま、稽古のようすを見まもった。

生麻《きあさ》の帷子《かたびら》に袴《はかま》、黒い紗《しや》の羽折《はおり》をかさね、右手に刀を持っていた。肉の厚いひき緊《しま》った体つきも、眉《まゆ》が濃く、額が高く、穏やかではあるがするどい光をたたえた眼つきなどにも、際立って高い風格があらわれていた。

幹太郎は、伊勢万作に稽古をつけていた。そのため、その侍のはいって来たことは気づかなかったが、気がつくと同時に、それが千葉周作だということを直覚した。

「おい、伊勢――」と、幹太郎はすばやく囁《ささや》いた、「お玉ケ池の先生だぞ」

三

――お玉ケ池の先生。

千葉周作と聞いて、伊勢万作もはっとし、まわりこみながら、すばやくそっちを見、そして幹太郎に頷《うなず》いた。

「今日はあの技を使うな」と、幹太郎は囁いた、「みんなにもそう云ってくれ、それから、向うで言葉をかけぬ限り、知らぬつもりでやるんだ」

万作は頷いた。

幹太郎は昂奮《こうふん》する気持を抑え、平生《へいぜい》どおりの稽古をしようと努めた。しかし、当代第一流の剣士に見られているという意識からはぬけることができず、ついするど衒気《げんき》が出そうになり、緊張のあまり冷汗がながれた。

――こんな筈《はず》ではなかった、と、彼は唇を嚙《か》んだ、――まだ未熟なんだな。

万作は次つぎと相手を変えながら、幹太郎の意を伝えたらしい。幹太郎が稽古をつけながら見ると、誰も「切尖はずし」の手をこころみる者はなかった。

上村弥兵衛が幹太郎に「願います」と云って来た。幹太郎は頷いて「木剣を持て」と云った。

「木剣ですか」

「そうだ、おれは竹刀《しない》でいい」

と云ってしまってから、彼は顔が熱くなるように思った。稽古のとき相手に木剣を持たせるのはよくやることで、決していまが初めてではないのだが、やはり「千葉周作にみせてやろう」という無意識の衝動に駆られたらしい。くそっと、自分に腹が立ち、それが逆に闘志となった。

「思いきってかかれ」と、幹太郎は云って位取《くらいどり》をした。

弥兵衛が木剣を取ったので、他《ほか》の五人は稽古をやめた。それも従来の習慣で、門人に木剣を持たせるときは、幹太郎が充分に技《わざ》を使うからであった。――五人の者たちは隅へさがって、見学のために坐った。

間合は約二間、弥兵衛は青眼に構えた。幹太郎は下段、弥兵衛が第一声を放ち、第二声を放った。

——踊るなよ、と、幹太郎は心のなかで弥兵衛に云った。

彼が常に戒めているのは『踊るな』ということであった。少し腕ができてくると、つい知らず派手な動きかたをする。

「それは舞踊に等しい」と彼は云う。刀法はもっとも単直でなければならない。受けるにも斬《き》るにも、刀はつねに最短最直の線をとる。一分一厘《りん》でもその線からそれれば負けるというのが幹太郎の主張であった。

——上村、そこだ、と、幹太郎が思った。

同時に弥兵衛が絶叫し、大きく跳躍しながら打ち込んだ。幹太郎は動かなかった。体当りになるかとみえたが、その刹那《せつな》に幹太郎が半身を捻った。弥兵衛の手から木刀が飛ばされ彼は激しくのめって、それでも危うく踏み止《とど》まった。そのとき、落ちて来た木剣の、床板を打つ高い音が聞えた。

「もう一本——」と、幹太郎が云った。

すると「願います」と伊勢万作が叫んだ。

幹太郎は弥兵衛を見た。弥兵衛は膝をついて礼をし、面を外しながらさがった。しかし、いまの一手で満足したものか、千葉周作（と思える人物）は、こちらへ軽く目《もく》礼《れい》をし白川久三郎を伴《つ》れて、道場から出ていった。

幹太郎は万作に、やはり木剣を取らせて稽古《けいこ》をつけ、それが済むとひと休みした。

「やっぱり千葉先生です」と、弥兵衛が道具を外しながら、近よって来て云った。

「あの岡島主馬が本邸で見たそうです」

「踊りはしないかと思って心配したぞ」と、幹太郎が云った、「自分でもそんな気がしました、いけないいぞと思ってひき緊《し》めたんですが、打ち込んだときは眼が眩《くら》みそうでした」

「正直に云うとおれもあがったらしいよ」と、幹太郎は苦笑した。

なんのために来られたんでしょう、と稽古着の袖《そで》で汗を拭《ふ》きながら、弥兵衛が訊《き》いた。さあ、と幹太郎は口ごもった。総試合のための下検分でしょうか。どうだかな、それならそう通告がある筈だ。しかし、ほかに理由はないと思いますがね。うん、なにか噂が聞えたのかもしれませんよ。まあいい、気にするな、と幹太郎は云った。事前に見られたところで勝負に変りがあるわけじゃない。勝負を実力いっぱいにやればそれでいいんだ。

そう話していると、白川久三郎が引返して来た。

久三郎はひどく慌《あわ》てたようすで、走って来たのだろう。荒い息をしながら、幹太郎のそばへ来るなり「野口が捉《つか》まった」と云った。千葉周作の話かと思ったので、幹太郎はちょっと訝《いぶか》しそうな眼をしたが、すぐにその言葉の意味を悟り、われ知らず立ちあがった。

「野口が、捉まったって」

「猿若町の芝居茶屋に隠れているところを踏みこまれ、女といっしょに捉まって、たったいま伴れ戻されたということです」

「ばかな、なんという――」

幹太郎は思わず舌打ちをした。

――捉まれば切腹ものだ。

だからこそ、逃げのびてくれるようにと祈ったのに、芝居茶屋といえば、その婦人のゆきつけの店だろうし、女の浅智恵《あさぢえ》でそこを選んだのであろうが、そんな場所ではない。「此処《ここ》へ来い」と手招きをするようなものではないか。なんというばかなことを、と幹太郎は心のなかでどなった。

「部屋で待っていてくれ」

幹太郎は、白川にそう云った。

弥兵衛にあとを頼み、体を拭くためにまず井戸端へいった。

彼は久三郎と半刻《はんとき》の余も相談した。

その女が、下屋敷年寄の富原惣兵衛《そうべえ》の後妻であること。年は二十五歳で、名はあさ、実家は日本橋通り二丁目にある海産物問屋、渡島屋八郎兵衛という、藩の御用商人であること、惣兵衛は七年まえに妻を亡《な》くし、それから三年めにあさを娶《めと》ったこと。惣兵衛には前の妻にも、あさにも子がなく、もう五十四歳になるので、去年の十月に養子を迎えたこと、などを、幹太郎は初めて白川から聞いた。

「富原さんは、妻女をどうするだろう」と、幹太郎が訊いた。

「見当がつきませんね」と、久三郎は首を振った。

惣兵衛が三十も若い妻におぼれているのはたしかである。この春の菱川の騒ぎのときも、そのもとはあさのふしだらから出たことであって、それはかなりひろく知られているのだが、惣兵衛はなんの処置もしなかった。だから、こんども妻に関する限り、うやむやに済ますのではないか、と久三郎は云った。

「それならいい、——そうだとすれば、野口の罪も軽く済むかもしれないからな」

「どうですかね」と、久三郎はまた首を振った、「三十も年の違う妻をもった老人の気持というやつはべつですからね、それに二人は駈落ちをして、芝居茶屋などで寝込をみつかったんですから、おそらく老人は逆上していると思いますがね」

幹太郎は唸《うな》った。それから屹《きっ》と久三郎を見て云った。

「富原さんにすぐ会えるようにしてくれないか」

四

白川久三郎は明らかに当惑の色をみせた。

問題が『密通』という醜聞であるし、女の良人《おっと》は、下屋敷の重職である。これに対して、平手幹太郎は単に『新任の剣法師範』にすぎない。伊達藩にとっては外部の人間だから、こんな問題で、しかも当事者の重職が面会するとは思えないのであった。

幹太郎もそれを察した。

「野口は私の門人だ、とすれば、私にも責任がないとはいえない」と、幹太郎は云った、「そのためにも、ぜひお眼にかかってお詫《わ》びを申上げたい、というふうに云ってもらったら、どうだろうか」

久三郎は不得心らしかったが、ともかくやってみましょう、といって立ちあがった。

幹太郎は呼びとめて「ついでに野口がどこに預けられているか聞いて来てくれ」と頼んだ。

白川が去ったあと、幹太郎は道場へいって「稽古を終るように」と云い、上村と伊勢の二人を自分の部屋へ呼んだ。

二人は汗を拭き、着替えをしてきた。

幹太郎は野口重四郎の件を話した。二人とも噂《うわさ》を知っており、野口が女といっしょに捉まって、伴れ戻されたことも、(さっきの白川久三郎の態度で)察していたらしい。だが「なんとか救う法はないだろうか」という幹太郎の問いには、まったく否定的であった。

――そういう不倫な問題にはかかわりたくない。

という気持をはっきり示し、たとえ自分たちが奔走するにしても、野口を救う手段は絶対にあるまい、ということをほのめかした。

「そうでなくとも」と、伊勢万作が云《い》った、「富原老職は頑固でわからずやでおまけに強慾《ごうよく》な人ですから、もし先生が詫びでもなさるお考えならおやめになるほうがいいと思います」

「どうしてだ」

「必ず先生にとばっちりがきますよ、富原という人はそういう人なんです」

幹太郎は二人に「帰っていい」と云った。

久三郎は半刻ほどして戻って来た。富原惣兵衛は面会を承知した。「夕食のあとで来い」と云ったそうである。また野口は目付役の渡辺又兵衛に預けられている、と報告した。

「女はどうしている」

「わかりません。富原さんが引取ったそうですが、それからどうしたか誰も知らないようです」

久三郎はそう答えたが、富原老職がその若い妻を咎《とが》めないだろうこと、女の罪は不問に付されるだろうことは（まえからの）彼の口ぶりで明らかであった。

幹太郎は「野口に会いたい」と云った。惣兵衛と面会するまえに野口と会い、野口が女から誘惑された、という事実を確かめておきたかったのである。幸い、久三郎は渡辺又兵衛と親しそうで「頼めば便宜を計らってくれるかもしれない」と云った。しかし、それには早いほうがいい、というので幹太郎はすぐに袴をはき、久三郎といっしょに渡辺の住居を訪ねた。

又兵衛は三十歳ばかりで、軀《からだ》つきの小柄な、実直そうな男だったが、久三郎の話を聞くと、ちょっと難色をみせただけで「よろしい」と頷き、幹太郎とはほとんど言葉を交わさずに「では、こっちへ」と案内に立った。

重四郎は暗い二畳の部屋に坐《すわ》っていた。

廊下に面して障子があり、三方は壁で、行灯《あんどん》部屋といった感じだった。もちろん刀は取上げられているし、髪毛《かみのけ》も乱れ、一夜みないうちに驚くほど痩《や》せやつれていた。

又兵衛は引返してゆき、幹太郎は障子を閉めて、重四郎の前に坐った。すると、重四郎はいきなり、

「なにも仰《おっ》しゃらないで下さい」と云った。おちくぼんで充血した眼が、恍惚《こうこつ》ともとれる虚脱の色に掩《おお》われ、白く乾いた唇は緊《しま》りを失って、歯の見えるほど垂れていた。

「私は自分のしたことを知っています、こうなることも覚悟していました、お願いですから私のことを放《ほう》っておいて下さい」

「死んでもいいというのか」

「いいと思います」と、重四郎は云った、「先生には、たぶんおわかりにならないでしょう、誰にもわからないだろうと思いますが、死んでも惜しくないだけの経験をしました、逃げるつもりがあれば逃げられたでしょうが、私はもう逃げる気にもなれませんでした、私はよろこんで死にます」

幹太郎は、その言葉をそのままには信じられなかった。

――まだ夢中なんだ。

こんなばかげた、夢でも見ているようなことを云うほど深く騙《だま》されたのか、と幹太郎は思った。

「しっかりしろ野口、おれの眼を見ろ」と、幹太郎は云った。

彼は半刻ちかく話した。しかし、反応はまったくなかった。重四郎には彼の云うことも聞えず、そこにいる彼の姿さえ眼に入らぬようすだった。放心したような眼は、ぼんやりと宙をみつめ、唇はいつまでも垂れたままであった。

――だめだ。

幹太郎は怒りに駆られ、相手の弛緩《しかん》した顔を、力いっぱい殴りつけてやりたくなった。殆《ほと》んど手をあげそうになり、辛うじて、それを抑えると、立ちあがってその部屋を出た。

障子を閉めようとして、振返ると、重四郎がゆっくりと、もの憂《う》そうにこちらを見、にっと唇で微笑した。暗い部屋の中で、仄《ほの》かな片明りに浮いて見えたその微笑は、まるで幽鬼の笑いのように思え、幹太郎はわれ知らず総毛立った。

夕食のあと、白川久三郎に案内を頼んで、富原惣兵衛に会いにいった。よく話してみれば、野口を助けることができるかもしれないと思ったからである。――惣兵衛は色が黒く、痩せて、角張った顔で、眉毛《まゆげ》は白いが、髪毛はまだつやつやと黒く、柔和そうな眼つきをしていた。

幹太郎は就任のとき顔は見たが、口をきくのはこれが初めてで、まず挨拶《あいさつ》を述べてから、野口のことを話しだした。

惣兵衛は左右の手の、指の尖端《せんたん》を交互に揉《も》みながら聞いていた。指の尖端をつまんで、静かに揉み、次つぎとそれを繰り返すのである。こちらの云うことを聞いているのかどうか、柔和そうな眼にも、その表情にも、平静な無関心さのほかには、なにもあらわれてはいなかった。

「そこもとは何歳になられるか」

幹太郎が話し終ると、惣兵衛はこちらを見ずにそう訊いた。幹太郎は自分の年を告げた。惣兵衛は「うん」と頷《うなず》き、やはりそっぽを向いたままで、「妻女はおられるか」と訊いた。幹太郎はちょっと黙った。話がまったくそれてゆくので、どういう意味の質問か見当がつかなかったのである。

「妻はおりません」と、彼は答え、すぐに云い直した、「まだ私は独身です」

惣兵衛は「ほう」といい、揉んだ手指の先を眺めながら、

「金杉橋の近くに自宅があるようだな」と云った。

「はい、仮住居があります」

「そこにいる女は……そこもととどういう関係があるのか」

幹太郎はどきっとした。惣兵衛は初めてゆっくりと眼をあげて、こちらを見た。

五

金杉に仮住居のあることは届けたが、お豊や幸坊のことには触れなかった。届けるには詳しいゆくたてを説明しなければならない。それは面倒なばかりでなく、誤解されるおそれがあるように思えたからだ。

——それに、これはまったくの私事だ。

剣法の師範として扶持《ふち》は貰《もら》う、だが伊達家の家臣ではない。したがって、私生活のことまで届ける必要はない、とも考えたのであるが、いま、

「どういう関係の女だ」と、訊かれてみれば、やはり、ちょっと返答に困った。

「少し、いりくんだ事情がありますので、それは改めて申上げたいと思います」幹太郎はそう云った、「今宵お伺いしたのは野口のことをお願い申したいためで」

「それは断わる」と、惣兵衛はさえぎった、「これは家中《かちゅう》の問題であって、たとえ野口がそこもとの門人であろうとも、道場以外のことで御心配は無用です、それよりも私は、そこもとの仮住居にいる女がどういう関係の者かいまここで聞いておきたいと

思う」

「しかし、事情がちょっとこみいっておりますし」

「時間はいくらでもある、まさか一と晩で話せないほどこみいっているわけでもないだろう」

穏やかな調子ではあるが、するどい棘《とげ》と皮肉が隠されているようであった。幹太郎は当惑し、同時にむっとした。

「野口の事が御家中の問題で、私に口出しをする資格がないとするなら、これは私の個人的なことですからお答えする必要はないと思いますが」

惣兵衛は「ほう」といった。

「それでは訊くが、女に隠し売女《ばいた》をさせているような人間を、家中の剣法師範に抱えるなどという藩があるだろうか」

「それはどういう意味ですか」

「そのままの意味だ」と、惣兵衛は柔和な眼で幹太郎を見た、「そこもとはいま、私事について答える必要がないと云われた、しかし、若者たちの師範には、師範たる資格のある人物が選ばれなければならない、そうではないか」

「もちろんそう思います」

「まだ若年の野口が、こんな忌《いま》わしい過失を犯したについて、師範のそこもとに忌わしい評があるとすれば、重職の立場としていちおう取糺《とりただ》すのは私の責任だと思う」

「では、私に忌わしい評があると仰しゃるのですか」

「単に評判だけではない。私は人を遣わして事実を慥《たし》かめてある」

幹太郎は、またどきっとした。

なにかやったな。

お豊は粗野に育っているし、云うこともすることもあけっぱなしで遠慮がない。その性質を知らない者には、誤解されるようなことを平気でやってのける。なにか、しくじったのではないか、と不安になった。

「あの女は貧しい生れで、親きょうだいもない不憫《ふびん》な育ちです」と、幹太郎は云った、「私は或《あ》る事情で、あの女に恩義があり、まじめな人間にたち直れるまで、面倒をみてやりたいと思っています」

「隠し売女をさせながらか」と、惣兵衛は反問した。

幹太郎は相手を見た。惣兵衛の云う意味がすぐにはわからなかったし、わかると同時に苦笑し、

「それはお豊のことですか」と云って首を振った。

「そこもとには可笑《おか》しいか」

「あんまりばかげています、もっとも野育ち同様で、することに遠慮がありませんから、なにか誤解されたかもしれませんが」

「では、自分で慥かめてみるがいいだろう」

「お望みなら慥かめます」

「私には、その必要はない、私のほうはもうわかっているので、慥かめるのは、そこもと自身のためだ」

　惣兵衛の声は静かで、むしろ温情がこもっているといったふうだった。だが、幹太郎にはそれが冷酷な嘲笑《ちようしよう》のように聞えた。

「これから、でかけてもいいでしょうか」

「ゆくなら門鑑を出させよう」と、惣兵衛は云った。

「誰か証人を一人付けて下さいませんか」

「無用だろうね」

「いけないのですか」

「いけなくはない、無用だろうと云うのだ」

　惣兵衛はそう云って「又次郎」と次の間へ声をかけた。

非常用の門鑑をもらって、富原家を出た幹太郎は、待っていた白川に道場のことを頼み、

「ことによると帰りは朝になるかもしれない」もし帰りがおくれたら、伊勢と上村で稽古《けいこ》をみるように、そう云って、その足で下屋敷を出た。

「ばかなことになったものだ」

坂の下で駕籠《かご》に乗ってから、幹太郎はそう呟《つぶや》いて苦笑した。

野口を助けようとして訪ねたのに、こちらが訊問《じんもん》されるはめになった。惣兵衛は自分の若い妻の不倫に肚《はら》を立て、野口の師範であるこっちにまで八つ当りをしたに相違ない。しかし「隠し売女をさせている」とは、誤解としてもひど過ぎる。

それに、金杉の家のことを誰がさぐりだしたのか、仮住居として届けてはあるが、門人たちを伴《つ》れていったこともないし、訪ねて来た者もない。だいたいそんな住居に興味をもつような者があろうとは思われなかった。

けれども、やがて幹太郎は妙な声をあげた。彼は「う」といって、駕籠の中で身を起こし、にわかにその表情を硬くした。

——いつかお豊は、なに者かを呼んで、酒肴《しゅこう》を取ってもてなしていたことがあった。

彼はそのことを思いだした。

彼の姿を見て、それを知らせに幸坊が走っていったこと、座蒲団《ざぶとん》に人のぬくみが残っていたこと、そして勝手に皿小鉢や燗徳利《かんどっくり》があり、それがすぐあとで片づけられたことなど、——彼はそのときは深く疑わなかった。近所の女房でも呼んで奢《おご》ったのだろう、ぐらいにしか考えなかった。

「なにかあったんだな」と、幹太郎は呟いた、「富原老は確信ありげだった、証人を同伴する必要もないと云った、たしかに、そう云うだけの根拠があったに相違ない」

彼はおちつかなくなり、気持が苛立《いらだ》ってきた。

駕籠をいそがせたが、高輪にかかると疲れたようすなので、辻《つじ》駕籠をみつけて、乗り替え、駄賃を増すから、「とばしてくれ」と云った。時刻はまだ九時まえだろう。

一丁ばかり手前で駕籠をおり、もし、また幸坊が外で遊んでいはしないかと、用心しながら、できるだけ家並の軒下を伝うようにして、その横丁へ曲っていった。

横丁には遊んでいる子供もなく、表を閉めた家々の、窓の障子にうつる灯火の色が、まるで深夜ででもあるように、ひっそりと道に光を投げていた。

あたりは、そんなに静かなのに、彼の住居では賑《にぎ》やかに人声が聞えていた。

お豊の高い声に、男の声がまじっている。幹太郎は格子《こうし》口《ぐち》へ近づいて、かれらの酔っているらしい声をたしかめてから、黙って格子をあけてはいった。

よせる波

一

奥の声はやまなかった。

幹太郎が格子戸をあけ、障子をあけてあがっても、無遠慮に笑ったり話したりする奥の声はやむようすがなかった。

彼は刀を腰から脱《はず》し、左手に持って、六畳の唐紙《からかみ》を手荒くあけた。行灯《あんどん》が一つ、燭台《しよくだい》が一つ、お豊のほかに男が二人、酒肴の膳《ぜん》をそれぞれ前に置いて、浴衣《ゆかた》の裾《すそ》を捲《まく》り、腕捲りをし、一人は片肌ぬぎになって、二人とも大あぐらをかいて飲んでいた。

唐紙をあけたとき、初めにお豊がこっちを見た。男たちはこちらに背を向けていて、気づかなかったらしい。お豊もすぐには幹太郎がわからず「誰、又さんかえ」と云いかけ、それから「あ」と口をあいた。

幹太郎はお豊をにらんだ。

派手な柄の浴衣を着て、片膝《かたひざ》を立て、立てた膝頭へ肱《ひじ》をつき、その手に盃《さかずき》を持っていた。立てた膝前が割れて、水色のけだしがこぼれ、すんなりと白い脛《はぎ》が見えている。——嬌《なまめ》かしいというよりは、伝法な、じだらくな恰好《かっこう》で、幹太郎はかっとなった。

「この男たちは、なんだ」と、彼は静かに云《い》った。

お豊の（吃驚《びっくり》した）表情に気づいた男たちは、幹太郎の声で振返った。振返って、幹太郎を認めたとたん、男の一人が「げっ」といって腰を浮かせ、その手から盃を落した。

「これはなに者なんだ」と、幹太郎がまた云った。

お豊は吃《ども》り、いま浮腰になった男を指さして、その手に持っている盃に気づき、慌《あわ》てて盃を置き、坐り直しながら「三ちゃんよ」と云った。男は浮腰のまま、ぺこりとおじぎをしたが、いまにも逃げだしそうなようすだった。お豊は「三平さんよ」と云った。幹太郎には三平の記憶がなかった。彼はその男をみつめた。男はまたおじぎをし「その節はどうも」と口ごもった。

「ほら、四つ目にいたとき会ったでしょ」と、お豊が云った、「あのとき世話になった、あの三平さんよ」

幹太郎はようやく思いだした。しかし、世話になった、という意味はわからなかったし、そのときの怒りだけが、まず胸へ、つきあげてきた。お豊はもう一人の男を見て「それからこっちは、河内屋さんの番頭さんで松どんっていう人よ」と云った。

「帰してくれ」と、幹太郎はお豊に云った、「話すことがあるんだ、二人とも帰してくれ」

「だって平手さん」

「出てゆけ」と、幹太郎は男たちに云った。

「待って、平手さん、待ってよ」

「おまえは黙れ」

幹太郎はお豊にどなり、それからずっと六畳へはいった。男たちは「へっ」といって立ち、隅へいっておろおろと着替えをした。

——こんな浴衣が用意してあるんだな。

幹太郎はそう思った。

富原惣兵衛の（隠し売女をさせている）という言葉と、穏やかではあるが冷笑と皮肉に満ちたその顔が思いだされた。

そんなに怒らないでちょうだい、わけがあるのよ、とお豊が云った。三ちゃんにはまえにも世話になったたし、こんどもあたしのために来てくれたのよ、河内屋の松どんは旦那《だんな》の使いで、旦那はあたしの世話をしようっていうので、それで三平さんが伴れて来てくれたのよ、とお豊が云った。幹太郎は耳もかさず、男たちに向ってするどく云った。

「早くしろ——」

二人はとびあがった。

「聞いて下さらないの」と、お豊が云った。幹太郎は男たちのほうを見たまま「幸坊はどうした」と訊いた。

「遊びにいってるわ」

「この時間にか」

「ねえ、お願いよ平手さん、わけを話せばわかることなんだから、ちょっとあたしに話させてよ」

「黙れ、おまえは黙れ」と、幹太郎が叫んだ。

お豊は彼を見た。顔が硬《こわ》ばり、唇がきゅっと曲った。いいわよ、とお豊は云って、ふらふらと立ち、着物の衿《えり》をかいつくろった。

「いいわ、そんならあたしも出てゆくわ」

「なんだと」

「出てゆくっていうのよ」と、お豊が云った、「子供じゃあるまいし、そんなにがみがみどなられちゃ、たまらないわ、そんなにどなられるような覚えはないんだから、なによ、わけも聞かずにえばりくさって」

「おまえ酔っているな」

「酒を飲めば酔いますよ」

「お豊――」

「あんたなんか嫌いよ、平手さんなんか、三ちゃんいっしょにゆこう」

お豊は男たちのほうへいった。

幹太郎は黙って見ていた。なんとも云いようもない感情で胸の奥が燃えるように思え、刀をさげている手がふるえた。

――みんなむだだった。

お豊をまじめな女にしようという努力、そのために故郷への仕送りも削ったこと、そしていまは、「女に隠し売女をさせている」とまで云われ、ことによると師範の地位も危なくなるかもしれないこと、しかもお豊は平然として「出てゆく」と云い、現に出てゆこうとしていること。それらが幹太郎の頭の中で閃光《せんこう》のように明滅し、忿《いか》りとも絶望とも、悲しみともつかない、激しい感情のために、口をきくことさえできなかった。

男たちは支度を終り、卑屈におじぎをしながら、なにやら詫《わ》び言を云い云い、すばやく上り框《かまち》のほうへ出ていった。

「お豊、おまえは本当に出てゆくのか」と、幹太郎が云った。

「出てっちゃ悪いの」

「おちつけ、おちついて考えてみろ、おまえが四つ目裏から逃げだしたときのことを忘れたのか」

「そこを、とおしてよ」と、お豊が云った、「あのとき逃げだしたのは間違いだったんだわ、あたし平手さんのこと思い違いをしたの、平手さんがあたしを好きで、いっしょに逃げればおかみさんにしてくれるかと思ったのよ、でもあんたはあたしが好きじゃないし、いつまで経《た》っても固っ苦しいことばかり云うし、あたしにゃ、もう辛抱ができなくなった、あんたと逃げたのが間違いだったたってことが、はっきりわかったのよ」

「おまえは酔ってるんだ」

「あたしをとおしてちょうだい」

「とにかく、今夜は待て」と、幹太郎はお豊の肩を押えた、「出てゆくにしてもよく考えてからにしろ、今夜は寝て酔いをさましてから」

「あたしに触らないでよ」

「お豊、私の云うことを聞け」

お豊は「うるさいわよ」と叫び、いきなり幹太郎の頬を打った。ぴしッという高い音がし、幹太郎はお豊の肩から手を放した。お豊も自分のしたことに自分で驚いたらしい、眼をみはり、口をあけ、硬ばって蒼《あお》くなった自分の頬を（いま幹太郎を打った手で）ぐっと押えながら、喘《あえ》いだ。

「可哀《かわい》そうなやつだ」

幹太郎は口の中で呟き、脇へ身をよけながら「さあ」と手を振った。

お豊は顔をそむけて逃げるように出ていった。

二

幹太郎は惘然《ぼうぜん》とそこへ坐《すわ》った。

——お豊は戻って来るだろう。

彼はそう思った。

食い荒し、飲み荒した三つの膳が、蠟燭《ろうそく》の短くなった燭台と、行灯の光の下で、彼をあざけり笑っているようにみえた。

幹太郎は眼をそらした。

すると、部屋の隅に新しい茶簞笥《ちゃだんす》があるのをみつけた。このまえには、古道具屋で買った鼠不入《ねずみいらず》があったのに、いまそこにあるのは、桑材らしいしゃれた茶簞笥である。

「どうしたんだ」

幹太郎はそう呟いて、立とうとして、まだ左手に刀を持っていたことに気づき、刀を置いて立ちあがった。

彼は家の中を見てまわった。

納戸《なんど》に見馴《みな》れない着物が二枚、袖《そで》だたみにもせず、脱いだなりまるめて突込んであった。一枚は上布《じょうふ》、一枚は鳴海《なるみ》絞《しぼ》り、どちらも新しいし、安い品ではないようである。ほかにはこれといって眼につく物もなかったが、勝手へいってみると、けんどんや岡持や、皿小鉢、丼《どんぶり》、酒徳利などが乱雑につくねてあり、板の間の上に、勘定書が四五枚もちらばっていた。

——隠し売女をさせている。

富原惣兵衛の言葉が、また錐《きり》でも揉《も》み込まれるように、するどく、耳の奥で聞えた。

幹太郎は六畳へ戻って坐った。

「おれから渡す金だけではこんなまねはできない、なにかの方法で金を作ったのだ、なにか金になることをやって……」

彼は頭を振った。

近所で訊《き》いてみようか、そうすれば事実がわかるかもしれない。同じ町の三丁目に手習いの師匠がいる。そこでは縫い針も教えていて、お豊は毎日かよっていた筈《はず》だ。それもちゃんとかよっていたかどうか、たしかめてみなければなるまい。彼はそう考えながら、また「そんなことをしてもむだだ」と、思うのであった。

「訊いてまわる必要はない。おそらく恥をかくだけだろう」と、幹太郎は呟いた。

向島の『島屋』という茶屋で一度、この家で一度、お豊はまるで狂ったように彼に迫った。女に経験のない彼にも、そのときの情熱の激しさは異常に思えたが、幹太郎はいまそのことを思いだして、「こんなふうになるのは」やはり生れつきの性分かもしれないし、まともな女に立ち直らせようなどというのが、初めから不可能なことだったかもしれない、と思った。

——戻って来ればよし、さもなければこれで打切るとしよう。

彼はそう心をきめた。

お豊は戻って来なかった。遊びにいっていると云った幸坊も、たぶんお豊たちが伴れていったのだろう。やはり帰っては来なかった。幹太郎は自分で寝床を延べて寝、夜明けを待って起きると、差配を訪ねて家のことを頼んだ。

――お豊が来たら荷物を渡してやるように、それまでは閉めきって鍵《かぎ》を掛けておくように、店賃《たなちん》は自分が払うから。

と、彼は念を押して云った。

差配は承知した。お豊についてなにか知っているとみえ、なんの質問もせず、まるでこうなるのを待ってでもいたように「承知いたしました」と云った。

幹太郎は駕籠《かご》をとばせて下屋敷へ帰った。

道場の稽古をちょっと覗《のぞ》き、それから顔を洗い直したり着替えをしたりして、すぐに富原家を訪ねた。すると「役所へあがるから夜にしてくれ」と断わられたので、門《もん》切手《きって》だけ返して道場へ戻った。

朝食を済ませてから、道場へ出ることは出たが、どうしても稽古をつける気になれない。それで伊勢と上村に代理を頼み、住居《すまい》へ引込んで横になった。

――まさか売女などはしなかっただろうが。

と、彼は横になって考えた。

――万一そんなことがあったにせよ、自分には関係のないことだ、お豊とのかかわりを詳しく話せば、わかってくれるに違いない。

そんなことを思いめぐらしているうちに、幹太郎はいつか眠ってしまった。気持の疲れと、前夜よく眠れなかったためだろう。白川久三郎に呼び起こされたときはすでに、午《ひる》まぢかな時刻だった。

「柴田さんがお呼びです」と、久三郎が云った。

幹太郎は「待ってくれ」と云い、顔を洗って来て「柴田さんだって」と訊いた。そうです、若年寄の柴田頼母《たのも》さんです、と、久三郎が云った。富原さんではないんだな、と念を押しながら、幹太郎はふと不安な予感におそわれた。

柴田頼母は、道場師範としての幹太郎の支配役である。助教として入藩したときも、正師範に直ったときも、頼母からその旨《むね》を伝えられた。——したがって、頼母が呼ぶということは、用件がなんであるか、殆《ほと》んどきまっているといってもよかった。

久三郎は「私が御案内します」と云った。幹太郎は着替えをし、袴《はかま》を着けて出た。案内されたのは柴田家でなく、役所の御用部屋であった。頼母は四十歳ばかりの、痩《や》せて色の黒い、能面のように表情のない顔つきの人だったが、幹太郎が坐ると、側にいた書役をさがらせ、二人だけになって、静かにこちらを見た。

用件は「辞任してもらいたい」というのであった。

「やめろと仰《おつ》しゃるのですか」幹太郎は思わず問い返した。おそらく顔色が変ったであろう。彼は屹《きつ》と頼母の顔をみつめながら、云った、「理由は金杉の家のことですか」

「いや、そうではない」

頼母はさりげなく云《い》った。

「お勝手向の都合で、本邸のほうから千葉先生門下の上位者を、師範として呼ぶことになったのだ」

「金杉の家のことなら釈明させてもらいたいのです」と、幹太郎は云った、「私も富原さんからうかがうまでは知りませんでした、話を聞いてすぐにゆき、噂《うわさ》の虚実をたしかめようとしたのですが、女は家を出ていってしまいました」

「そのこととは無関係だ」

「いや、どうぞ聞いて下さい」と、幹太郎は云った。

彼はお豊のことを詳しく、残らず話した。頼母はしまいまで聞いていたし、その眼には同情の色さえあらわれたようであった。それに力を得て、幹太郎は自分の身の上も語った。不遇に死んだ父のこと。仕送りをしなければならない故郷の母や妹たちのことまで――そこまで話すのは苦痛であり恥ずかしかったが、事実、母や妹たちのためにも、現在の扶持《ふち》から放れたくなかったのである。

「私は秋の総試合に相当いい成績をあげる自信があります、ことによると二人は勝ちぬくかもしれません」と、彼は云った、「どうしても辞任がやむを得ないとしたら、秋の総試合の済むまで待って下さい、総試合が済んでからならよろこんで辞任します」

どうかお願いします、と云って幹太郎は両手をついた。

頼母は暫《しばら》く黙っていた。

三

頼母は黙って、あけてある障子の向うの、中庭のあたりを眺めていたが、やがて、扇子で袴の襞《ひだ》を撫《な》でながら、静かな眼で幹太郎を見た。

「事情はよくわかったが、辞任の件はどうしようもない」と、頼母は云った、「そこもとが不承知なら、こちらから解任することになると思う」

「では、総試合までというお願いもだめですか」と、幹太郎は訊いた。柴田頼母はそれには答えずに、また中庭のほうへ眼をそらした。

——よせ、卑屈になるな、幹太郎は自分に云った。

彼は自分が『歎願《たんがん》』しそうだということを感じた。淵辺の道場を逐《お》われたあと、飢えて巷《ちまた》を放浪したときの、野良犬《のらいぬ》のような姿が頭にうかび、故郷で僅《わず》かな仕送りを待っている、母や妹たちの顔が見えるようであった。いま扶持に放れることはできない。なんとかこの扶持を放さずにいたい。そういう願望が、危なく口をついて出かかったのである。

「ではこれで――」と、幹太郎は云った、「すぐに荷物を纏《まと》めてひきはらいます、いろいろお世話さまでした」

「さぞ不本意だろうが」と、頼母は云いかけて、しかし、あとは云わずに、紙に包んだ物をそこへさし出し「些少《さしょう》ではあるが謝礼だから」と云った。

――手を触れるな、幹太郎はそう思ったが、受取らないわけにはいかなかった。彼は赤くなりながら、それを取り、会釈《えしゃく》して座を立とうとしたが、ふと頼母を見た。

「野口重四郎の処分はどうなるでしょうか」

頼母は首を振った。

「私には、わからない」

「彼はきまじめな好《よ》い青年です」と、幹太郎は云った、「相手の女は、これまでにも不倫なことがあったそうで、若いし、一本気な野口は女に誘惑されたに相違ありません、なんとか助けてやって頂きたいのですが」

頼母は不審そうな眼つきで、幹太郎をじっとみつめたのち、自分にはどうしようもない、と無感動に云った。

「野口は二十歳です。酒もあまり飲まないようですし、ほかの者のように女あそびも知りません、しかし二十歳という年齢が、どんなに動揺しやすい時期であるかは、貴方《あなた》にも御経験があると思う」

と、幹太郎は云った。

「きまじめで、世間知らずな者ほど、誘惑に脆《もろ》いばあいがあります。まして相手がそういう淫奔《いんぽん》な女だとすれば」

「そこもとはどうだ」と、頼母が遮《さえぎ》った。幹太郎は口をつぐんだ。頼母は静かに云った。

「そこもとの話によると、お豊というその女も尋常な性分ではないようだ。私の聞いたところでは、そして、これはかなりたしかなことらしいが、お豊はしばしば近所の男をひきいれて、いかがわしい行いをしていたという、そこもとは、二十歳ではないかもしれない、だが、酒も飲まず遊蕩《ゆうとう》もしないそうだ、それでもお豊とは、かかわりがなかったというではないか」

「もちろん、そんな関係はありません」

「どうしてだ」

「それは――しかし、私のばあいは違います」

「ではそこもとが、野口の立場にいたとしたら、やはり誘惑に負けると思うか」

幹太郎は口をつぐんだ。

「人間は条件によって、左右されるものではない」と、頼母は続けた、「こんどの辞任についても同じことが云えると思う、師範の地位を去るということは、さぞ不本意であろう、私にもそれはわかる、だが、この地位にとどまろうと去ろうと、そこもとの本質には関係はないだろう、もしこれによって、そこもとが失望したり、自暴自棄になったりするとしたら、それは辞任という条件のためではなく、そこもと自身の本質によるのだ」

幹太郎は唇を噛《か》んだ。

「野口のばあい、女が悪いと云うことに間違いはない、誰でも知っていることだ」と、頼母は云った、「だが、彼は男であり、侍だ、誘惑したのは女だという条件を楯《たて》に、責任を女にかぶせるようなことは、彼が男であり、侍である以上できないだろうと思う」

幹太郎は頷《うなず》いた。そして「わかりました」と云った。頼母は調子を変えて「これはよけいな差出口かもしれないが」と云った。

「千葉先生が、そこもとの稽古を見て、非凡な質だと褒めておられた、もし、そのつもりがあるならお玉ケ池を訪ねてみてはどうか」

「はあ——」と、幹太郎は頭を垂れた。

頼母はなお、なにか云おうとするふうだったが、頭を振って、「自分で役に立つことがあったら相談にのろう、困ったことがあったら云って来るように」と云った。

幹太郎は、礼を述べて立った。

彼は、頼母の言葉に、深く感動した。人間は条件に左右されてはならない、師範の地位にとどまろうと解任されようと、自分の本質には無関係である。そうだ、と幹太郎は思った。たしかにこんな事は重大ではないし、お豊のために、こうなったと思うのもみれんだ。

——千葉先生が非凡だと云われたそうではないか。

当代屈指の剣士から『非凡な質だ』と認められたのだ。大名の下屋敷の師範などで、いい気になっている年ではない。親きょうだいに仕送りしたり、お豊の面倒をみたりすることは、平手幹太郎自身にとって第一義ではないんだ。

「そうだ、こんな、なまぬるいことをしていて、第一流の剣士になれる筈がない。飢えることなどは問題ではないじゃないか、この道を極めることが困難だということは、初めからわかっていた筈だぞ」

彼はそう呟《つぶや》いて、力づよく額をあげた。

幹太郎はその足で道場へゆき、稽古《けいこ》を中止させて「自分が辞任する」ことを話し、なお、秋の総試合をしっかりやるように、と激励した。かれらも辞任のことは聞いていたのだろう。かくべつ驚いたようすはなく、ただ（いかにも気の毒そうに）黙って頭をさげていた。

「本邸から私の代りが来るそうだが」と、幹太郎は云った、「試合には、これまで私の教えた技をくふうするほうがいいと思う、伊勢と上村の二人は頼みにしていい、みんなが立派にやってくれるものと信じている」

そして、上村弥兵衛と伊勢万作とに、「頼む」と云った。二人は頷いたが、二人とも、幹太郎の顔を見ようとはしなかった。

住居へ戻ると、幹太郎はすぐに荷物を纏めにかかった。すると、白川久三郎が来て「本邸から平手先生の代りが来るというのは、なにかの間違いでしょう」と云った。

「私は柴田さんから聞いたんだ」

「それは違います」と久三郎は云った、「代りには佐藤市郎兵衛どのが復任するそう

です よ」

「佐藤——」と云って、幹太郎は振返った。

四

佐藤市郎兵衛は、幹太郎の前任者で、幹太郎は彼に代って師範になったものであった。

幹太郎が任命されたのは、菱川なにがしの出来事が、一つのきっかけになったけれども、市郎兵衛が老齢で、すでに師範の役を充分にはたせなくなっていた、ということのほうが、もっと直接な理由であった。

——その市郎兵衛が復任する。

師範の役がはたせない、と認められて解任された者が、どうしてまた復任するのか。

「これで事情は御想像がつくと思います」と、白川久三郎は云った、「もっと早くわかっていれば、われわれにも、なんとか手段があったでしょうけれど」

「では、佐藤どのの告げ口か」

「富原さんとは昵懇《じっこん》のようですから」

幹太郎は頷いて「わかった」と云った。

いい年をして、ひとの私生活を嗅《か》ぎまわったり、それを密告したりするとはひどい人だ。そう思ったが、すぐに思い返した。

――いや、そうではない、いい年だからこそだ。

おそらく老人は、師範の地位にとどまりたかったのだろう。佐藤老には、佐藤老の生活がある。ここの師範だからこそ扶持が貰《もら》えるので、ここを解任されては、生活ができないのかもしれない。

――おれにとっても、佐藤老にとっても、生きてゆくということは辛《つら》いものだ。

幹太郎は、そう思い返し、白川久三郎に向って「ほかの者には黙っているほうがいいな」と云い、微笑してみせた。

彼は麻裃《あさがみしも》に改めて、辞任の挨拶《あいさつ》にまわった。久三郎は「門下の者たちが別宴を設けたいと云って来た」と告げたが、幹太郎は「おちついたら自分のほうで招こう」と答え、誰にも会わずにひきはらった。

金杉の家へ着いたときは、もう日が昏《く》れていた。そして、差配の家へ寄ると「お豊が来て荷物を持っていった」と告げた。

幹太郎は無関心に頷いたが、お豊にもういちど平手打ちをくわされでもしたような、怒りとも、悲しみとも分ち難い、淋《さび》しさと失望を感じた。自分では「別れるほうがいい」と思い「荷物を取りに来るだろう」とも思った。だが、そんなに早く来るとは予想しなかったし、心のどこかでは「詫びをいれに戻るだろう」という期待さえあった。

——これでいい、このほうがいいんだ。

幹太郎は自分で自分にそう云いふくめた。しっかりしろ平手、みれんだぞ、と心のなかで自分にどなった。

差配がなにも云わないところをみると、お豊は伝言ものこさず、自分のいどころも云わなかったらしい。幹太郎は鍵《かぎ》をあけて、家へはいり、荷物を投げだしたまま、灯をつける気にもなれず、ややながいこと、六畳の暗がりでぼんやりと坐っていた。

頼母から渡された包には、金十五両と、頼母の手紙が入っていた。

——もし、金杉の家から移転するようなら、おちついた先を白川久三郎まで知らせてもらいたい。かくべつ理由はないが。

手紙はそういう簡単なもので、なお「不自由なことがあったら遠慮なく云って来るように」と書き添えてあった。十五両という金額も思いがけなかった。故郷の家へその半分を送っても、倹約をすれば一年は生活することができる。そのうえ「困ったら相談に来い」と繰り返していう頼母のしんせつな気持が、彼には胸にしみて嬉《うれ》しかった。

「柴田さんは、おれを認めているんだな」

と、彼は声に出して云った、「人間は自分ひとりということはないんだ、柴田さんは解任の事情も知っているし、おれの話も信じてくれた、おれには秋田平八がいるし柴田さんという人もいる、千葉先生もおれの腕を認めてくれたというじゃないか、そうだ、おれは孤独じゃあない」

幹太郎は眼をつむり「やるぞ」と口の中で云った。

——謙遜《けんそん》になろう。

と、彼は思った。

彼は千葉周作を尊敬してはいたが、なに負けるものかという意地もあった。頼母に「訪ねてみてはどうか」と云われたときも、剣士として対等に会うなら会おう、いまは会いたくはないと思った。

——教えを受けるなら浅利又四郎もいるし、斎藤弥九郎、伊庭《いば》郡兵衛、大石進などもいる。なにも千葉周作には限らない。

そう考えたのである。

自分の稽古を見られたこと、秋の総試合で千葉の北辰《ほくしん》一刀流と、自分のあみだした技とを、ぶっつけてみようと思った対抗意識が、そんなふうに考えさせたのであろう。

だが、幹太郎はいま「謙遜になろう」と思った。

いちど秋田に相談したうえで、千葉道場を訪ねてみよう。そしてその結果によっては、入門してみっちり修行し直すのもいい。そう心をきめた彼は、翌日すぐに旅籠町の『山源』へゆき、秋田平八に使いをだした。

平八は午後おそく来た。

辞任のいきさつを聞いたとき、平八は咎《とが》めるような眼つきで幹太郎を見た。彼は幹太郎がお豊の面倒をみることに反対だったし、なにか悪いことが起こるような予感があったので、辞任の驚きよりも、怒りのほうを強く感じたようであった。

だが、口ではなにも云わなかったし、幹太郎の話を終りまで聞くと、表情をやわらげ、千葉道場を訪ねることにも賛成した。

「国もとへは知らせないほうがいいと思う」と、平八は云《い》った、「また、その金も持っているほうがいいだろう、かやさんからの手紙では、どうやら無事にやっておられるようだ」

「妹から手紙があったのか」

「ようすを知りたいので、私からときどき問い合せるんだ」と、平八は眩《まぶ》しそうな眼をした、「つい四五日まえにも返事をもらったのだが、いままでの送金でやってゆける、と書いてあったよ」

「おれのほうへはなんの便りもない」

「それは私が注意したからだろう、もう少しおちつくまでは、手紙を出さないほうがよかろう、相談があったら私に云って来るようにと、このまえ江戸から帰るときに念を押しておいたんだ」

幹太郎は暫《しばら》く平八を見ていて、「そうか」

と、云いながら眼を伏せた。

「国のことまで、心配をかけていたんだな、済まない」

「よしてくれ」平八は手を振って、「じつは、私にも、話したいことがあるんだが」

と云いかけ、だがすぐ思い返したように、いやまだいい、あとのことにしようと云った。

幹太郎はかくべつ気にもせず、夕食を共にしてから彼と別れた。

翌日、幹太郎は神田お玉ケ池の千葉道場へゆき、周作に面会を求めた。名を通じると、千葉貞吉という人（周作の弟だという）が出て、接待へ招じ、用件を聞いた。

そして、周作は夕方でないと帰らないから、改めて来るように、用件は伝えておくと答えた。

彼は夕方に出直した。

周作は帰っていた。名声の高いにもかかわらず、すべてが簡明率直で、威を張るようなふうはどこにもなく、周作その人も——その厳しく重厚な風貌《ふうぼう》はべつとして、幹太郎の希望をこころよく聞き、

「腕はみなくともわかっている」

と、云って入門を許した。

幹太郎はその翌日、道場へ移った。

暦日

一

三年経《た》った。

幹太郎は二十七歳になり、名も深喜《みき》（註、彼の名は一般に『造酒《みき》』として知られているが、高倉テル氏の考証によると『深喜《みき》』が正しいそうで、作者もそれに従った）と改めた。

——平手深喜。

千葉道場での彼の立場は、やや別格であった。

夜明け前、周作に稽古をつけてもらうと、あとは午前と午後の二回、中級の門人に稽古をつける。そのほかには、なんの役も付かなかった。

千葉周作は、そのとき四十三歳。岐蘇《きそ》太郎、栄次郎という二人の男子があって、次男の栄次郎は異才といわれる腕をもっていた。

門下では、塚田孔平、稲垣定之助、海保帆平《かいほはんぺい》、庄司弁吉、大羽藤蔵、井上八郎などが第一級であった。

周作は自分では道場へおりなかった。

栄次郎や他《ほか》の上位者に稽古をつけさせ、自分は見ていて注意を与える。ごく稀《まれ》に道場へおりることがあっても、木剣で型を示すくらいのもので、自分で打ちあうなどという例は殆《ほと》んどなかった。

だが、深喜には稽古をつけた。

周作は稽古着に胴だけつけ、深喜は面もつけるのであるが、周作のほうから打込むことはない。深喜に打込ませるだけだし、口では何も云わない。

——技《わざ》を使うな。

というのが鉄則であって、特に深喜の『切尖《きつさき》はずし』『籠手返《こてがえ》し』などの技は厳重に禁じられた。

深喜の稽古は懸命だった。周作に教えられるときは、云うまでもなく、栄次郎や、他の上位者の稽古ぶりを見ると、自分の腕が自分で考えていたほどでないことを痛感した。

これは彼にとって、深い驚きであった。もちろん腕が段ちがいというのではない、塚田や海保たちとも竹刀《しない》を合せてみたが、勝負はたいてい五分と五分であった。ただ、彼は自分がもっと上を使うと信じていたので、無技巧にちかい、かれらの刀法が、無技巧のままに強い点で驚いたのである。

——技を使うな。

と、周作はきびしく戒めた。

栄次郎には（深喜の眼には）特異な技があるようだった。しかし、他の人たちは師の教えを厳守していたし、その上に各自が会得《えとく》すべきものを会得していた。

彼は自分の眼がひらいたように思った。

これまで感じたこともなく、彼の眼から隠されていた道が、幕を切って落しでもしたかのように、彼の前にひろく大きく展開したように感じられた。

たしかに、彼は自分の視界がひろがったと思った。

——よし、やるぞ。

と、彼は自分に云った。

仙台藩を出たことはよかった。あのままでいたら生活は安穏《あんのん》かもしれないが、結局は下屋敷の師範として、小さく固まったにちがいない。そうだ、淵辺《ふちのべ》道場を逐《お》われたこともよし、伊達家から逐われたこともよい。不幸や不運は、それに屈しさえしなければ、人を成長させ新しい力を与える。そうだ、と深喜は思った。

——おれは、ここで第一位になってみせるぞ。

彼の日常は稽古と技のくふう以外になにもなかった。

夜半、ひそかに道場へ出て、昼のうちに思いついた手を試みてみたり、また、しばしば、夢のなかに妙手をみてさめ、寝衣《ねまき》のまま道場へいって、その（夢にみた）手をためしてみたりした。

或日《あるひ》、——それはほぼ一年くらい経ったときのことであるが、道場へ他流試合を申込んで来た者があった。

「筑後《ちくご》柳河《やながわ》藩の大石という者だ」と、その男はいった。

道場の人たちは、いろめき立った。大石進はそのとき三十二歳、豪放な太刀さばきで知られていたし『道場やぶり』をすることでも評判が高かった。

――もしここへ来たら。

と、千葉道場の人たちは云いあっていた。ここへやって来たら『道場やぶり』などというしゃれたまねはさせないぞ。そういいあっていたので、その人が来たと聞くと、みんな『すわこそ』と眼を見交わした。

ちょうど周作の留守であった。

――誰が出る。

栄次郎を中心に人選をした。みんな自分が出たいらしい、平手深喜は新参なので黙っていると、気の早い海保帆平がとびだした。

だが帆平は負けた。

次に井上八郎が出、稲垣定之助が出た。そして二人が簡単に負けると、初めて深喜が立ちあがり、「お願いします」と栄次郎に云った。まだ庄司弁吉と大羽藤蔵がいる。最後には栄次郎が自分が出るつもりだろう。だが、彼は深喜に頷《うなず》いて「むりをするなよ」と囁《ささや》いた。

大石は意気《いき》軒昂《けんこう》だった。

三人と勝負したのに、少しも疲れたようすがないし、呼吸も変ってはいない。口でこそなにも云わないが、すでに、千葉道場を呑《の》んでかかっていることは明らかであった。

礼を交わして間合《まあい》をひらくと、深喜は切尖さがりの青眼につけた、大石は初め青眼につけて、すぐ八双に構え直した。

——やるな。

と、深喜は思った。

青眼から八双に変えたとき、深喜には大石がどういう手に出るか、およそ見当がついた。それですばやく左へ半歩まわり、切尖を少しあげた。

どちらも無言。

やがて、大石は八双から上段へ変った。そのとき深喜が間《ま》を詰め、切尖を相手の喉《のど》に向けた。大石の呼吸が止った。

——しまった。

という色が大石の眼にあらわれた。上段の構えは、そのまま釘付《くぎづ》けにされでもしたようだし、深喜の竹刀の尖端は、大石の喉に向って微動もしなかった。

呼吸五つばかり、突然、両者の口から絶叫がとび、深喜は竹刀を振りながら、大きくうしろへとびのいた。

大石の竹刀ははねとばされて、道場の隅まで飛んでゆき、乾いた音を立てて床板の上へ落ちた。

大石は茫然《ぼうぜん》としていた。

「いかが――」と、深喜が云った。すると大石は眼がさめたように「もう一本」と云いながら、竹刀を拾って向き直った。

だが、千葉周作があらわれて「それまで」ととめた。ちょっとまえに戻って二人の試合を見ていたらしい。大石に向って「こんど立合えば貴方《あなた》の勝ちは明白である。御教授かたじけない」と、鄭重《ていちょう》に一礼し、おちかづきに一盞《いっさん》さしあげたいと云って、自分から奥へ案内した。

大石進はらいらくに、饗応《きょうおう》を受けたうえ、深喜が「神妙な技を使う」と褒めた。

「ふしぎな刀法だ」と、彼は繰り返した、「失礼ながら御流儀とは違うようだし、これまでかつてみたことのない太刀筋だと思う、いい御門人をおもちで楽しみでしょう」

周作はそらすように、ただ微笑するだけであった。

その夜、深喜は周作に烈《はげ》しく叱《しか》られた。

二

大石進が去ったあと――

周作は塚田や海保ら（栄次郎も含めて）七人の者を呼びつけて叱った。

他流の剣士と試合をするばあいは、必ず周作の許しを得なければならない。それが千葉道場の規則である。にもかかわらず、周作の留守にその禁をやぶったのは、二重の罪である。

――七人とも三日間の謹慎だ。

と、怒った。

平手深喜は謹慎はまぬがれた。

だが、その夜、一人だけ周作に呼びつけられて「どうしてあんな技を使ったか」と責められた。

「やむを得なかったのです」と深喜は答えた。

「なにがやむを得なかった」

「明らかに道場やぶりに来たようでしたし、海保さんたち三人が負けたものですから、道場の名聞《めいぶん》のためにどうしても勝たなければならなかったのです」

「私は技を使うなと云ってある」

「それは、――他流との試合だからいいと思いました」

深喜はそう答えた。

周作は黙って、ややしばらく深喜の顔をみつめ、それから嘆息するように「わからないやつだ」と云った。

「おまえには、まだわが流儀の精神がわからないのだな」

深喜は頭を垂れた。

「海保ら三人もばかだが、おまえは未熟だ、おまえは本当に三人が負けたと思うのか」と、周作は云った。

思いがけない言葉なので、深喜は顔をあげて周作を見た。周作は続けた。

「かれらが試合をしたのはばかだが、負けたのはまだしもましだ、おまえには、それさえもわかっていない」

「お待ち下さい」と深喜が反問した、「私の眼には、海保さんも、井上、稲垣さんも負けたとしか見えませんでした、勝負は紛《まぎ》れのない、はっきりしたものだったと思うのですが」

「それは打つ打たれるの問題だ」

「しかし勝負は」

「私は打つ打たれるを問題にしてはいない、そんなことは少しも重要ではない、面籠《めんこ》手《て》をつけた竹刀の勝負など、勝っても負けてもさしたることはないし、それは剣の道の末節にすぎない」と周作は続けて云《い》った。

伊達家本邸におけるあの年の総試合で深喜の教えた門人たちはよく勝った。特に『切尖はずし』の一手は勝負手としてすぐれていたし、伊勢万作は第二位まで勝ちぬいた、と周作は云った。

深喜は初めてそれを聞いた。

師範を辞して以来、自分のことにとりまぎれていたし、もはや『総試合』の結果などに関心をもつ暇もなかった。いま聞くのが初めてであるが、伊勢万作が二位になったというのは、深喜にとってさすがに嬉《うれ》しかった。

だが、周作はそうではなかった。

「伊勢がそこまで勝ちぬいたのは、剣の道によるのではなく技のおかげだ、平手の教えたあの技が勝ったので、伊勢万作それ自身が勝ったのではない、これは邪道だ」

深喜は屹《きっ》と目をあげた。

「技によって勝つ者は、技によって必ず負ける、技はくふうすればあみだせるし、くふうは一人だけのものではない、平手のあみだす技が神妙だとすれば、平手のあとに、もっと神妙な技をくふうする者が出るだろう、それは道の精神に反するし、まったくの邪道だ」

「お口を返すようですが、勝負は技の優劣できまるのではないでしょうか」

「私はそんなことを云ってはいない」

「しかし、勝敗は常にあります」

「私の流儀にはない」と、周作は云った、「刀法がおのれを守り、敵を討つ手段だったのは過去のことだ、戦場は云うまでもなく、敵を討ち倒すなら、鉄炮《てっぽう》のほうが早いし確実だ、平手の技がどんなに神妙でも、鉄炮の弾丸《たま》に勝つことはできない、そうではないか」

深喜はまた頭を垂れた。

「私の流儀は不退転《ふたいてん》の精神を躰得《たいとく》することにある、生死に惑《まど》わず、大事に処して過《あやま》たない金剛心《こんごうしん》、それを会得することが目的なのだ、口で云うのは易《やす》いが、私は稽古《けいこ》のなかから感知してもらいたかった、繰り返して云う、勝敗に拘泥《こうでい》するな、技は末節にすぎない、この二条をよく思案して修行するがいい」

そして周作は「さがってよい」といった。

――本当にそうだろうか。

深喜は自分で反問した。

刀法はどこまでも刀法であり、勝負があれば『勝つ』ほうがいい。生死に惑わず、大事に処して過たない金剛心などというものは、刀法の修行でなくとも得られる。禅《ぜん》家《け》の修行などは、もっと直接にそのことに向けられているのではないか。

――精神的な求道や、勝敗を度外視した刀法などというものこそ、むしろ剣の本道からそれたものではないだろうか。

鉄炮は刀より強い。だが一発の弾丸は必ず敵に命中するとは限らないし、その一発が絶対に避けられないともいえない。

――第一発を仕損じて、第二発を充塡《じゅうてん》する暇に、とび込んでいって斬《き》ることもできる。

深喜はそうも思った。

自分は自分の道をゆこう。千葉周作には彼の道があるし、自分には自分の道がある。刀法で身を立てる以上、すぐれた技法をくふうして『勝つ』ことが第一だ。『技』とは奇巧ではなく、敵を討つための正確な太刀さばきをいうのだ。

――勝つことは正しい。

正しいことが邪道である筈《はず》はない。

深喜はそう信じた。そして、周作にはもちろん、誰にも知れないように、ひそかに必勝の技のくふうを続けた。

その三年のあいだ、ほかにはあまり変ったことはなかった。故郷のほうも、同じようなぐあいらしく、妹のかやが婚期におくれそうなので「良縁があったら嫁がせてはどうか」と手紙をやったが、母からの返事によると「かやにその意志がない」ということであった。婚資《こんし》のないことも、理由の一つだろうし、おちぶれた郷士の娘では、ちょっと縁がないかもしれない。

——おれが第一流の剣士になり、道場でも持つようになれば、いい縁談もあろう。そうなれば、妹たちにも、それ相応の縁談があるだろう。それまで辛抱してもらうよりしかたがない。深喜はそう思って、そのことは考えないようにした。

秋田平八とは、月に二度くらいずつ会った。淵辺道場はうまくゆかなくなり「門人も減るばかりだ」などという話を聞いた。

「私も、身のふりかたを考えなければならないらしいよ」

「なにか思案があるのか」

「ないこともないが、いずれそのときになってから相談するよ」

そんな話も出たが、しかし、すぐにどうということもないらしく、天保八年の二月を迎えた。

三

天保八年二月、大坂で大塩平八郎の乱が起こった。

数年まえから、全国の各地に、凶作や不作が続き、その地方には餓死者も出たし、江戸でさえ（甚《はなは》だしい米価の騰貴《とうき》で）饑餓《きが》に迫られる者が多くなった。

幕府では『米価抑制』と『貧民救済』についていろいろ手を打った。

だが、今も昔も、政治が、実際の必要に応じて行われる例は少ない。米価を抑制すれば、商人たちは米を隠してしまう。当時は封建政治だから、まだ『幕府の権力』をもちいることができた。しかし現実には、その『権力』も『経済力』の支えなしには存在することができなくなっていたし、むしろ『力』は逆になっていたといってもいいので『御布令《おふれ》』なども、殆《ほと》んど形式以上の効力はなかった。

貧民救済のほうも同様である。

一年まえから、市中の数カ所に『お救い小屋』が設けられ、またしばしば施米《せまい》や施《せ》粥《がゆ》が行われた。それは、そのとおりであるが、規定どおりに行われることはなかった。

施米のばあい、男に対して一日三合、老人や女子供が二合と定まっても、当人たちに渡されるときは三合が二合になり、二合がまた削られる。一区劃《かく》百人の窮民がいるとすれば、その条件に難癖をつけて、三分の一の人数をはねてしまう。今も昔も、役人たちのすることは似たようなものらしい。こういう事実を知っている窮民たちは、せっぱ詰ると暴徒になった。

大塩平八郎が乱を起こしたのも、これらの状態を座視するに忍びなくなったからで、その檄文《げきぶん》の中には、

——四海困窮いたし候《そうら》えば、天禄《てんろく》ながく絶えん。小人《しようじん》に国家を治めしむれば、災害ならび至る。

という書きだしで、天皇が足利《あしかが》氏このかた、政治や賞罰の権を失われたため、下民に不平や恨みがあっても訴えるところがなく、その怨恨《えんこん》はただ天道にすがるよりほかにない。近年、天災饑饉《ききん》の続くのは、これら下民の怨恨が天に通じ、天が為政者に戒告を与えたものである。にもかかわらず、上にある人々は、その点を反省することなく、依然として小人《しようじん》奸者《かんじや》に大切な政治を任せ、ただただ下民を悩ませ、金穀《きんこく》を取立てる手段ばかり講じている、とか。

廻し米の世話もしないでいて、五升一斗ぐらいの米を買いに来た窮民を召捕り、とか。

三都の富豪どもが、諸大名へ貸付けた金の利子で、未曾有《みぞう》の富を積み、町人の身をもって大名の家へ用人格におさまったり、おびただしい田畑新田などを持って、なに不自由なく暮しながら、餓死に迫られている貧民乞食《こじき》を救おうともしない、とか。かれら富豪どもは、大名の家来とか役人などに賄賂《わいろ》を使い、揚屋茶屋で饗応《きょうおう》し、さし迫った天下の難事をよそに、妾宅《しょうたく》で歓をつくしたり、堂島で相場を争ったりするばかりだが、これを取締るべき役人が、かれらに買収されているので、如何《いかん》ともなし難い、とか。

こういうありさまでは、堪忍《かんにん》なり難いから、天下のためと思って、血族に禍《わざわ》いのかかるのを承知のうえ、有志の者と計って事を挙げる。下民を苦しめ候《そうろう》諸役人をみな誅伐《ちゅうばつ》いたし、ひき続いて驕《きょう》に長じ居候、市中金持の町人どもを誅戮《ちゅうりく》に及び申すべく、とか。

極めて率直に、政治の悪いことや、金持と役人の不正不義を怒り、これらを『誅戮』すると宣言しているのである。

平手深喜もこの檄文を読んだ。

それは大坂の騒擾《そうじょう》があっけなく揉潰《もみつぶ》されたあとのことで、その檄文も大塩の書いたものの写しだから、原文どおりであるかどうかは、わからないが、字句の裏におどっている平八郎の、不正不義に対する烈火のような忿《いきどお》りだけはなまなましく、するどく彼の心を突き刺した。

――こういう人間もいるのか。

と、深喜は思った。

そのすぐあと、彼は海保帆平と口論をした。月例試合のあった日で、その夜は道場で小酒宴がひらかれる。周作は門下の者の日常にきびしい規則を課し、粗衣粗食は云うまでもないし、飲酒遊蕩《ゆうとう》は固く禁じてある。ただ月に一度、月例試合のあとでだけ、質素な膳《ぜん》に酒が付くのであった。

その席には、上座下座の差別がなく、千葉栄次郎を中心にするかたちで、門下の上位者が十七人ほど並ぶ。――小酒宴といっても、常の一汁一菜に焼魚が一皿加わるだけだし、酒も一人に二本あてしかないので、金まわりのいい者たちは手早く片づけて（よそで飲むために）さっさと退散し、残るのはたいてい七八人で、その顔ぶれも殆んど定まっていた。

深喜は飲まないから、いつも先に座を立つ組であるが、そのときは『大坂騒擾』の話が出、海保帆平が奇矯なことを云いだしたので、食事の済んだ膳を前に、じっと坐《すわ》って聞いていた。

「大塩は当代の義人だ」と、帆平は云った。

大塩平八郎とその同志たちは、世の不正不義を糺《ただ》すために身命をなげうった。自分のためではない、一身一族の栄辱《えいじょく》を捨て、最大多数の民百姓のため、天下の政道をよくするために、あえて賊名を負って死んだのだ。

大塩の先祖は、岡崎時代から徳川氏に仕え、彼の祖父は尾張家の家臣であって、さらに大坂城代付きの与力に転じた。いわば、徳川恩顧の士であるのに、そのうえ陽明学者として高い識見があるのにしかもなお、彼は断乎《だんこ》として幕府に矢を引いた。

「おれたちは、この事実を正視しなければならない」と、帆平は云った。

大塩は政治の腐敗と、世道の紊乱《びんらん》が、なんに由来するかを檄文で書いている。

「——天子は足利家以来、別して御隠居御同様、賞罰の柄《へい》を御失い候につき」これである。かつて明和のころ、山県大弐《やまがただいに》はその著『柳子新論《りゅうししんろん》』のなかで位禄を分つことが天下の乱れるもとである、と云った。朝廷は諸臣に位階を与えるだけ、政治の実権は幕府の手にある。これではやがて天下は崩壊するだろう、というのであった。

大弐は刑死し、大塩もまた同様に死んだ。両者とも、その所論は『天子に政権を還《かえ》せ』というにある。さもなければ道義の紊乱も政治の頽廃《たいはい》も防ぐことはできない、と主張しているのだ。

「おれたちは、これを傍観していてはならない、おれたちもなにごとかを為《な》さなければならない、みんなそう思わないか」と帆平は、みんなの顔を順に見まわした。

「私は、そうは思いません」と、深喜が云った。

みんなが一斉に深喜を見た。帆平は「よし」といい膝《ひざ》へ両手を突いて云った。

「よし、平手の意見を聞こう」

「人には、それぞれの生きかたがあります」と、深喜は云った、「私は、大弐の説を知りませんが大塩という人の気持はわかります。けれども、政治や道義の頽廃を、暴挙によって改革しようとすることには反対です」

「反対する理由はなんだ」

「破壊や殺戮によって事を行うことが、承服できないのです」

「ほかに手段のないときでもか」

「いかなる場合にもです」

「平手は臆病《おくびよう》者だ」と、帆平は声をあげていった。

四

深喜は口をつぐんだ。

「平手は臆病者だ」と、帆平は繰り返した。

「それは海保さんがそう云うだけのことですよ」と、深喜は静かに答えた、「大塩という人が騒擾を起こしたのは、その人自身そうせずにいられなかったからで、私が暴動や破壊を嫌うのは私の生きかたです、それをもし、臆病者だと云うのなら、私はそうですかと答えるだけです」

「侍が臆病者と云われて、そうですかで、済むと思うのか」

「海保さんがそう云いたいものを、私が止めることはできませんからね」

「臆病のうえに卑怯《ひきょう》者だ」と、帆平は罵《ののし》った。

「どうして、そんなにどなるんですか」と、深喜が云った、「貴方《あなた》が、もし大塩という人に続こうと思うのなら、他人の意見を訊《き》くこともなし、私などに喧嘩《けんか》を売ることもない、さっさと思うようになすったらいいでしょう」

「おれが喧嘩を売るって」

「天下とか、政治とか道義とか、口でいきまくくらいのことはたやすいですからね、また臆病者だとか卑怯者なんていうことも、口で云うぶんには、たやすいものですよ」

帆平が「こいつ」と云った。

井上八郎が「二人ともよせ」と云った。千葉栄次郎は黙って酒を飲んでいた。塚田、稲垣、大羽たちは、栄次郎が黙っているので、これも知らぬ顔で聞いているし、庄司弁吉などは、にやにやしながら、もっとやれもっとやれ、とでもいいたげな眼で深喜を見た。

海保帆平は腕も立つが、向うっ気が強く、口が荒く、喧嘩っ早いので、平生みんなからけむたがられている。井上もいちどは「よせ」と云《い》ったが、栄次郎はじめ、ほかの者が知らん顔をしているので、それ以上とめようとはしなかった。

「こいつ、おれを侮辱したな」

帆平は片膝を立てた。

「なにが侮辱です」

「いまの言葉は侮辱だ」

「臆病者とか卑怯者とか云うよりもですか」

「こいつ新参者のくせに」と、帆平はとびあがって叫んだ、「勘弁ならん、道場へ出ろ」

「それはよしましょう、貴方は酔っている」

「道場へ出ろ」

と、帆平は絶叫し、大股《おおまた》に近よって、深喜の肩を小突いた。

深喜は軀《からだ》を捻《ひね》ってその手をよけたが、静かに立ちあがって、「皆さんお聞きのとおりです」と云った、やむを得ないと思いますが、いいでしょうか、——だが、誰もなにも云わなかった。

栄次郎はそっぽを向いているし、庄司弁吉は「やれやれ」と云わんばかりに、深喜に向って顎《あご》をしゃくっていた。

帆平は「来い」と叫んで、いさましくとびだしてゆき、深喜もそのあとからついていった。

すると、二人のうしろから庄司弁吉が、手燭《てしょく》を持って追いつき、道場の要所要所へ灯を点じながら「よさないか」とか「穏やかに話したらどうだ」などと、制止するよりも、けしかけるような調子で、うわのそらなことを、せかせかと云った。

帆平は袴《はかま》の股立《ももだち》も取らず、木剣を持って道場のまん中へ出た。

深喜も同様にした。

「おい、それはいかんぞ」と、庄司が云った。それではけがをする、道具を着けて竹刀《しない》でやれ。よけいな口を出すな、と帆平がどなり返し「さあ来い」と云って高正眼《たかせいがん》に構えた。

深喜は少しさがって、帆平の眼をみつめながら、やはり高正眼に構えた。

庄司は羽目までさがり、両手を擦《こす》り合せながら「面白くって堪《たま》らない」とでも云いたげな、うきうきした眼で二人を眺めていた。

帆平が声を放って打ち込んだ。

床板がびんと鳴り、深喜が一間ばかりとびのいた。

帆平はすばやく間《ま》を詰めていった。深喜は静かに左へまわり、停ったと思うと、木剣の切尖《きっさき》をあげた。帆平は上段に変えた。

それが、勝負どころだったらしい、帆平が上段に変るとたん、深喜の木剣が微《かす》かに動いた。

見ている庄司には眼にもとまらなかったが、帆平は絶叫しながら打ち込んだ。

しかし『かん』という音がし、帆平の木剣がはね飛ぶと同時に、帆平自身は大きくつんのめって、まっさかさまに転倒し、転倒したままで一間あまり床板の上を辷《すべ》った。

深喜は静かに立っていた。

「こいつ、しゃれたまねを」と、帆平ははね起き、走っていって木剣を拾うと「もういちど来い」と喚《わめ》いて、深喜のほうへゆこうとした。

そのとき「それまでだ」と云いながら、栄次郎が帆平の前へ出て来た。

うしろに塚田孔平と井上八郎がいた。

「しかし、若先生、いまのは勝負になっていません」と、帆平が云った、「私は酔っているものだから、足が滑って自分で転んだのです」

「ばかなことを云うな、いいからもうよせ」

「すると、若先生は私が平手に負けたと仰《おっ》しゃるんですか」

「勝ち負けのことを云ってるんじゃない」と、栄次郎が云った、「酒に酔って暴言を吐いたり、人に木剣試合を強いたりするのも程度がある、けがのないうちやめろと忠告しているんだ」

「私が暴言を吐きましたか」

「その話は酔いがさめてからにしよう」と、栄次郎は云った。

井上が「平手、木剣をしまって来い」と云い、栄次郎のあとから塚田といっしょに去っていった。

「大義名分を知らぬ俗物ども」と、帆平がどなった、「天下は大きく動きだすぞ、沿岸には外国船が迫っている、夷狄《いてき》はわが国土にいつ侵入して来るかわからない、国内は饑饉、政治は乱れ、民の心は幕府をはなれている、眼のある者なら大政を朝廷に還し、国内を統一し国土を挙げて外敵に当るべき時期だということがわかる筈《はず》だ」

深喜は木剣を片づけて道場を去った。うしろではなお帆平がどなっていた。

「こんな剣術の修行など、なんの足しになるか、神州男児たるものは、いまこそ天下国家のために、起《た》ってその身命を……」

深喜にはそこまでしか聞えなかった。

その翌日から、海保帆平は道場へ来なくなった。気になるので、そっと庄司弁吉に訊いてみると、

「追っぱらわれたのさ」と、云った。

その夜の暴論が千葉周作の耳にはいって、破門されたのだともいうし、他の説では、

「千葉先生の推挙で水戸家へ抱えられたのだ」ともいわれた。

「――あの晩のことで破門されたのだとすると、自分も咎《とが》められるかもしれないぞ」

深喜はそう思って、四五日心がおちつかなかった。

だが、そういうこともなかったし、六月になると海保帆平が水戸家にいることもわかって、深喜はようやく安心した。

秋　あらし

一

九月中旬の或《あ》る夕刻——

稽古《けいこ》を終った深喜が、汗をながしていると、面会者があると知らせて来た。

「長《ちょう》の幸助《こうすけ》だといっていますよ」と、内門人の少年は云った。

「侍ではなく、職人かなにかのようで、まだ十か十一くらいのちびです。御存じですか」

深喜は「うん」と頷《うなず》き、おれの部屋へとおしておけ、と云った。長の幸助といえば幸坊に違いない、金杉で別れたまま、二年以上も音沙汰《おとさた》がなかった。

——まだお豊といっしょか。

——なんの用で来たのか。

深喜は一種なつかしいような気持で、手早く着物を着、自分の部屋へいった。

それは『幸坊』であった。

二年経《た》ったが、たいして軀《からだ》は育っていない。青梅《おうめ》縞《じま》の筒袖《つつそで》の着物に、三尺をしめて、窮屈そうに坐っていたが、深喜を見ると、にこっと笑って「こんちは」と云った。

「此処《ここ》にいることがよくわかったな」

「まえから知ってましたよ」と、幸助は云った。

深喜が千葉道場へはいったあとで、金杉を訪ねて差配に聞いたのだそうである。深喜は小簞笥《こだんす》から菓子を出して、

「喰べろ」と、幸助の前へ押しやった。

「いま、なにをしている」と、深喜が訊いた。幸助は菓子には、手を出さず、小さなすばしっこい眼で深喜の表情をうかがいながら「お豊さんが会いたがっている」と云った。

深喜は顔をひきしめた。

「お豊さんのねえさんは病気なんだよ」と、幸助はいそいで云った、「病気が重くって、ずっと寝ているんだ、本当なんだよ」

「なんの病気なんだ」

「知らない、聞いたけど覚えてないよ」

「病気というのは、嘘《うそ》だろう」

「嘘なんかつかないよ、本当に病気なんだ、河内屋の旦那《だんな》が湯治にゆけっていうんだけど、どうせ死ぬものなら江戸で死にたいって、医者もずいぶん云うんだけども、どうしてもきかないんだよ」

「寝たっきりなのか」

「寝てなければいけないのに、すぐ起きちゃうんだ、二度も血を吐いたんだよ」

深喜は、じっと幸助の顔をみつめた。

——嘘ではないらしいな。

二度も血を吐いた、というのがあまりに突然で思いがけなかったし、そこまで嘘を拵《こしら》えるとも考えられなかった。

「いまどこにいるんだ」

「深川の佐賀町だよ」

「河内屋の旦那と云ったが、その人の世話になっているのか」

「うん、旦那はいい人だよ」

幸助は口早に説明した。

河内屋は、本所緑町に店のある質両替商の老舗《しにせ》で、富十郎という隠居が、道楽に一中節の稽古所を持っている。もちろん、ちゃんとした師匠が定《きま》った稽古日に来て教えるのだが、その他の日は隠居が教えている。お豊も本所にいたじぶん、気まぐれにしばらく稽古所へかよった。

お豊はほんの気まぐれだったが、隠居の富十郎はすっかり乗り気になった。

——声も、調子もいい。

女には珍しく、声も調子もこの浄瑠璃《じょうるり》にまん向きだと、隠居はすっかり惚《ほ》れこみ、本式に教えるから女師匠になれ、と云いだした。

お豊は信じなかった。

——うまくまるめて、あたしを妾《めかけ》にでもするつもりなのよ。

そう云って稽古所へもゆかなくなった。

「お豊さんのねえさんは、すっかりぐれちゃったからね」と、幸助はおとなびた口ぶりで云った、「女師匠だなんて、固っ苦しいことをするよりも、あんなふうに客を取って、みんなに奢《おご》ったり小遣いをやったりして、いばっているほうがよかったんだよ」

「みんなというのは、あの三平という男もか」

「本野さんていう、御家人くずれもいたし、てっぽう安っていう、いつか平手さんが亀戸でやっつけた、あにきとかさ」

深喜は「支度をしよう」と云って立ちあがった。

「来てくれるんだね、平手さん」

「幸坊の顔をつぶしては、悪かろう」と、深喜は云った。

外出の許しを得て、二人はまもなく道場を出た。晩秋の日は昏《く》れるのが早く、街には、もう灯がつきはじめていた。駕籠《かご》でゆこうと思ったが、自分だけということにはいかないし、二梃《ちよう》雇うには銭《ぜに》が惜しかった。

「歩きながら話を聞こう」と、深喜は云った。

幸坊は話しつづけた。——河内屋の隠居は諦《あきら》めなかった。そして、本野や三平などに「お豊を稽古場へかよわせてくれ」と頼んだ。そうすれば、かれらにも手当をやろう、というのである。そこでかれらは「おまえの身のためだから」と、しきりにお豊をくどいた。

だが、お豊は信用せず「あんなじじいの囲い者になんかなるもんか」とはねつけていた。

そのとき、平手さんが長屋へ来たのさ。

と、幸助は云った。

お豊は深喜が好きになった。それで、うるさい隠居や、三平たちから逃げたくなり、深喜といっしょに長屋を立退いたのであった。

「すると——」と、深喜は訊《き》いた、「あの三平や御家人くずれの本野などは、まんざら悪い人間でもなかったんだな」

「だらしがねえだけだよ」と、幸助は鼻をしかめた。

女が一人で、そういうしょうばいをしていれば、地回りなどがすぐ因縁をつけるか、しょうばいの邪魔をする。それで、三平たちはお豊の用心棒のようになり、彼女の稼《かせ》ぎから割を貰《もら》うのであった。

それもお豊の機嫌しだいで、「客が幾人あったから幾ら」ということはなく、お豊の気が向いて、くれるだけしか貰わなかった。

——それであのとき、お豊はあんな啖呵《たんか》を切ったのだな。

裏長屋の一と間で、お豊と三平が喧嘩《けんか》になったとき、お豊は「あたしのおかげでやっとおまんまにありついている」と罵った。あれはそういうわけだったのか、と深喜はようやく合点《がてん》した。

河内屋の隠居は、その後もお豊のことを心配し、人を使って行方を捜させていた。——半年あまりも根気よく捜させ、ようやく金杉にいることがわかり、三平を遣《や》って「本所へ戻るように」とすすめた。二度、三度。番頭の松造まで三平に付けてやった。

「それはね、お豊さんのねえさんが、金杉でまたぐれだしたからなんだよ」と、幸助が云《い》った。

ぐれだしたのは、平手さんのためだぜ。平手さんが薄情だったからさ。お豊さんのねえさんはそう云ってた。平手さんがそんなに薄情なら、あたしはあたしで、勝手にするってさ。そして、ぐれだしちゃったんだ、と幸助は云った。

「そのくせ、平手さんが来て帰ったあとは、半日くらいも泣いていたんだ、ほんとだぜ、おれが見ていても、辛《つら》そうだったぜ」

二

深喜は顔を歪《ゆが》めた。

どこかが痛みでもするように、顔を歪めながら幸助から眼をそむけた。金杉の家へ、彼がいって帰ったあと、半日くらいも泣いていたという、平手さんがそんなに薄情なら、あたしはあたしで勝手なことをする、そういってぐれ始めたという。

——おれは薄情なつもりではなかった。

彼はお豊をまじめな女にしようと思い、そのために努力した。

——そこが、くいちがっていた。

お豊は、ただ深喜を求めていたのである。深喜がもっと、お豊の気持を理解していたら、お豊の求めに応ずるか否《いな》かはともかく、もう少しあしらいようがあったであろう。だが、彼には、そんな気持のゆとりはなかった。彼には目的があり、その目的を達成することのほかは、少しでも心を労することを嫌った。

「では、金杉を出てからずっと、おまえもその河内屋の世話になっていたのだね」と、深喜が、幸助に訊いた。少年は「そうじゃねえさ」と首を振った。だが、そうでないわけをすぐに説明しようとはせず「平手さんは、まだお豊さんのねえさんのこと怒っているのかい」と訊き返し、それから独り言のように、おれたちと平手さんとは人間が違うからなあ、と呟《つぶや》いた。

深喜は唇を嚙《か》んだ。

——人間ではなく、世界が違うんだ。

彼は、心のなかでそう答えた。

本野という浪人、三平、てっぽう安、かれらも深喜が思っていたほど、悪い人間ではないらしい。お豊とかれらの関係も、堕《お》ちた者どうしの特殊な支えあいで、実際に悪いのは「かれらの追いつめられた生活の条件」であるかもしれない。自分は、自分の生きかたと、考えかたでかれらを非難した。

それは海保帆平が、彼の立場で深喜を罵倒《ばとう》したのと同じことではないか。

「おれは、三平のあにいといっしょにいるんだよ」と、幸助は云った。

「なにをしているんだ」

「云えないよ、云ったって平手さんにはわからねえからな」と、幸助は云った。

佐賀町の家は、大川端から中ノ橋の袂《たもと》を回ったところで片隣りに『船八』という船宿があり、片隣りには『箱文』という小さいが、しゃれた料理屋があった。お豊の家は、黒板塀《べい》をまわした二階造りで、狭い庭から（塀の上へ）百日紅《さるすべり》と赤松が枝を伸ばしている。一中節の稽古所というより、誰かの隠宅か、囲い者の住居という感じだった。

幸助は深喜を格子口《こうしぐち》へ案内し「おいらは、こっちからのお出入りはできねえのさ」と云って、入口の脇《わき》を裏のほうへまわっていった。

取次に出たのは十三歳ばかりの小女《こおんな》で、すぐに深喜を二階へ導いた。

二階は四畳半と八畳で、お豊は四畳半のほうにいた。寝ていたのを、深喜の声が聞えて起きたらしい。派手な色の長襦袢《ながじゆばん》の上に、男物のような唐桟縞《とうざんじま》の半纏《はんてん》をひっかけ、鴇色《ときいろ》のしごきを前で結んでいた。

「うれしいわ」と、お豊は深喜の顔を見るなり云って、あざやかに、眼のまわりをぽっと染めた。

「来て下すったのね、あたし来て下さらないかと思っていたのよ、うれしいわ」

たて続けにいいながら、長襦袢の袖口《そでぐち》で眼を押えた。

お豊は夜具の上に坐《すわ》っていた。その夜具は大きく厚く、嬌《なまめ》かしい色のもので、脇に小さな茶簞笥と長火鉢があるため、深喜は坐り場に困った。お豊もそれに気がつき、あらごめんなさいと、立って夜具を裾《すそ》のほうからたたみ、納戸《なんど》から座蒲団《ざぶとん》を出して、長火鉢の横へ置いた。

「あのときのことは堪忍《かんにん》して下さい」

深喜が坐ると、お豊は手をついていった。

「済んだことは忘れよう」と、深喜が云った、「幸坊からあらまし聞いたが、起きていていいのか」

「いまお医者さんが来て帰ったところなんです、寝ていろってうるさく云われるんですけれど、どこも痛くもなんともないのに寝ているなんて辛いんですよ」

「どこが悪いんだ」

「労咳《ろうがい》でしょ、医者はそう云わないけれど、あたしにはわかっているんです」

「いけないな――」

深喜は、呟くように云った。

お豊は、ずっとおとなびている。顔色もいいし、痩《や》せたようにもみえない。ただ、皮膚の色が陶器のように白く冴《さ》えてきたのと、ひっ詰めにうしろで束ねた漆黒の（少し多すぎる）髪毛《かみ》とが、その病気の特徴をあらわしているようであった。唇は傷口のように赤く、眼はまえよりも大きくなり、黒眼が濡《ぬ》れたようなうるみを帯びていた。

「久しぶりで晩の御飯をいっしょに喰べたいんだけれど、あがって下さる」

「ながくはいられないんだ」

「きみが悪ければいいんですよ」

「病気なんかは平気だが、おそくなると道場がやかましいんだ」

お豊は「そんなに手間はとらせない」と云って、手を叩《たた》いた。あがって来た小女（お光という名であった）に、符牒《ふちょう》のような言葉で註文《ちゅうもん》を命じてから「あなたはまだ酒は飲まないのか」と訊いた。深喜は頷《うなず》いた。「相変らずね」と云って、お豊は小女を去らせ、いたずらそうな上眼づかいに深喜を見て「それじゃあまだ遊びにもいらっしゃらないんでしょ」と云った。身分が違うよ、と彼は眼をそらした。遊びにゆくような時間もなし、金もありやしない。あら、千葉道場の四天王でもですか。ばかな、四天王なんていうものがあるものか。知ってますよ、三羽烏《がらす》に四天王、千葉道場ではその七人が柱石だって、世間では云ってますわ、とお豊が自慢そうに云った。

——世評なんてばかなものだ。

深喜は苦い顔をして黙った。

お豊は自分の病気のことを話した。男の弟子に稽古《けいこ》をつけているとき、とつぜん血を吐いた。銅《あか》の鬢盥《びんだらい》へ殆《ほと》んど一杯ほども吐き、そのまま気を失ってしまった。お豊のは咳《せき》も痰《たん》も出ず、軀《からだ》が痩せるというのでもなかった。ときたまひどくだるかったり、肩が凝ったりするくらいで、そんな病気があろうとはまったく気がつかなかった。

——こういうのは、性《たち》がよくない。

と、医者は云い、症状がおさまると、どこか山の湯治場へでも養生にゆくのがいいとすすめた。河内屋の隠居はすぐに「草津へ行こう」と云いだしたが、お豊は頑強に拒んだ。

「だって、草津へゆけばあぶないと思ったんですよ」と、お豊は深喜を見た、「まわりに眼があるから、これまでは大丈夫だったけれど、そんな処《ところ》へいっしょにゆけば、無事におさまりっこないんですもの」

「と、いうと——」

深喜も、お豊の眼を見た。

「これまで、その隠居とはなんでもなかったのか」

「あたりまえじゃないの」と、お豊は云って、きらきらするような眼で深喜をみつめた、「あたしには、平手さんしかいやあしないわ」

三

深喜は顔をそむけた。

「ほんとよ」と、お豊は云った、「あたしには、平手さんしかいやあしないの、そうでなくったって、誰があんなお爺《じい》さんの妾なんかになるもんですか」

「ずっと、世話になっていてもか」

「あの人の道楽なのよ」とお豊は、力なく笑って云った、「あたしが、あの人の稽古所へいったのは、からかい半分だったけれど、あの人は、あたしの声や三味線の手筋がいいって、それで身を立てるまで面倒をみよう、いやらしい気持はちっともないって、いまでも口癖のように云うのよ、――あたし、平手さんのほかには男なんて信用してやしないわ、だから河内屋の隠居だって同じことだと思ってたのよ」

それで、草津ゆきは拒みとおして来たのであるが、このごろになって、ふと気持が動き始めた。

――こっちが、しっかりしていればいい。

相手はとしよりだし、まさか手籠《てご》めにするようなこともないだろう。いっそ暫《しばら》く閑静なところで養生してみようか。

——そうすれば、これまでのからだのよごれも浄《きよ》められるかもしれない。

そう思うようになった。

「それでお別れに、平手さんに逢《あ》いたくなったの、あのときあんな義理の悪いことをしたから、怒って来ては下さらないかと思ったんだけれど……入口で声が聞えたとき、うれしくって、息が詰りそうだったわ」

そのとき階段の下で、「おっしょさん、まいりましたよ」と云う小女の声がした。持って来ておくれ、とお豊が云った。小女と幸助が岡持を運びあげて来ると、夜具を隣りの八畳へ片づけ、長火鉢の脇へ膳立《ぜんだ》てをした。深喜は幸助に向って「幸坊もいっしょに坐れ」と云った。幸助は眼を輝かしてお豊を見たが、お豊は首を振った。だめよ、今日はお別れなんだから、あんたは下でお光と喰べるの。ちえっ、と幸助は軽く舌打ちをした。なにさ、とお豊がにらんだ。なんでもねえさ、舌の畜生がはねやがったんだ。そんな躾《しつけ》の悪い舌は抜いちまうがいいわ、さあ、下へいっておくれ。へえ、合点でござんすときた、と幸助は云って、小女といっしょに出ていった。

お豊が燗徳利《かんどっくり》を長火鉢の銅壺《どうこ》へ入れるのを見て、深喜は「おれはだめだぜ」と云った。

「お別れだもの、まねぐらい、いいでしょ」

「まねだけだよ」

「心配しなくっても大丈夫よ」

と、お豊は頷いた。

もう外はすっかり昏《く》れて、小窓の障子が行灯《あんどん》の光を明るく映していた。燗がつくまで、お豊はうきうきした口ぶりで、休みなしに話し続けたが、深喜と自分とで盃《さかずき》を持つと、急にしんと黙ってしまった。ほんの一と口の酒を飲むと、深喜は「では馳走《ちそう》になるよ」といって、食事を始めた。お豊は給仕をしたが「あたしは、もう少し飲むわ」と、自分で自分の盃に酒を注いだ。

「約束が違うぞ」と、深喜が云った。

「ほんの少しよ」

「その病気には、酒はいけないんだろう」

「あたしは大丈夫」と、お豊は微笑した、「ほんとのこと云うと、あたしずっと朝昼晩と飲んでるの、朝とお午《ひる》は一本ずつだけれど、晩には二本飲んでるのよ、そのほうが、軀の調子もいいんだもの」

「自分でそう思うだけだ、病気を持っていて酒がいいなんていう理窟《りくつ》があるか」

「平手さんにはわからないのよ」

「そんな理窟は誰にだってわかるものか」

「そうよ、わかりやしないわ」

お豊はいきなり汁椀《しるわん》の蓋《ふた》を取り、しずくを払うと、それでたて続けに二杯呷《あお》った。

深喜は箸《はし》と茶椀を膳の上に置いた。

「そういうことをするんならおれは帰る」

「平手さん」

深喜は立ちあがった。

お豊は「いいわ」と云った。どうせ、あたしなんか見たくもないんでしょ、いいわよ。お豊はそう云いながら、角樽《つのだる》を取って、その口から冷《ひや》のまま飲もうとした。深喜は近よってその手を捉《とら》え、角樽を奪って脇へ置いた。

「いいかげんにしないか、どういうつもりなんだ」

お豊は顔をあげて深喜を見た。

ひきつるように硬《こわ》ばったお豊の顔が、深喜の眼の下で静かに蒼《あお》ざめてゆき、大きくみはった双の眼から、みるみる涙があふれ落ちた。お豊は両手で深喜の腕にすがりつき、深喜の腕に顔を押しつけ、そして、くくと喉《のど》で嗚咽《おえつ》した。深喜はその片腕を預けたまま坐り、片手でそっとお豊の背中を撫《な》でてやった。

「そんなことは、もうやめなくてはいけない」と、深喜は云った、「おまえは飲みたくって飲むんじゃない、気負っているだけだ、本野という浪人や、三平や幸坊たちを、自分の腕で食わせてやっているなどと思う、その姐御《あねご》気取りが重荷になって、精根を疲らせ病気のもとになったんだ、——飲みたくもない酒を、気負って飲んで、ありもしない力をあるようにみせかける、もうそんなことはやめにするんだ」

お豊は静かに泣いていた。

「こんどは、河内屋に引取られて、これだけの暮しができるんだし、病気を治すために保養もさせてもらえるんじゃないか、これまでのような姐御気取りはやめて、すなおな気持になるんだ、わかるだろう」

お豊は泣きながら頷いた。

「わかったんだな」

お豊は「ええ」と頷き、「ああ、遠い」と呟いた。

「遠いわねえ」

「なにが」

「え、ええ、草津がよ」

と、お豊は嗚咽した。

――平手さんとあたしのあいだは遠い。

お豊は心のなかで呟いた。

――ずいぶん遠いわ、こんなに遠くっては、とても、この気持はわかってもらえないわ、どうしたってわかってもらえやしないわ。

そして、また啜《すす》りあげた。

お豊はおとなしくなり、深喜に給仕しながら、自分も飯を喰べた。草津で病気も治すし、軀もきれいになって来る、とお豊は云《い》った。そうしたら平手さんも遊びに来てくれるわね。来てもいいが、河内屋に悪いだろう。悪いことがあるもんですか、お顔を見るだけなんですもの平気よ。そういう云いかたはよせ。あらどうして、お顔を見るって云ってもいけないの。そういう云いかたはいやだ、と深喜は云った。そう、平手さんって、むずかしいのね。いいわ、それじゃあ、もう云わないわ、とお豊は淋《さび》しそうに眼をそむけた。

「さっき云ったことを忘れないでくれ」食事のあとで深喜が云った、「医者や、河内屋の云うことをすなおに聞いて、早く丈夫になって帰るんだ」

「ええ、そうするわ」

「それでいい、道中の無事を祈っているよ」

お豊は頷いて頭を垂れた。

お玉ケ池へ帰った深喜は、いつものとおり夜半に道場へ出て、独りで技のくふうを始めたが、少しも精神が集中せず、ともすると木剣を構えたまま、——草津へ旅立ってゆく、お豊や、幸助の姿をそっと眼の裏に描いてみるのであった。

四

お豊が草津へ立ってからまもなく、秋田平八が道場へ訪ねて来て思いもよらない告白をした。

その日、彼はいやな話を聞いた。

——井上さんが、伊達《だて》家の招待試合に、千葉道場の代表として出る。

江戸在住の定評ある剣士を招いて、伊達家（宇和島十万石）の上屋敷で試合が行われる。こういう催しは、藩士はもちろん、その知縁の諸侯も出席するので、剣士たちには、師範に招かれたり、家臣として召抱えられたりする機会が、しばしばあった。

——どうして、おれではいけないんだ。

と深喜は思った。

井上八郎は、すでに出稽古先を二家《け》も持っていた。井上だけではない、塚田孔平も、稲垣定之助も、庄司、大羽など、上位者のほとんどがそうであった。道場の門人だけを教えるのは、千葉栄次郎と深喜くらいである。

――栄次郎どのは、道場の後継者だからさもあろうが、自分が(いつも)選に漏れるのはどういうわけか。

深喜はそう思って、ひどく不愉快な気持になった。

平八が訪ねて来たのは、そういうときであった。稽古を終って自分の部屋へ入り、夕飯を運ばれるまでの一刻《とき》、小机に凭《もた》れて、鬱陶《うっとう》しいもの思いにとらわれていると、少年が彼の来訪を告げに来た。

「それは珍しい」と、深喜はすぐ立った。

平八とは暫《しばら》く会わないし、彼のほうで道場へ訪ねて来たのは初めてである。ちょうど気持がくさっていたところなので、自分で脇《わき》玄関まで出迎え「客膳を頼むぞ」と少年に命じていっしょに部屋へ戻った。

秋田平八は、おちつかないようすで、坐《すわ》ってからも話がはずまず、深喜の云うことを、聞き違えたり、取って付けるように笑ったりした。そうして、やがて「今日は、ちょっと話したいことがある」と云いだした。

「いま飯が来る。食べてから聞こう」と深喜は云った。

食事は一汁一菜と定《きま》っているが客膳には、なにかほかに一と皿付く、そのとき平八の膳には、なにかの切身の照焼が付いていた。

淵辺道場のほうはどうだ、と深喜が話しかけた。相変らずだ、やっぱり思わしくない。そうか、それはいけないな。うん、いちじはもち直すかと思ったが、このごろは淵辺さんも投げているようだ、と平八は云った。おれもいよいよ本当にどうかしなければならないらしいよ。

「だが――」と平八はそこで自嘲《じちよう》するように唇を歪《ゆが》め、足がこれではね、と低い声で笑った。

食後の茶が終ってから「話を聞こう」と深喜が云った。

「かやさんを嫁にもらいたい」と、平八は深喜を見た。

「それは有難いが――」と、深喜はちょっと云い淀《よど》んだ。

秋田平八はいい人間だし、深喜はいろいろ世話になっている。しかし、彼は片足が不自由で（剣術のために、そうなったとはいえ）淵辺道場の経理しかやれないし、その職もいまあぶないという。

――結婚して、どう生活するつもりなのか。

深喜は、まずそれを考えた。

また、自分としては、かやをしかるべき家柄の者にやりたい、自分が第一流の剣士として立てば、相当な縁組ができる筈《はず》である。かやにはずいぶん苦労をさせたから、もう少し辛抱してもらって、幸福な結婚をさせてやりたい、深喜はそう思っていたので、平八の言葉にはすぐ返辞ができなかった。

「断わられるかもしれないと思った」と、平八は云った、「それで、今日はゆるしを得るために来たのだが、怒らずに聞いてくれるか」

「おれが怒るって――」

「怒られるだろうと思うし、怒られるのが当然かとも思う、しかし、正直にうちあけるから怒らずに聞いてくれないか」

「いいとも」と、深喜は頷いた。

「じつは、おれはもう、かやさんと結婚しているんだ」

「結婚だって――」

「今年の二月だ」

深喜には、まるでわけがわからなかった。

「それはどういう意味だ」

「このまえ会ったとき、おれは淵辺道場がだめだということを話した、実際そのとおりだったし、現在では没落はもう時間の問題だといってもいい、おれはこんな体で、淵辺にいるから食ってもゆけるが、あの道場からはなれれば生活ができない」

深喜は眼をそらした。

彼が道場を持つようになったら、秋田に経理をやってもらうつもりだった。しかし、いまそれを云ったところで、慰めにもなりはしないだろう、と深喜は思った。

平八は続けて「それで、おれは、まえから自活する手段を考え、毎月の手当の中から、いくばくの銀《かね》を貯《た》めていた」と云った。そうして今年の二月、下谷の黒門町で、小さくはあるが中通りの表に店を借り、小間物屋をはじめた。それには自分がまだ道場に勤めているので、誰か店をやる者がなければならない。そこで、かやに来てもらい、彼女がずっと店の経営をしている、というのであった。

「田舎のお母さんの承諾は受けている、平手にはそのまえに相談したかったのだが、反対されることはわかっていたし、事情がいろいろ切迫していたものだから、怒られるのを覚悟のうえでそうしてしまったんだ」

「おれが不承知だとわかっていたって」

「平手は望みが高い、かやさんを小商人《こあきうど》の嫁などにくれるわけがないからな」

深喜は顔を歪めた。

それから「かやは承知したんだな」と云いかけて、ふとするどい眼つきになり、じっと平八の眼をにらんだ。

「かやとはまえからなにかあったのか」

「このまえ出府されて帰ってから文通はしていた、そのほかにはなにもない」

「そして二人だけで、結婚をしたんだな」

「もちろん、形だけだが式も挙げたし、田舎から油屋六兵衛という人とつやさんが来た、仲人《なこうど》は黒門町の店の家主夫婦に頼んだ」

「つやも来たのか」

「いま店で手伝ってもらっているんだ」

深喜はさっと立ちあがった。

——これはどういうことだ。

妹と平八が結婚したことも意外だが次妹のつやまでが来て、いまでも江戸にいるというのに、自分にはなにも知らされていないとは、どういうことだ。おれはそんなに不用な人間か、そんなにも、おれは邪魔な人間なのか、と深喜は思った。

「そこまで事がおさまっているなら、いまさらおれに話すまでもないじゃないか」と、深喜は立ったまま云った、「つやまで来ているとすると、田舎の母はどうしているんだ」

「その相談で来たんだが」と、平八は静かに云った、「じつはお母さんにも出て来て頂くことになったんだ」

「田舎の土地やなにかをどうする、あれは借財のかたになっているかもしれないが、平手家にとって父祖伝来のものだぜ」

「それは、――おれの口からは云えない」と、平八は眼を伏せた。

五

深喜は、平八を（上から）睨《にら》みつけた。

――自分の口からは云えない。

その一と言が事情を説明している。要するに土地も屋敷も手放したのであろう。ことによると、それらを売って、小間物店を開業する資金にしたかもしれない。

――こいつ。

と、深喜は拳《こぶし》をにぎった。

もちろん、そんなことは口には出さなかったし、すぐにその想像もうち消した。平八がそんな卑しいこと、——少なくとも自分の利益のために、そんなことをする人間でないことは、深喜がよく知っていたからである。

「いいよ、およそ見当はつく」と、深喜は云った。

「母が出府するとすれば、いつごろなんだ」

「十月初旬には、来られるだろうと思う」

「みんな黒門町に住むのか」

「そういうことになる」と、平八は云った。

「狭くて御不自由だろうが、平手が独立するまでのことだし、他人がはいるわけではないですからね」

「話はそれだけだな」

「いちど黒門町へ来てもらいたいんだ」と、平八は深喜を見た。

「私は今月限りで、淵辺道場を出るつもりだ、そうなれば、店でいっしょに暮すことになるから、そのまえに、いちど来てもらって」

「いやだね」

深喜はさえぎった。

「秋田には、ずいぶん世話になっている、その点では、いまでも有難いと思っているが、世話になったことと、この問題はべつだ」

「たしかに」

「おれも正直に思うことを云うが、ここまで無視されればもう充分だ」

平八は頭を垂れた。

「父が死んだあとは、たとえ形式だけにしろ、おれは平手の家長だ、そのおれに無断で、そこまで事をはこんだとすれば、もうおれの出る幕はないだろう」

「しかし、こうするには、やむを得ない事情があったんだよ」

「たくさんだ」と、深喜はどなった、「その不自由な足を、そう売り物にしないでくれ」

平八は「平手」と云い、その眼に怒りをあらわした。跛《びっこ》を売り物にするな、という言葉に屈辱を感じたのだろう。平手と呼びかけて、するどく深喜を見あげたが、すぐにぎゅうと唇をひき緊《し》め「わかった」と低い声で云った。すべておれが悪いのだ、また改めて頼みに来よう「だが、どうかお母さんや、かやさんを悪く思わないでくれ」

そう云って平八はまもなく立ちあがった。

深喜は彼を見送らなかった。

——おれは、のけ者だ。

平八が去ったあと、深喜はそこへ坐ってながいこと、もの思いに耽《ふけ》った。

——千葉先生もそうだ。

みんなが、出稽古《でげいこ》先を持っているのに、自分だけには与えてくれない。こんどの招待試合にも、順序からいえば自分を選んでくれるのが当然だ。それを（もうその必要もない）井上などに振当てている。実力ならおれのほうが上だということは、先生の眼には、わかっている筈なのに、と深喜は思った。

「——これはどういうわけだ」と、深喜は呟《つぶや》いた、「おれのどこが悪いんだ。どうして、おれだけが、のけ者にされるんだ、どうしてだ」

彼は小机に肱《ひじ》をつき、両手で頭を抱えた。

——故郷も無くなった。

彼がそこで生れ、そこで育った故郷には、もう家もなく、土地もない。それらは家長である筈の彼に無断で他人の手に渡され、妹たちや、母までが、江戸へ出て来てしまう。

「なぜ、ひとこと話してくれなかったのだ、秋田は事情があったと云《い》っている、秋田には相談したのだろう、他人には相談をしたのに、どうしておれには黙っていたんだ」

頭を抱えたまま、彼はそこに妹たちでもいるかのように問いかけた。「なぜだ——」母と子、兄と妹であるのに、ひとこと相談するだけの値打もないのか。

「——わからない」

彼は手の指で眼を押え、それを軽く押しつけながら「おれには、わからなくなった」と呟いた。飲んでやろうか「飲むぐらいの銀《かね》はある」、そうだ、もう母に仕送りをしなくともよくなった。これからは、毎月の手当を好きなように遣うことができる。これまでは唯一《ゆいいつ》の目的のために、あらゆる欲望を抑えて来た。切り詰めるだけ切り詰めて、故郷へ仕送りもしたし、修行の妨げになるような事には眼もくれなかった。

——だが、そうしてもなにも得られなかった。

千葉道場の掟《おきて》は厳格だが、みんな道場の外では適当にやっている。酒も飲むし、美《う》味《ま》い物も食べるし、遊廓《ゆうかく》などへもゆくようだ。しかも道場では代師範をし、大名諸家へ出稽古をする。

「これが世の中か」と、深喜は呟いた、「これが世の中なら、おれのして来たことは道化に似ているぞ」

彼は眼から手を放した。

深喜の顔が自嘲《じちょう》に歪み、眼がするどく、苛立《いらだ》たしげに光った。彼は立って納戸《なんど》をあけ、手文庫の中から紙入れを出した。中に一分と、少しあった。

「いいだろう」

と、彼はそれをふところへ入れて着ながしのまま刀を取って廊下へ出た。当番の門人に「買物をして来る」と断わって、潜《くぐ》り門から外へ出たが、どこへゆくというあてはなかった。時刻はまだ八時まえだろう、あまり商家がないので、町は暗く、ひっそりとした道の上にかなり強く風が吹いていた。

――どこへゆこう。

ぼんやりと一丁ばかりいったとき、うしろから辻駕籠《つじかご》が来て声をかけた。お安くまいりましょう、と云われ、ついそのまま乗ってしまった。どちらまでと訊《き》かれたので、賑《にぎ》やかなところでおろしてくれと答えた。

「なか（吉原）はいかがです。なかへやっておくんなさいな旦那《だんな》、お安くまいりますぜ」

「そんな金はない、一杯飲むだけだ」

「一杯めしあがるお金があるんなら、結構なかで遊べますぜ、旦那はもちろん御存じだろうが、通《つう》な遊びは小格子《こごうし》ってえますからね、大店《おおみせ》は田舎者の遊ぶところだから、

ばかな金をふんだくられるだけでさ、そこへいくと小格子はちょくで情があって
――」

深喜は心が動いた。

駕籠昇《かごかき》の言葉をそのまま信じたわけではないが、全然でたらめだとも思わなかった。かれらは廓《くるわ》の事情に通じているだろうし、自分たちの駕籠へ乗せた以上は客である。まさか客を騙《だま》すようなことはあるまい。「そうだ、いっそ、そこまでいってみるか」

と、深喜は自分をけしかけた。

「一両分で遊べるか」

「一分ですって――遊べるどころじゃあねえ、飲んで食って遊んでお釣《つり》が来ますぜ」

「本当だな」

「御存じのくせに、旦那はお人が悪いや」

「よし、やってくれ」と、深喜は云った。

六

廓などへゆくのは初めてで、深喜にはなにもわからなかった。

駕籠昇の云うままに、裏通りの、それが小格子というのだろう、『菱岡田《ひしおかだ》』という

店へあがった。遣手《やりて》の女が駕籠舁になにか訊き、彼を奥の部屋に案内した。狭くて薄暗くて、ごたごたした陰気な家だったし、まだ客も少ないとみえ、どの部屋もしんとしていた。

「おれは初めてでなにもわからない」と、深喜は遣手の女に云った、「金も一分しか持っていないんだ。それで足りるようにやってくれ」

「わかってますよ、お口がうまいのね」

と、遣手の女は深喜の肩を叩《たた》き、そんなことを云っても、遊び馴《な》れた人だということは、すぐにわかる、隠してもだめですよと云った。

深喜は「一分しかない」と念を押した。

遣手の女は承知をし「お見立ては」と訊いた。

妓《おんな》たちは張店《はりみせ》をしていて、客はそれを見て選ぶということは、話に聞いて知っていたが、深喜は妓たちを見もしなかったし、そのときはもう妓などはどっちでもよくなっていた。

遣手の女は「では、あたしに任せて下さいますか、いいのをお世話しますよ」と云い、すぐに妓を伴《つ》れて来た。

ひどく肥えた、背の低い女で、顔はそう醜いほうではないのだが、ふてたような眼つきをしていた。

深喜は殆《ほと》んど妓を見なかった。

酒が来、台の物が運ばれ、深喜は盃《さかずき》を持たされた。遣手の女は勝手に（自分で）盃を取り、その妓——松山という源氏名の妓と、活潑《かっぱつ》に饒舌《しゃべ》りだした。松山もよく飲み、よく饒舌った。肥えた軀つきとは反対に、しゃがれた声でひどく辛辣《しんらつ》な、毒のある口をきき、絶えず鼻でせせら笑いをした。

深喜は黙って飲んだ。

仲どんと呼ばれる若者が、酒を次つぎに持って来、さらに広蓋《ひろぶた》やけんどんを運んで来た。妓は、仲どんを坐《すわ》らせ、盃を持たせ「御馳走《ごちそう》になんなさいよ」と云って、酒を飲ませたり、肴《さかな》を食べさせたりした。

深喜は独りで飲んでいた。

仲どんが去ると、松山の友達だといって、妓を二人呼び、彼女たちにも飲んだり、食べさせたりした。遣手の女が、ときどき深喜に酌をするが、あとはまったく無視したままで、しかも、酒や肴は殖《ふ》えるばかりであった。

約一刻《とき》——殆んど一刻ちかく、そんなふうに時間が経った。

それは深喜の怒りが頂点に達したときであったし、かれらはみなそれを知っていて、その『とき』の来るのを待っていたようであった。深喜は盃を置いて『勘定』と云おうとしたとき、遣手の女が、すばやく云った。

「さあ、おひらきにしよう」

ずいぶん旦那に御馳走になってしまった。みんなも、おひらきにして、残った物はあちらで頂きましょう、と遣手の女が云った。

「おれは、もう帰る」と、深喜が云った。かなしいことに声がふるえだし、顔の硬《こわ》ばっているのが、自分でよくわかった。

「帰るから、勘定をしてくれ」

「ああいやだ、なにを仰《おっ》しゃるんですよ」

遣手の女が大仰にいった。

あたしたちが、邪魔をしたようだが、松山の花魁《おいらん》はうぶで、初会《しょかい》のお客には、すぐには馴染《なじ》めない。それであたしたちが助けにはいったのだが、花魁は旦那にすっかり岡惚《おかぼ》れしてしまったと云っている。初心《うぶ》な花魁がこんなことを云うのは珍しいことで、旦那にたんと可愛《かわい》がってもらうつもりでいる。

「それを、お帰りになるなんて、あたしたちが花魁に怨《うら》まれてしまいますよ」

と、遣手の女は云った。人間がそこまで、そらぞらしくなれるものか、疑いたくなるほど、そらぞらしく、人をなめきった口ぶりであった。

「わかった、勘定をしてくれ」と、深喜は云った。

「あんた怒ったの」と、松山が云い、その肥えた軀で深喜に凭《もた》れかかろうとした。深喜は軀をそらし、ふところから紙入れを出した。遣手は「ふん」と鼻を鳴らし「どうせ、そうでしょうよ。旦那はいい男でいらっしゃるからね」と云った。

「いいじゃないのおばさん、どうしてもお帰りになるっていうんだもの、お好きなようにしてあげなさいな」

「そうだわね、それほど花魁がいっても、お帰りになるっておっしゃるんならしようがないわね」

「ああ縁起くそが悪い」と、松山は乱暴に云った、「口あけからけちがついちまった、あたし奢《おご》るからみんなで飲み直そうよ」

深喜は眼をつむった。

——自分で掘った穴だ。

と、彼は心のなかでいった。かれらが悪いのではない、こういうやりかたが、かれらの生活なのだ。知らずに来たおれが悪い、怒ると恥の上塗りだ。

妓たちは劣等なあてつけをいいながら、どかどかと廊下へ出ていった。深喜はかたく眼をつむり、首を振り「これで画竜点睛《がりようてんせい》だ」と呟いた。招待試合から始まり、秋田平八の告白を聞き、そして、ここまで卑劣な穴へ落ちこんだ。彼は『のけもの』であるばかりか、ここまで道化者にされてしまった。

「まさに画竜点睛だ」と、彼は声に出して呟いた。

遣手の女が戻って来た。勘定は一分二朱であった。彼は、ほっとした。ばかげて高価だし、こちらをみくびっていることはたしかだが、ふところをはたけば払える額だった。

勘定を払い、刀を受取って、深喜は外へ出た。

遣手の女が「お近いうちに」とうしろでいい、妓たちの笑うのが聞えた。深喜は肩をすくめ、ぞめきの客で賑わいだした道を、いくたびも曲ったり戻ったりして、ようやく大門までたどり着いた。

彼はすっかり汗をかいていた。そこへたどり着くまで、左右の妓楼から呼びかける声や、ゆきちがう、ぞめきの客たちの眼が、みな彼を辱《はずか》しめ、嘲弄《ちようろう》するもののように感じられたのである。

深喜は「ああ」と呻《うめ》いた。

――この豚ども。

この汚れた豚ども、と彼は土堤《どて》へ出ながら思った、「こいつらを斬《き》ることができたら、さぞ胸がすくことだろう、斬ってくれようか、喧嘩《けんか》をふっかけて、二三人斬ってくれようか」と思った。

そのとき三人伴れの、職人らしい男たちが、馬道《うまみち》のほうから来かかり、端《はし》にいた一人が深喜に肩をぶっつけた。かれらは酔って上機嫌で、鼻唄《はなうた》などうたっていた。肩がぶつかったとき、深喜はさっと軀をひらき、反射的に刀の柄《つか》へ手がいった。

「無礼者――」という叫びが、口を衝《つ》いて出、知らぬまに手が刀を抜いた。

叫んだのも、刀を抜いたのも、殆んど無意識であり、刀が相手を斬った手ごたえで「あっ」と思った。

斬られた男と、その伴れの二人は、悲鳴をあげて逃げだした。同時に深喜もかれらとは、反対のほうへ走りだした。土堤には、かなり往来《ゆきき》の人がいて「あの侍だ」とか「人を斬りゃアがった」とか「人殺しだ」などと叫ぶのが聞えた。

刀を持ったまま、深喜は暗いほうへ、人通りのないほうへと、けんめいに走った。

七

それは悪夢にうなされているような気持だった。

「これは夢だ、おれは夢をみているんだ」と、走りながら深喜は呟いた。そう呟きながら「捉《つか》まったら破滅だぞ」と思い「逃げるんだ、逃げるんだ」と自分をせきたてた。

暗い街をゆき当りばったりに曲り、横丁や路地をぬけて走った。いくら走っても、うしろから人が追って来るようだし「あの侍だ」とか「あいつが人殺しだ」とか叫ぶ声が聞えるようであった。

――抜身を持ったままだぞ。

と、深喜は気がついた。

刀をしまわなければならない。そう気がついたとき、少しおちついて、足を緩めた。どこだか見当もつかないが、道幅の狭い街筋で、軒の低い左右の家並は、みな雨戸を閉め、ひっそりと寝しずまっていた。彼は立停った。追って来る人もなく、叫び声も聞えない。すると急に激しい呼吸困難を感じた。そこまでは『逃げる』ことで夢中だったが、もう大丈夫とわかったとき（初めて）走りどおしに走った苦しさが感じられたのであった。
立停ったまま少し息をしずめているとすぐ近くで囁《ささや》くような、水の流れる音が聞えた。その音をめあてにゆくと、家並が切れて、右側に広く空地がひらけ、細い田川が流れていて、川沿いに枯草の茂みがあった。

深喜は草の上に坐り、刀を拭《ふ》くために、ふところを探ったが懐紙も紙入れも無かった。

走って来る途中で落したのだろう――彼は刀をあげ、刀身に眼を近づけて、血のりの痕《あと》を見た。血は付いていなかったし、指で撫《な》でると、刃先のほうに僅《わず》かぬるとした膏《あぶら》が感じられた。

「深くは斬らなかったな」

軽く肉を裂いた程度だ、と彼は思った。

殺すつもりがなかったのだから当然だ。しかし、よかった。深喜は気がゆるみ、恐怖が消えてゆくのを感じた。指で刃先を撫で、その指を小川の流れで洗い、濡《ぬ》れた指を袖《そで》で拭いて、また刃先を撫でた。幾たびもそれを繰り返してから、刀を袖口の裏で丹念に拭きながら、彼はくくと嗚咽《おえつ》し始めた。

腰から鞘《さや》を脱《はず》して、刀をおさめると、それを頭のうしろに当てて、深喜は仰向けに寝ころんだ。そうして、彼は、ながいこと泣いていた。

風が渡るたびに、身のまわりで枯草が揺れ、かさかさと乾いた音をたてた。遥《はる》かに遠いところで人声がし、犬の咆《ほ》える声が聞えた。

「どうなるんだ」と、泣きながら彼は云《い》った、「お母さん、私はどうなるんですか、これからどうしたらいいんですか、私の一生はこれでもう終ったのですか」

彼の頬を枯草が擦《こす》った。

深喜は自分の一生がもう終ったように感じた。自分は『是《ぜ》』と信ずるとおりに生き、努力してきた。そうして来たつもりである。だが、その努力からはなにも酬《むく》われなかった。父が失意のうちに山村で空《むな》しく死んでしまったように、自分もむだな努力に疲れはて、なにも酬われることなしに、どこかでのたれ死にでもするのではないか。

――彼には、のたれ死にをした自分の姿が見えるように思いそれが逃れることのできない『自分の運』だという気がした。

「そこの人、どうなすった」と、呼びかける声がした。深喜ははね起きて振返った。道の上に人が立停って、提灯《ちょうちん》をこちらへ向けている。半纏《はんてん》に股引《ももひき》をはき、もうろく頭《ず》巾《きん》をかぶっていた。

「軀のぐあいでもお悪いか」

「いや、なんでもない」

深喜は立ちあがった。

「悪酔いをしたので醒《さ》ましていたところだ」

「それならいいが」と、男は云った。深喜は道へあがった。男は老人で、深喜が近よると「お武家さまですね」と云い、足もとが暗いから、そこまでお供をしましょうと云った。

「いましがた日本堤で、人を斬ったお侍があったそうでな」と、老人が云った、「木戸や辻番《つじばん》に触《ふれ》が廻ったようですから、一人でいらっしゃると疑われるかもしれません、よろしかったら私の家へ寄って、夜明けまで休んでゆかれたらいかがですか」

「人を斬った——」と深喜が訊《き》いた。

「詳しいことは知りません、腰とか太腿《ふともも》とかを斬られたそうで、命には別条はないということでしたが、このところ二三回そんなまちがいがあったそうで、みんな騒いでいるらしゅうございます」

「此処《ここ》は入谷あたりだな」

「へえ、金杉上町《かなすぎかみまち》でございます」

「爺《じい》さんはこの近くか」

「もうちっと向うの、箪笥《たんす》町の裏店《うらだな》ですが、いかがですかな、夜の明けるまで休んでおいでになりませんか」

深喜は眼がじーんと熱くなるのを感じた。

「今夜は、私の甥《おい》の初七日でございましてな」と、老人は歩きながら云った、「腕のいい指物師《さしものし》で、年は二十八でしたよ、男っぷりがいいもんですから、ずいぶん娘っ子に騒がれたもんですが、仕事のほうに夢中でいろごとなんぞには見向きもしませんでした、それが貴方《あなた》、ぽっくり死んだんですから、ええ、仕事をしていて、いきなり血を吐いて、えらく吐いたそうですが、医者が来たときには、もう息がなかったってえ始末で……親たちは、おふくろというのが私の末の妹なんで、今夜なんぞも、まだばかのようになってました」

老人は咳《せき》をし、頭巾のぐあいを直した。

「妙なもんです、まったく妙なもんですよ」と、老人は続けた、「死んだ甥の友達で飲む打つ買うの、しようのない極道者が、いたんですが、これがまた、どうしたはずみか、町内の金持の娘に惚《ほ》れられましてな。嘘《うそ》のような話ですが、二年前にその家へ婿《むこ》におさまりました、その後のことは知りませんがな……甥のほうは仕事一本槍《やり》、酒も飲まず女あそびもせずで、そんなふうにぽっくり死んじまう、友達の極道者は、さんざっぱら好きなことをしたあげく、ひょいと金持の婿におさまる――こんなふうなことは、この年まで生きていると、数えきれないほど見たり聞いたりして来ました、妙なもんだ、しかし、これが世の中だ……いまではそう思うようになりました、枯れる木は枯れるってな、しかし妙なもんだと思いますよ」

老人の言葉には、なんの意味もなかった。深喜に聞かせるためではなく、独り言を云っているようであった。

だが、深喜は、しだいに気がおちつき、昂奮《こうふん》が、しずまるのを感じた。老人の淡々とした話しぶりを聞いているうちに、

「おれはこれからだ」と、心のなかで思った。

「枯れる木は枯れるか」

そうかもしれない。しかし枯れるまで生きているのだ。どんな木も、いつかは枯れるし、人間もいつかは死ぬ。だが、死ぬまで生きるのだ。おれの一生も終ったのではなく、始まったばかりだ。おれは、まいらないぞ、このくらいのことで、まいるような人間じゃないぞ。

もっと悪い事が起これ、どんな困難にも、耐えぬいてみせるぞ、と深喜は心のなかで叫び、老人に振返って「その提灯を持とう」と云い、提灯を受取ると、明るい調子

で云った。

「せっかくだから休ませてもらうよ、爺さん」

二人は暗い街を歩み去った。

（「税のしるべ」昭和三十年一月～七月）

枕《まくら》を三度たたいた

一

塚本林之助はその役目を穐村《あきむら》宗左衛門からじかに命ぜられた。穐村は江戸の筆頭家老であり、その席には側用人の志田主計《かずえ》が立会っていて、若狭守宗良《わかさのかみむねよし》の「墨付」も見せられた。

彼が命ぜられるまえに、その役目を辞退した者が二人いるということなど、むろん彼は知らなかった。ただ国許《くにもと》の軍用金を動かすということと、役目ちがいという二つの点が、ほんのちょっと気になった。――軍用金は手を付けることのできない性質をもっているし、金のことは金奉行が当るべきで、林之助は勘定奉行所の書役支配だから、まったく無関係ではないにしても、正式にいえばその役ではない。だが側用人の立会いで、筆頭家老から命ぜられ、藩主の墨付を見せられたのだから、お受けする以外になにか思案があろうなどとは、思いもよらぬことであった。

「念のため、注意しておくが」と穐村宗左衛門が云《い》った、「いま家中《かちゅう》に根もない流説をひろめ、穏やかならぬ事を企《たくら》んでいる者があるようだ、ことによるとそれらが、途中でなにか邪魔をするかもしれぬ、たぶんそんな暴挙はすまいと思うが、道次には決してゆだんせぬよう、よくよく気をつけてまいれ」

そして供は、辻《つじ》源六、小松藤兵衛、田代重太夫の三人に命じてある、と付け加えた。かれらは馬廻りの軽輩で、剣術の達者だということは聞いていたが、林之助には三人とも殆《ほと》んど未知の人間であった。

明朝出立ということで、役部屋へちょっと寄り、住居へ帰って、妻に旅の支度をさせていると、永野又四郎と加島東吾が訪ねて来た。永野は五百石ばかりの大寄合で、又四郎は妻の長兄に当る。東吾は二百二十石の書院番だが、国許にいる小林主水《もんど》と共に、林之助にとってもっとも親しい友達であった。主水は五年まえに国許の小林家へ婿《むこ》にいったもので、旧姓は清水といい、年は林之助と主水が二十五歳、東吾が一つ上であった。

「茶はいらない」と又四郎は座敷へとおるなりさわに云った、「内談があるから向うへいっていてくれ」

さわは良人《おっと》を見て、林之助が頷《うなず》くと、すぐにさがっていった。

「今日、御家老に呼ばれたな」と東吾が訊《き》いた、「用はなんだった」

林之助は命ぜられた役目を告げた。

「承知したのか、まずいな」と云って東吾は又四郎を見た、「まずいですよ永野さん」

又四郎は「うん」といって義弟を見た。

「その役は辞退するがいい、塚本」と又四郎は穏やかに云った、「中尾も深井も辞退したのだ、知らなかったのか」

林之助は「知らなかった」と答えた。

「ではこれからいって辞退するがいい」「病気になるんだ」と東吾が云った、「急病の届けを出せば辞退できるよ」

林之助は「まさかね」と苦笑した。

「まさかではない本気で云うんだ、塚本は事情を知らないのか」と東吾が云った、「国許から運んで来る三千両は、現老職の延命策に使われるんだ、われわれはもう現老職の在任には耐えられない、それは塚本にもわかっているだろう」

林之助は首をかしげた。

「穐村一派は退陣すべきだ」と東吾は強い口ぶりで云った、「かれらがこのうえ在任したら、藩の仕置も勝手もめちゃめちゃになってしまう、どんなことをししも、穐村一派の延命策は防がなければならない」

そして彼は、穐村一派の無能と、私曲のかずかずを挙げたが、林之助は遮《さえぎ》って、

「そういう話は困る」と云った。

「なにが困る」と東吾が訊いた。

林之助は当惑したように、自分は勘定奉行所の職員で、つまり老職の支配下にいる人間だし、そうでなくとも、その任にあらぬ者が政治に口を出すことは、御家法として禁じられているからだ、と答えた。

「それは時と場合による」と東吾がやり返した、「それはその任にある者が誠忠で、仕置が正しく行われている場合のことだ」

林之助は「それもむずかしい」と云って、また首をかしげた。人間の善《よ》し悪《あ》しや仕置の正不正は、判断する者の立場によって違うことが多い。たとえば、穐村宗左衛門が就任するまえは、松岡図書《ずしょ》が筆頭家老であり、その系統の人たちで仕置をしていたが、それらに対してもずいぶん非難があった。自分はまだ部屋住で、詳しいことは知らなかったけれども、現在の穐村一派に対する非難より、はるかに烈《はげ》しかったように思う。そうではなかったか、と林之助は反問した。

「それがなんだ」と東吾が云った、「それだから穐村一派の秕政《ひせい》に眼をつぶれというのか」

林之助はそんなことは云わない、と首を振った。自分は政治のことはわからないし、わかりたいとも思わない。ただ、家臣として命ぜられたことをはたすだけで、ほかのことにはいっさいかかわりたくない、と林之助は云った。

「では訊くが、幕府から三万両貸与の内情を知っているか」と東吾がせきこんで云った、「一年に一万両ずつ、三年間に三万両貸与の沙汰《さた》が出た、その裏にある事情を知っているか」

また大倉平左衛門の件はどうだ、と東吾は続けた。金奉行の大倉平左衛門が、多額な御用金を貸出したことが発覚し、下役の坪野宅右衛門らと共に追放になった。そして、貸出した金が殆んど回収不能だったが、あの出来事の真相を聞いたことはないか、と東吾は云った。

林之助は黙って、膝《ひざ》の上で両手の拇指《おやゆび》と拇指をゆっくりと廻していた。

「辞退するがいい、塚本」と又四郎が穏やかに云った、「現老職は退陣すべきだ、国許でも同じ意見が強くなっている、その役目は辞退しなければならない、さもないと塚本自身の立場が悪くなるぞ」

林之助は黙っていた。東吾が「どうなんだ」と訊いた。辞退するのかしないのか、どうなんだ、とたたみかけるように訊いた。

「おれの気持はもう云った」と林之助は静かに答えた、「ほかに云うことはないようだ」

東吾は又四郎を見た。又四郎は義弟の顔を見まもっていて、それから、東吾に向ってそっと首を振った。

「さわ、――」と林之助が云った、「茶を持っておいで」

だが二人は立ちあがった。

妻は話を聞いていたらしい。東吾の声が高かったので、聞くつもりがなくとも聞えたのだろう、二人を送りだしたあと、いかにも心配そうに、

「大丈夫でございますか」と良人の眼をみつめながら訊いた。

二

「聞いていたのか」

「はい」とさわは頷いた。

「わからない」と彼は眼をそらした、「永野さんや加島の云うとおりかもしれない、私は役所の事務以外に頭を使ったことがないから、政治むきの話になると判断がつかない、しかしね、――私が辞退したところで、いずれ誰かがこの役目をはたすことになる、きっとそういうことになると思う」

「そうかもしれませんけれど、お二人はあなたのためを思っていらしったのでしょ

う」

「そうだろう、慥《たし》かにそうだろうが、勘定奉行は御家老の直属だし、私がその役所に勤めている以上、御家老に命じられた役目を辞退するわけにはいかない、私は政治的な諍《あらそ》いにはかかわりたくないのだ」

さわは黙った。

彼女にはまだ良人がよくわかっていなかった。嫁《か》して来て一年たらずしか経《た》たないし、良人は極めてくちかずが少なく、夫婦でゆっくり語りあうということも殆んどない。それは林之助が早く両親に死別し、母方の伯父夫妻に育てられたため、そういう内気な、人に心をひらくことのできない性分になったようにも思われる。また、その伯父は三浦喜兵衛といって、長く腰物奉行を勤めていたが、古武士ふうの、おそろしく厳格な人で知られていたから、その影響を受けているようにも思われるのであった。

――三浦の伯父さまにでも相談するように云ってみようかしらん。

さわは幾たびかそう思ったが、口に出して云う勇気はなかった。

昏《く》れがたになって、辻源六、田代重太夫、小松藤兵衛の三人が、うちあわせのために訪ねて来た。林之助は酒をもてなし、半刻《はんとき》あまりかれらと話した。辻は二十二歳、田代は三十歳、小松は二十七歳になる。かれらは剣術の達者として家中に知られており、こんど供に選ばれたのも、そのためだと思っているらしく、少し酒がまわると、「いったいどういう危険があるのか」という意味のことを、遠まわしに諄《くど》く訊いた。林之助はわからないと答えた。自分は危険なことがあるようには思えない、「おそらくなにごともないだろう」と云い、道中絵図を出して、宿駅《しゅくえき》の相談にかかった。「それはお任せします」と辻源六が云った。「貴方《あなた》は国許へいらしったことがおありでしょう」

林之助は頷いた。彼は故大炊頭宗敏《おおいのかみむねとし》の小姓だったとき、前後二度、国許へ供をしたことがあり、いまひろげている道中絵図にも、そのときの宿駅に印がしてあった。「もう一と月おそいといいんですがね」と田代重太夫が帰り際《ぎわ》に云った、「旅にはまだ寒すぎるでしょう、国許はことに雪がひどいんじゃありませんか」「城下の雪景色は見るねうちがあるよ」と林之助が云った。

三人が帰ったあと、さわは良人に、「三浦さまへ挨拶《あいさつ》にゆかなくてもいいのか」と訊いた。林之助はいいだろうと云った。国許へ転勤にでもなるならべつだが、使いに往《い》って来るのだからその必要はあるまい、と答え、その夜はいつもより早く寝間へはいった。

林之助は翌朝五時に出立した。

供は辻源六たちのほかに、小者が四人。墨付の入っている挟箱《はさみばこ》を、小者が交代で担《かつ》ぎ、それを前後から守るかたちで、東海道を西に向った。——箱根を越すまでは晴天続きだったが、三島から雨になり、大井川も降る中を渡った。一月中旬のことで、晴れていれば海道は暖かいが、雨となると寒気がきびしく、掛川では小者の一人が悪い風邪をひいて高熱を出し、ついに宿へ置いてゆくことになった。

浜松は本陣の帯屋が定宿であるが、泊った夜、林之助は主人の七郎右衛門と半刻ばかり話した。どの宿《しゅく》でも、諸侯にはそれぞれ定宿があって、その藩の者が泊ると主人が挨拶に出る。これまでずっとそうだったが、帯屋では夕食のあと、林之助が主人の部屋へいって話した。七郎右衛門は故大炊頭のお気にいりで、中林という苗字を与えられ、江戸屋敷へは士分で出入りが許されている。中林は、大炊頭の俳号「冲林」から取ったものだそうであるが、八年まえ、林之助が参覲《さんきん》の供で帯屋へ泊ったとき、七郎右衛門の世話になったことがあった。彼はそれを覚えていて、礼を述べにゆき、ひきとめられて、半刻あまり話しこんでしまった。

辻源六たちは「ぬけ出す」相談をしていた。かれらは藤沢でも三島でも、ひそかに宿をぬけだした。林之助は一人で隣りに座敷を取るし、寝るのはいつも早かった。かれらは林之助の寝息をうかがってぬけだし、一刻ほど遊んでから、そっと帰って来て寝るのだが、林之助はまったく気づかないようであった。——田代重太夫が番頭に幾らかにぎらせ、ぬけ出す手筈《てはず》はすっかりできたが、林之助が戻らないので、三人は苛《いら》いらし始めた。そうして、八時すぎてから林之助は戻って来たが、襖《ふすま》の向うから「もう寝たか」と声をかけ、まだ起きていると答えると、襖をあけて、「今夜は外へ出ないように」と云った。

三人は気まずそうな顔で、「はあ」とあいまいな返辞をした。林之助はさりげない眼つきで、三人を眺めて、それから襖をしめた。

「知っていたのかな」と小松藤兵衛が二人に囁《ささや》いた、「知っていたらしいな」

「そうらしい」と田代重太夫が頷いた。

「しかしいま、今夜は、——と云ったぞ」と辻源六が囁いた、「ぬけ出すのを咎《とが》めたのではなく、今夜は出るなという意味らしいぞ」

「というと、どういうことだ」

「わからない、わからないが」と辻は二人を見た、「ことによると御老職に念を押された、例の件に関係があるんじゃないか」

「われわれを阻止しようという連中のことか」と田代が云った、「それならそうと云う筈じゃないか」

「どうかな、おれはそう感じたがね」

小松が二人を見ながら訊いた、「しかしいったい、どういう連中がどういう理由で、この金送りの邪魔をしようとするのかね」

「大きな声を出すな、金送りのことは極秘だと云われたぞ」

「やつらはいつもこうさ」と辻が軽侮するように唇を曲げて云った、「上のほうの連中とくるといつも勢力諍いだ、御家老の手から政治を奪い返して、自分たちがうまい汁を吸おうというんだ、しかも藩家のおためなどという旗印を立ててな、見え透いてるよ、おれなんかの眼にだって見え透いている。結局うまい汁を吸いたいやつがいるんだ」

「誰だ、松岡さん一派か」と田代が訊いた。

「そんなところかもしれないな、松岡図書」と辻が云った、「かつて穐村さん一派に叩《たた》き落された人だからな、うん、気がつかなかったがそんなところかもしれないぞ」

小松が欠伸《あくび》をしながら、みれんらしく云った、「――今夜は本当にぬけられないのかね」

三

田代重太夫は考えこんでいて、もちろん小松藤兵衛などには見向きもせず、ちょっと首をかしげながら辻源六に云《い》った。

「だが、おれはそう思うんだが、できるんならもう老職は交代してもらいたいな」

「どうしてだ」

「だってこうお借米《かりまい》が続いては苦しいよ、二十石あまりの扶持《ふち》を、もう五年も満足に貰《もら》っていないんだからね、向うは僅《わず》か二割というだろうが、おれは家族を六人抱えているし、一年や二年ならともかく、二十石から二割ずつ五年も削られればおしではまいるよ」

「それはお互いさまだ、お互いさまだが、こういう話を聞かないか」と辻が云った、「こんど御家老の奔走で、公儀から三万両という金を借りられることになったというんだ、聞いたことはないか」

「聞いたようだが、けむったい話だ」

「いや、おれは慥かな筋から聞いたんだ」

「けむったいな」と田代が云った、「三万両なんて金を公儀で貸すとは思えない、まえにもそれに似た話があって、お借米の分も纏《まと》めて下げられるなんて噂《うわさ》だったが、噂だけで消えてしまったからね」

「こんどは慥からしいんだ、それでこんどの金送りがきまったということだ」そして辻はさらに声をひそめた、「なにしろ軍用金だからな、よほどのことがない限り、軍用金に手をつける筈はないからな」

「しかし三万両も借りられるなら、三千両ばかりの金を、わざわざ国許《くにもと》から運ぶことはないように思うがね」

「それが政治というものさ、公儀から借り出すにしても、お頼み申す、よろしいというわけにはいかないだろう、老職には老職で、またわれわれとは違った苦労があるもんだ」そして辻はまた唇を歪《ゆが》めた、「つまりこう手順がついて、公儀からの借り出しが成功すれば、穐村さん一派の勢力は動かなくなる、それを好まない連中、――仮に松岡図書がその人だとして、おそらくその与党が事を毀《こわ》し、老職交代を企《たくら》んでいるのだろう、おれなどには興味もないが、主君のためとか、藩家のためなどという旗印の立つときは、必ず権勢争奪の陰謀があるものだよ」

隣り座敷で林之助が咳《せき》をし、「もう寝るほうがいいぞ」と云うのが聞えた。三人は口をつぐんだ、気がつかないうちに声が高くなっていたらしい、辻源六が手を振り、みんな寝る支度にかかった。

明くる朝はおそく、九時をまわってから宿を立った。理由は云わなかったが、なにかを避けるために時刻をずらせた、ということは察しがついた。それで三人は緊張した気分になった。林之助がなにも云わないだけ、よけいに危険の近いことが感じられるようで、その翌日と翌々日いっぱい、同じような緊張した状態が続いた。――だが、なにごともなく名古屋に着き、その夜、三人はまた宿をぬけ出した。林之助はやはり知っていたらしく、夕食のときに、「あまりおそくならないように」という意味のことをほのめかし、自分は早く寝てしまった。

米原《まいばら》から雪になった。名高い港のあるその城下町へ着くまで、ずっと雪に降られるか、晴れても踏み固められた雪の道をゆくので、初めて江戸をはなれた辻たち三人や小者たちは、雪の多いのと寒さの激しさにふるえあがっていた。

城下へはいると、そのまま小林主水の家を訪ねて、草鞋《わらじ》をぬいだ。すでに男の子が生れていて、親になったせいか、それとも肥えたためか、主水はすっかり貫禄《かんろく》がついてみえ、そのうえ言葉にお国訛《くになま》りが付いたので、林之助ははじめ圧迫を感じたくらいであった。――城下も雪であったが、着替えをするとすぐに、彼は国老を訪ねようとした。それは午後四時ころであったが、主水は「明日にするがいい」と止めた。

「そうはいかない」と林之助は云った、「こんどは急の使いだし、到着の挨拶だけでもしておかなければならない」

「まあいい、国許は暢《のん》びりしているんだ、それは明日のことにして酒にしよう」

林之助は笑った。

「なにを笑うんだ」と主水が訊《き》いた。

「いや」と林之助は首を振った、「それならそういうことにしよう」

それから風呂《ふろ》にはいり、くつろいで、二人は酒を飲みはじめた。

辻たちもべつの座敷でもてなされてい、林之助は主水と二人で飲んだ。小林の家族は、義母のます女と、主水の妻のたい、三歳になる千松、そして妻女の妹かなえという五人であった。ます女もかなえも、たぶん江戸の話が聞きたいのだろう、挨拶に来てそのままそこに坐りたそうであったが、主水は平気で追いたて、妻女も酒肴《しゅこう》の世話をするとき以外には、その座敷に置かなかった。

「この婿《むこ》はたいそう関白だな」

「女はうるさい」と主水が云った、「ふだん女に囲まれてるようなものだからな、義母、女房、義妹、おまけにこのあいだまで、女房の従妹《いとこ》というのもいたんだ」

林之助がまた笑った。

「なにが可笑《おか》しいんだ」

「いや」と林之助が答えた、「——その、主水の訛りが、耳に馴《な》れないんだ」

主水は苦い顔をして、塚本もこっちへ来たことがあるんだろう、と云った。ああ、先殿のお供で二度来た、しかし一年ずつだったからね、と林之助が答えた。塚本は笑うが、おれはこの訛りを付けるのに苦心したんだ、仇《あだ》やおろそかな訛りじゃあないぞ、と主水は云った。

少し酔いがまわりだしたとき、主水はなにげない口ぶりで、「暫《しばら》く遊んでゆけ」と云った。なにげない口ぶりだが、林之助には意味ありげに聞えた。

「とはまた、どういうことだ」

「ゆっくり骨休めをしろというんだ」と主水が云った、「病気の届けを出して、二月いっぱい此処《ここ》にいるがいい、こっちもそのつもりで、滞在する用意がしてあるんだ」

林之助は黙った。

「それを喰べてみないか」と主水は膳《ぜん》の上の鉢をさした、「鱈《たら》の子漬といって、越後のほうの名物だそうだ。これはまねて作ったんだがうまいぞ」

林之助が主水を見て訊いた、「加島からなにかいって来たんだな」

「七日まえに早が来た、しかし、情報の交換は半年もまえからやっているよ」

「おれをそのなかまに入れないでくれ、加島にも断わってある、おれは除外してもらうよ」

四

「まあ待て、もう少し飲もう」

主水は林之助に酌をし、妻を呼んで酒を命じた。火桶《ひおけ》が二つ、大きな火鉢に炭火がおこっているが、座敷の中は暖まるようすがなく、呼吸のたびに、空気の冷たさが鼻にしみるようであった。

「江戸では加島の云うことをなにも聞かなかったそうだな」

「ここだって同じことだ」

「塚本には昔からそういう強情なところがあった、しかも手を焼くのは黙ってしまうことさ、黙ってしまった塚本に口をきかせるのは、岩に饒舌《しゃべ》らせるより困難だからな」と云って主水は盃《さかずき》を置いた、「ひとつ直截《ちょくせつ》にゆこう、塚本は老職の交代を望まないのか」

「考えたことがないんだ」

「現老職の私曲について知っているか」

「知らない、おれは噂や蔭口《かげぐち》で人の判断はしないことにしている」

「それは立派だが逃げ口上にも使える。是非善悪のけじめをつける決断がなく、事実にぶっつかる勇気のない人間も、よくそういうことを云うものだ」

「勇気にもいろいろあるがね」

「二つだけ聞いてくれ、東吾が話そうとしたのに聞かなかったそうだが、簡単に話すから聞いてくれ、一つは大倉父子の件だ」

（作者註・この藩の記事を録した「片耳記」には次のように記してある。即《すなわ》ち「——御金奉行大倉平左衛門、伜《せがれ》とも、不慎の儀これあり、八月五日、父子とも遠慮に仰《おお》せつけられる。同月十一日、平左衛門下役、坪野宅右衛門と申す者も一族共へ御預けとなる。大倉父子ならびに坪野らは、御用金ひいきに付、その金高にはいろいろ評判もこれあり。諸方へ貸付け候《そうろう》おもむきのところ、宅右衛門貸付け候分は急々取立て、大概そろひ候やう申し触らし候へ共、御吟味のうへ平左衛門は横田久太夫方へ引取り候やう仰せ付けられ、十月十六日、平左衛門父子は侍お削りなされ、家内闕所《けつしょ》、その後追放。宅右衛門も同断。過分の御損金に相成候由」云々《うんぬん》）

「あの件では大倉父子と坪野が、家内闕所、追放になったこと以外、すべてがあいまいにぼかされてしまった」と主水が云った、「かれらが贔屓《ひいき》金を貸し、それが回収不能になったというが、どこへどう貸したかも、その金高もはっきりしない、——調書にはただ、過分の御損金だった、と記してあるだけだ、それに三人の処分も、初めは親類に預け、再吟味のとき閉門、それから士分を削り、次に闕所、追放と、ぐずぐず手間をかけている、このあいだに事実をはぐらかし、湮滅《いんめつ》してしまったのだ」

「なんのために」と林之助が訊いた。

「真の責任者を隠すためにだ」

「真の責任者だって」

「穐村一味さ、御用金は贔屓貸しにされたのではなく、老職一味が遣ったのだ」と主水が云った、「——かれらの仕置は放漫きわまるもので、藩の勝手は松岡時代よりもひどくなっていたが、先将軍（家継）の御霊屋《おたまや》を普請《ふしん》するとき、お手伝いを願い出たのが命取りになった、その莫大《ばくだい》な費用は借財の上に借財を重ね、御用商人はもちろん、いかがわしい高利の金まで借りあさり、詰りに詰って御用金に手を付けたのだ」

林之助が訊いた、「しかしそれなら、大倉や坪野が黙っている筈はあるまい」

「黙っているさ、かれらは代償をつかまされたんだ、いや事実だ、現に坪野は在所へ帰っている、彼の在所は笈松《おいまつ》村だが、そこで五町歩あまりの田地を買い、土蔵付きの家を建てておさまっている」

「糾問してみたのか」

「そのときが来たらするさ、大倉父子のほうははっきりしないが、どうやら上方《かみがた》で商人になっているらしい、坪野を糾問すればこれもはっきりすると思う、もう一つは幕府から三万両貸与の件だ」と主水は続けた、「――去る十二月に老中からそういう沙汰《さた》があったというが、この時勢にそんな多額な金を、わが藩だけが貸与されるというのはおかしい。なにか仔細《しさい》があるぞと、国許のほうでまず疑いをもった。それで江戸邸と連絡をとったのだが、さぐってみるとあった。一年に一万ずつ、三年間に三万両というが、一万両について二千両ずつ老中に謝礼を払うのだ」

林之助はゆっくりと頭を振った。

「つまり実際に手に入るのは二万四千両で、それも三年に分割され、しかも返済するときは三万両と、恩謝の礼を加えなければならない。こんなに勝手が詰っているときだ、二万四千両ぐらい右から左へ消えてしまうだろうが、三万両に礼金を加えたものは残る、こんなことを傍観していていいと思うか」

この藩に限らず、殆《ほと》んど全諸侯が経済的にゆき詰っている。これをたて直すには政治を根本から変えなければならない。こちらから借りてあちらへ返し、そちらから借りてこちらへ返す、藩士の禄を削ったり、御用金をくすねたりするような、こんなでたらめな政治はうち毀《こわ》すほかはない。――それにはこんどの金送りが絶好の機会だ、この三千両は穐村一派の命脈を保つために遣われる。この金が届かなければ、迫っている年度の仕切りができなくなるし、かれらは退陣せざるを得ない、老職の交代は必至なのだ、と主水は云った。

「かれらには多くの私曲もあるが、いまはそんなことは問題にしない、この放漫な、無計画で腐った仕置ぶりだけで充分だ、ここでかれらを退陣させなければ、それこそ取返しのつかぬことになってしまうぞ」

林之助は溜息《ためいき》をついた。

「病気になれ、塚本」と主水は云った、「中尾角兵衛と深井甚九郎《じんくろう》の一人はこの役目を拒んだという、これで塚本が病気の届けを出せば、誰も代る者はないだろう、少なくとも国許には一人もない、おそらくもう江戸邸《やしき》にも代る者はないと思う、あとのことはおれたちで引受けるから、明日にでも病気の届けを出してくれ、わかったな」

長い沈黙が続き、やがて、林之助はゆっくり首を振りながら、「むだだな」と云った。

「もしこんどの金送りが、現老職たちにとってそれほど大切だとすると、かれらはどんな手段をもちいても運び出すだろう、江戸家老と城代家老、それに側用人が組んでいる、殿はまだお若いし、かれらがその職権をふるうとすれば、藩士である以上それを拒否しとおすことはできない、また、――小林はいまおれに代る者はないと云ったけれども、代る者は必ず出る、おれに代って金送りをする者が必ず出ると思う」

「断言する根拠があるか」

「断言はしないが、現に大倉親子や坪野らの例がある、利をもって誘われれば」林之助はまた溜息をつき、低い声で云った、「――人間は弱いものだからな」

五

こんどは主水が黙り、殆んど怒りの表情で林之助の顔を見まもった。

「どうしても不承知か」

林之助は答えなかった。

「危険だぞ」と主水が云った、「血気の連中は力ずくでも妨害すると云っている。三人や五人ではないんだ、おれたちの手では抑えきれないかもしれないぞ」

「そういう注意もされて来た」と林之助が云った、「供の三人は江戸邸で指折りの腕達者だそうだが、そういうときのために選ばれたらしい、どれだけ腕が立つかおれは知らないが、そのために選ばれたのだということを、こっちの連中に云っておいてくれ」

主水が云った、「飯にしようか」

翌日早朝、林之助は城代家老の屋敷を訪ねて、到着の挨拶《あいさつ》を述べ、いちど小林へ戻ったうえ、時刻を待って登城した。雪は降ったりやんだりしていた。降りだしたかと思うとやみ、すると雲の切れめから青空が見え、日光が明るくさしつけた。

「妙な天気ですな」と登城する途中で辻源六が云った、「まるで梅雨どきのようではありませんか」

林之助は三人には危険のあることを知らせてなかった。かれらは降ってはやむ雪に興じ、晴れまに見えた港の、青黒い水や、雪をかむった岬《みさき》や、泊り船などに、立停っては感嘆の声をあげた。

「絶景だ、なるほど絶景だ」と小松藤兵衛が繰り返し云った、「これは慥《たし》かに見るねうちのある景色だ」

城へあがると、林之助は黒書院へとおされた。

城代家老の脇屋伊十郎、次席の峰岸六郎兵衛、年寄役肝煎《きもいり》の内野図書、中老の穐村伊兵衛らが席に並んだ。役目の内容はわかっているので、「墨付」の披露《ひろう》が済むとすぐに、老職の詰所へ案内され、そこで金の受渡しや、帰りの日程などをうちあわせた。そのあと休息の間で食事のもてなしがあり、終って茶菓になると、次席家老の峰岸六郎兵衛が、主水と同じ意味の警告をした。不穏なことを企んでいる者があるから、領内を出るまではゆだんしないように、領分境までは警護の人数を付ける、と六郎兵衛は云った。林之助は人数を付けるには及ばないと答えた。その中に不穏な人間のいるおそれがある、そういうことを耳にしたし、供の三人は腕が立つ。警護などを付けると、却《かえ》って相手を刺戟《しげき》することになるだろうと、云《い》って断わった――林之助のようすで安心したらしい、六郎兵衛もしいてとは云わず、やがて脇屋伊十郎から引出物があり、林之助は下城した。引出物は金五両であった。

その夜、もういちど小林で泊った。主水は彼と夜具を並べて寝、少年時代の思出ばなしなどしたが、金送りについてはなにも云わなかった。久しぶりに話し更《ふ》かして、いよいよ眠ろうとするとき、林之助は枕を拳《こぶし》でたたいた。

主水は訝《いぶか》しそうな眼で見た、「なんだ、妙なことをするじゃないか」

「寝首を掻《か》かれないためさ」

「呪禁《まじない》か」

「子供じぶんからの習慣でね」と林之助は云った、「こうすると眼敏《めざと》くなるんだ」

「それはたのもしい、道中ずっとやってゆくんだな」

「ああ、毎晩やるつもりだ」

やがて二人は眠った。

明くる朝、林之助を送り出した主水は、玄関で云った、「残念だった、塚本、気をつけてゆけよ」

林之助は主水を見あげて微笑し、そっと頷《うなず》いた。微笑は弱よわしく、頷きかたも心もとなかった。それから呟《つぶや》くように云った、「有難う、大丈夫だ」

それから城へあがり、二頭の馬に金を付けて出立した。

城をさがるとき、林之助は辻源六たち三人に向って、「刀の柄袋《つかぶくろ》を外しておけ」と云った。三人はすぐに柄袋を外した。かれらは互いに見交わしながら、にわかに緊張し、城下町を出るまでしきりに前後左右へ気をくばった。空もようは同じ按配《あんばい》で、降ったりやんだりしていたが、雪の降っているあいだは（見とおしがきかなくなるので）三人の緊張が眼にみえて昂《たか》まった。――だが、案じたようなこともなく、城下町を通りぬけ、長い畷道《なわてみち》も過ぎると、林之助は「もうよかろう」と云い、自分から先に柄袋をかけた。三人も同じようにしながら、いかにもほっとしたらしく、それからは足どりも軽くなるようにみえた。

旅は無事にはかどった。

近江《おうみ》路は晴れて、春が始まったことを告げるかのように、暖かい日が続いた。不安な気分は去ったようで、林之助はなにも云わないが、もう危険はないというようすが、その態度で明らかにうかがえた。三人はまったく気がゆるみ、大津でも、土山でも、宿をぬけて遊びにでかけた。美濃《みの》へはいるとまた雪だったが、尾張になると晴れた。そして岡崎に着いたとき、夕食のあとだったが、手洗いにいって来た林之助が、さりげない顔つきで三人に云った。

「今夜はでかけないでくれ」

三人は訝しそうな顔をした。

「なにかあったのですか」と辻源六が訊《き》いた。林之助はなにか考えるような眼つきをし、もういちど云った、「とにかく今夜はでかけないでくれ」

そして寝るときになると、かれらと自分の座敷との、あいだの襖《ふすま》をあけたままにしておいた。

翌日は午後になって宿を立った。午後もおそく、もう三時を過ぎていたし、宿を出るとすぐに、林之助はまた「柄袋を外せ」と云った。ごくなにげない口ぶりだったが、それが却って強く、危険の迫っていることを暗示するように聞え、三人は再び緊張した。――その日は南風が強く、空は重たく曇っていたが、藤川までゆくと雨が降りだしたので、泊るかと思うと、林之助は「赤坂までのそう」と云い、みんなに雨支度を命じた。気温は高かったが、かなり強い吹き降りで、道はしだいに山へかかるため、歩くのにかなり骨がおれた。

藤川から赤坂までは二里九町だが、山中へかかると日が暮れはじめ、宮路山の坂ですっかり暗くなった。雨も風もやむけしきがなく、往来の絶えた坂道に、叩《たた》きつける雨がしぶきをあげ、左右の樹立《こだち》は風のため、時をきって怒濤《どとう》のように鳴り騒いでいた。

――金を付けた馬二頭を中に、辻源六と小松藤兵衛が前、林之助と田代重太夫がうしろ、そのあとに小者二人という順であった。道はやがて平らになり、それから赤坂へ向って下りになった。すると、左側が崖《がけ》、右側が（暗くてわからないが）低く谷のようになった処《ところ》へ来たとき、突然、うしろの馬が暴れだした。

なんに驚いたものか、その馬はするどい悲鳴をあげると、蹄《ひづめ》で地面を叩いてははねあがり、前の馬にぶっつかり、前の馬もはねあがって、人びとをはねとばしながら、二頭とも狂ったように疾走していった。

六

田代重太夫は道から転げ落ちた。林之助に突きとばされたのである。林之助が「危ない」と叫び、田代は道の右側へ突きとばされた。そちらは谷のようになっていて、彼はごろごろと転げ落ちた。さして深くはない、十五六尺ばかりの高さで、下は小川らしく、田代はその水の中へ横さまに落ちこんだ。

——待伏せだな。

と田代は思った。やみ討ちをかけられたのだと思い、立ちあがって、

「おーい」と呼びかけた。すると、すぐ向うで答える声がした。

「田代か」と辻源六の声が喚《わめ》いた、「大丈夫か、けがはないか」

「大丈夫だ、待伏せだな」

「わからない、どこだ」

「水浸しだ、いまそっちへゆく」

田代は斜面を登っていった。道の上から小松藤兵衛の呼ぶ声がし、小者たちの声も聞えた。辻は斜面にしがみついており、田代といっしょに道へ這《は》いあがった。

「やみ討ちではないのか」と田代がまた云った、「塚本さんはどうした、馬は」

誰もはっきりしたことはわからなかった。馬は二頭とも疾走し去り、馬子はそれを追っていったらしい。林之助も追っていったのだろう、いくらみんなで呼んでも、答える声は聞えなかった。いずれにせよ大事なのは馬に付けた金だから、すぐにかれらも赤坂のほうへ下っていった。風と雨で、話もできないし、まっ暗な道は足もとが危なく、気はあせるが走るわけにもいかなかった。そうして七八町いったとき、道の脇《わき》

から呼びかける声がし、三人はとびあがるほど驚いた。田代はまた待伏せをくったかと思い、合羽《かっぱ》をはねて刀の柄に手をかけたが、辻源六は林之助の声だと気づき、「塚本さんだ」と云った。

「塚本さんですか」と辻はどなった、「どうしました、どこですか」

「こっちだ、この茶店の中だ」

かれらはそっちへいった。道の脇に茶店の小屋があり、林之助はその中にいた。辻源六は二頭の馬が繋《つな》がれているのを認め、「ああ、馬も無事ですね」と云った。

「馬も荷も無事だ」と林之助が云った、「ここに腰掛がある、はいって少し休むがいい、みんないるか」

「みんないます」と田代が答えた。

「田代はどうだ、馬が蹴《け》あげるので危ないと思ったから突きとばしたが、けがはなかったか」

「けがはしませんが、下に小川があって水浸しになりました」

「この雨だけでみんな水浸しさ、少し掛けて休むとしよう」

「提灯《ちょうちん》をつけましょう」と小松が云った、「おい馬子、提灯を持っているか」

提灯はなかった。いまの騒ぎで、馬子は二人とも提灯を落してしまったという。それで小者の一人が挟箱をあけて、蠟燭《ろうそく》を出した。小屋の中だから、少しは雨風もふせげるが、蠟燭をつけるまでにはかなりてまどった。——紙で囲った蠟燭の光が、危なげに揺れながら小屋の中を照らすと、みんなはほっとしたように饒舌《しゃべ》りだした。みんなが待伏せだと思ったそうで、林之助は「脇差を抜いた」と云った。

「刀を抜くつもりで脇差を抜いたらしい。ばかなはなしだ、しかもその脇差をどこかへなくしてしまった」と林之助は珍しくせかせか話した、「どこでなくしたのかわからない、走ってるうちになにかにぶっつかって転んだ、頭をぶっつけたんだが、笠《かさ》はとんでしまうしそのときなくしたんだろうな、おれはてっきり待伏せをくったと思ったから、そいつらはみんなに任せて、金のほうを守るつもりで馬を追いかけたんだ」

話しながら、彼はしきりに頭へ手をやった。頭の右側の、月代《さかやき》の際《きわ》のところを、さも痛そうに、押えたり撫でたりする。田代重太夫がなにげなく見ると、そこが血まみれになっていた。

「塚本さん血が出ていますよ、いま手で触っている頭の、そこです、切れてるんじゃありませんか」

林之助は自分の手を見た。手も血だらけになっていた。辻源六が「灯をみせろ」と云って、林之助のそばへゆき、頭の傷をしらべた。月代の剃《そ》り際のところが、斜めに三寸ばかり切れており、そのまわりがひどく腫《は》れて、傷口からはまだ血が出ていた。これはひどい、と辻は眉《まゆ》をしかめ、医者に診《み》せなければいけないが、血止めだけでもしておこうと、薬籠《やくろう》を出させ、傷口へ膏薬《こうやく》を塗り、晒《さら》し木綿で頭を巻いた。

「この傷がわからなかったんですか」

「わからなかった」と林之助が云った、「いまになって痛みだしたが、ぶっつけたときからずっと痺《しび》れたままで、瘤《こぶ》ができたんだと思っていた」

「よほどひどく打ったんですね」と辻が云った、「骨に障《さわ》りがなければいいが」

「うん、いまになって痛みだしたよ」

「医者に診せるほうがいいからでかけましょう」と云い、辻は馬子を呼んで訊いた、

「赤坂まであとどのくらいだ」

馬子は「十五六町です」と答えた。

みんなが馬に乗るようにとすすめたが、林之助は傷にひびくからと断わり、頭から合羽をかぶって、まださかんに荒れている風雨の中へ出ていった。ゆるい下り坂の十五六町だから、昼間ならほんのひと跨《また》ぎだろうが、四半刻《とき》ほどもかかって宿へはいり、赤坂には藩の定宿がなかったので、角屋という旅籠《はたご》宿で草鞋《わらじ》をぬいだ。時刻を訊くと、まだ八時を過ぎたばかりであった。

医者を呼んで、林之助が傷の手当をしているあいだに、ほかの者は順に風呂《ふろ》へはいった。それから食膳《しょくぜん》に向ったのだが、膳に向うとすぐ、林之助がおかしなことを始めた。——彼は脇にある茶道具の、盆にのっている菓子鉢から、饅頭《まんじゅう》を二つ取って飯茶碗《めしぢゃわん》に入れ、それへ飲み残しの茶をかけて、箸《はし》でかきこもうとした。茶漬を喰べるつもりらしい、辻たち三人があっけにとられていると、箸でしきりに饅頭を突つきながら、

「けしからぬ宿だ」とふきげんに舌打ちをした。

「これは昨日の飯ではないか」と彼は呟いた、「こんなに固まった冷飯を出すとはなにごとだ」

女中が二人、給仕に坐《すわ》っていて、不安そうに、辻たちのほうを見た。

「塚本さん」と辻源六が呼びかけた、「どうしました塚本さん、どうかなさいましたか」

林之助ははっとしたように振向き、みんなが自分を見ていることに気づくと、急に茶碗と箸を置いた。そして晒《さら》し木綿を巻いた頭へ手をやり、

「頭が痛い」と云った。

「ひどく痛みますか」

「うん痛い」と林之助は頷いた、「喰べたばかりだが、寝るほうがいいようだ、おれ

は先に寝るから——」
そして自分の座敷へ立っていった。

七

食事が終ると、女中たちは茶を淹《い》れ替え、夜具をのべて去った。小松藤兵衛がすぐに立って、襖をそっとあけて覗《のぞ》き、「よく眠っている」と云いながらこっちへ戻った。

「頭だな」と田代が云った、「よっぽどひどく打ったんで、おかしくなったのじゃあないか」

「そんなこともないだろう」と辻が軽くそらした、「ひと晩ぐっすり眠れば治るさ、しかし今夜はいちおう用心しよう」

三人もその夜は早く寝た。

明くる朝は早く宿を立った。田代重太夫の袴《はかま》はなま乾きだったので、暫《しばら》く歩きにくそうにしていたが、林之助はときどきそれを笑った。彼はべつに変ったようすもなく、「今日も柄袋は外しておこう」と云い、きれいに晴れた海道をゆきながら、口の中で小謡《こうたい》をうたったりした。——その日は荒井で泊った。舞坂への渡しが混《こ》んではいたが、林之助はなにかみつけたらしく、渡し場から引返しながら、「気をつけろ」と三人に囁《ささや》いた。荒井にも定宿はなく、紀の国屋という宿に泊った。

「どうしたのです」と辻が草鞋をぬぎながら訊いた、「怪しい人間でもいたんですか」

林之助は辻源六を見、それから小松や田代を見た。暢気《のんき》なやつらだ、とでも云《い》いたげな眼つきで、だが辻源六の問いには答えなかったし、夕食のあとで「今夜も出てはならぬ」と云った。

林之助は早く寝た。それから三人は酒を飲んだ。岡崎からずっと夜遊びに出ない、あいだ二晩であるが、ずいぶん長いこと節制をしいられているような気分で、酒でも飲まずにはいられなかったのである。三人は酔って、十時ごろに寝た。するとまもなく、半刻と経《た》たないうちに、一人ずつ林之助にゆり起こされた。

「起きてくれ、静かに」と彼は声をひそめて云った、「起きて着替えてくれ」

三人は起きて着替えをした。

「おかしいことがあった、どうもへんだ」と彼は囁いた、「今夜は寝ずに金の番をしてくれ、いいか寝ず番だぞ」

三人は承知した。

「おれは階下を見てくる、こっちになにかあったらどなってくれ、寝てはだめだぞ」

そして林之助は階下へおりていった。

三人は夜の明けるまで起きていた。林之助は階下へおりたままだし、なにごともないので一刻ばかり経つと眠くなった。そこで、一人起きていて交代に寝るとしよう、と相談し、辻と田代が夜具へもぐりこんだ。するとまるで見ていたかのように、林之助がはいって来て怒った。

「役目を忘れたのか」と彼はひそめた声でするどく云った、「三人が選ばれたのは、選ばれるだけの理由があったからだ、安全だと認めたときは夜遊びに出ても黙っていた、今夜は怪しいことがあったから寝ず番だと云ったのだ、冗談だとでも思ったのか」

人が変ったように、激しい辛辣《しんらつ》な口ぶりであった。辻も田代も閉口してあやまり、それからずっと夜明けまで起きていた。

明くる朝も早く宿をでかけたが、林之助はおちつかないようすで、往来の人に絶えず眼をくばり、伴《つ》れだった侍などを見ると、立停って、馬を中心に囲い、相手の通り過ぎるのまで待つというぐあいだった。舞坂から浜松までは二里三十町で、そんなふうに暇どっても午《ひる》まえに着いたが、林之助は急に「ここで泊る」と云いだし、帯屋で草鞋をぬいだ。

「私どもにはわからないんですが、本当に跟《つ》けて来る人間がいるんですか」

辻源六がそう訊《き》いた。林之助は口をあいて辻の顔をみつめて、そしてゆっくりと首を振った。

「一つだけ云っておこう」と彼は辻に向って云った、「この金を覘《ねら》っているやつは、決して旗差物や幟《のぼり》を立てて来るわけじゃないぞ」

辻源六はむっとした顔で口をつぐんだ。

「午飯が済んだら寝ておけ」と彼は三人に云った、「ことによると夜道をするかもしれないし、泊るとすれば寝ず番だ、ゆうべ寝なかったから昼間でも眠れるだろうが、飲むなら酒を飲んでもいい、但《ただ》し酔わない程度だ」

三人は午飯のときに酒を飲んだ。

金はいつも床間に置く。宿へ着くとまず馬からおろし、油単《ゆたん》に包んだ千両箱を三つ、泊る座敷の床間へ運んで置くのである。帯屋でもむろん同じようにし、食事が済むと、三人は床間のほうを枕《まくら》にして寝た。――ゆうべ満足に寝なかったので、林之助に起こされるまで、三人はよく眠った。起こされたときはもう灯がついており、林之助は
「風呂《ふろ》へはいれ」と云った。

「風呂が済んだら飯にしよう、今夜はここへ泊る」

その夜もまた三人は寝ず番をした。

翌日は掛川までいった。そこには病気で残った小者が待っていて、「雑用をして宿賃を稼《かせ》ぎました」などと自慢をし、また供に加わった。掛川でも寝ず番、藤枝でも同様で、宇津谷峠を越すときには、三人ともすっかりへばった。駿府《すんぷ》では久しぶりに寝たが、由井、原、そして箱根を越すまで不寝番が続いた。——辻たち三人もまいったが、林之助もこたえたのだろう、昼夜とおして絶えまのない緊張のため、神経が尖《とが》って、苛《いら》いらと怒りっぽく、少しもおちつかなかった。しかしそれは小田原までで、それからはがらっと変った。小田原ではみんな寝たし、出発するときも林之助はきげんがよく、頭の傷の手当をしながら、「どうやら無事に帰れるらしいな」と云った。三人はいっせいに彼を見た。

「本当ですか」と小松が晒し木綿を巻いてやりながら訊いた、「すると、もう大丈夫なんですね」

林之助はにっと笑って「金だけは大丈夫だ」と頷《うなず》いた。

金だけはという意味が、三人にはよくわからなかったけれども、林之助はすっかり安心したようすで、それまでのように往来の人を警戒するふうもなく、藤沢で泊ったときには、「よければ息抜きをして来い」と云って、三人にそくばくの銀《かね》を与えたりした。おかしいと気がついたのは辻源六であった。いちばん年上だけに、林之助のようすが腑《ふ》におちなくなり、田代と小松が遊びに出たあと、自分は残って、林之助と話してみた。

「うんそう云った、云ったとおりだ」と彼は答えた、「金だけは慥《たし》かに大丈夫だから安心するがいい」

「どうして金だけが大丈夫なんです」

「埋めたんだ」と彼はめくばせをした、「跟けて来た人数や、待伏せの手配があまり厳重なので、とうてい防ぎきれないと思った、それで金だけ取出して埋めたんだ」

辻源六はぎょっとした。

八

「しかし現に」と辻が訊いた、「千両箱は三つともこうして」

「中は鉛だ」と彼は囁いた、「金と鉛の棒をすり替えたんだ、重さではわからないからな、万一かれらに襲われたら、これを置いて逃げればいいのさ」

辻源六はじっと林之助をみつめた。林之助はうす笑いをしながら、暢気そうに片膝《かたひざ》をゆすっていた。やっぱりいけない、頭がおかしくなっている、と源六は思ったが、念のために、「どこへ埋めたのか」と訊いてみた。

「それは云えない」と彼は首を振った、「それだけは辻にも云えない、どんなことで漏れるかもしれないからな、埋めたことも極秘だ」

　辻源六はそれで話をやめた。

　林之助が寝てしまい、田代と小松が帰って来てから、辻源六は二人にその話をし、千両箱をしらべてみた。二人も「埋めた」ということは信じなかったし、千両箱にも異状はなかった。あけてみるわけにはいかないが、封印もちゃんとしており、中身をすり替えたような形跡はまったくなかった。

「あの饅頭を茶漬にしたときからだな」と田代が云った、「跟けて来る人間があるように見えたり、寝ず番をさせたりしたのも、みんな頭がおかしくなっていたためだ」

「そうらしいな」と辻が云った、「頭を打ったのと金の心配が重なったから、よけいおかしくなったのかもしれない、とにかく気をつけてゆくことにしよう」

　翌日もおかしなことがあった。

　金を馬に付けて、宿を出るとたんに、林之助は西へ向って歩きだした。驚いて呼止め、それでは方角が逆だと云うと、彼は立停って不審そうに空を眺め、「しかしあれを見ろ」と出たばかりの朝日を指さした。

「陽のおちるほうが西だろう」と彼は指さしたまま云った、「とすれば、江戸は東だからこっちではないか」

三人は顔を見合せ、辻源六が「あれは朝日だ」と云った。いまは朝の六時で、宿を出たところだ、と説明し、「どうかなすったのですか」と訊いた。

「そうか、朝か」と林之助は首をかしげた、「そうだ、起きて食事をし、傷の手当をして、——少し頭が痛む、でかけようか」

そして東のほうへ歩きだした。

「どうする」と田代が辻に囁いた、「医者に診せなければいけないだろう」

「役目が大事だ」と辻は頭を振った、「医者は帰ってからにしよう」

かれらは道をいそいだ。

その日は川崎まで強行し、翌日の午まえには、霊岸島の上屋敷に着いた。そして大変な騒ぎになった。——予定より三日おくれたので、待兼ねていた老職たちは、林之助の意味不明な報告に驚き、金をしらべてさらに驚いた。辻源六に云ったとおり、彼は「金は埋めて置いた、発見されたり奪われたりするおそれは絶対にない、どうか安心するように」と、辻に話したのと同じことを告げた。老職たちは合点ゆかぬままに、すぐ千両箱をあけて見たが、中には鉛の棒しか入っていなかった。どうしらべてみても、それは正しく鉛の棒であった。

林之助はそのまま老職の役部屋に留められた。辻たちが呼ばれ、三人は詳しく事情を述べた。数人の医師が（ひそかに）林之助を診察し、佯狂《ようきょう》ではないかという点が、入念に追及された。どの医師も「頭の傷が原因であろう」と診断し、治癒《ちゆ》するにしても、時日を要するだろうと云った。

穐村宗左衛門は事実の漏れることを防ぎながら、林之助の訊問《じんもん》を続けた。辻たち三人には厳重に口止めをし、林之助は看視付きで家へ帰された。いつまでも留めておけば、反対派に疑われるからである。そして稲田、友次、吉原などという、腹心の者が看視に付き、代る代る、金の所在を訊きだそうとした。――初めそれはうまくゆきそうであった。稲田治兵衛が当番のとき、林之助は声をひそめて、そこもとにだけ教えようと囁いた。

「沼津というところを知っているか」と彼は囁いた、「東海道の沼津だ、その宿を西へ出外れたところの海側に、三本松という小さな丘があるが、じつはその三本松の根元に埋めてあるのだ」

稲田治兵衛はすぐに、その知らせを持っていった。そこでまた辻たちが呼ばれたが、沼津には泊らず、素どおりしていることがわかって途中の宿駅が書き出された。次に、友次伝右衛門が看視に付いたとき、林之助は、「さん、さん」と口の中で繰り返したうえ、「三州吉田だ」と云った。しかしむろん、吉田にも泊っていなかった。

吉原角之進の番にはもっと真実らしく思われた。林之助は酒を飲みながら、片手でときどき自分の膝を叩《たた》いて、そして首をかしげ、「三本松、三州、――」などと呟《つぶや》き、また膝を叩いては首をかしげていたが、やがてにっこりと微笑すると、あたりを警戒するように見まわし、すり寄って、「わかった」と角之進の耳に囁いた。

「ようやく思いだしたが、極秘だということは承知だろうな」

角之進は深く頷いた。

「駿府の萬屋《よろずや》だ」と彼は囁いた、「駿府では萬屋清兵衛が藩の定宿なんだ、その萬屋の庭に大きな松が三本あるが、まん中の松の根元に埋めて置いたのだ」

「駿府の萬屋、庭の三本松だな」

「まん中の松の根元だ」と云って彼は眼を光らせた、「いいか、極秘だぞ」

これは真実と思われた。しらべてみると慥かに駿府の萬屋に泊り、しかもその夜は不寝番をしなかった。尤《もっと》も萬屋の庭は遠州流のみごとなものだが松はない。側用人の志田主計も、年寄の吉川忠之丞《ただのじょう》もよく知っていた。だが、松とほかの樹《き》と間違えるということもある。念のためにというので、ひそかに駿府へ早打の使いがやられた。

早打の使者が帰って来て「そういう事実がない」と告げてから、まもなく老職の交代が行われた。穐村派は退陣し、江戸では富永靭負《ゆきえ》が筆頭家老、側用人は大道寺主殿《とのも》。国許《くにもと》では磯野平右衛門が城代、渡辺彦太夫が次席となり、これらを中心に、重職の殆《ほと》んど半数ちかくが交代したし、続いて奉行職にも任免があった。

三千両の件は、もちろん新老職にひきつがれ、こんどは家中ぜんたいの問題となった。

それよりまえ、老職交代が始まるまえに、義兄の永野又四郎が来、次に加島東吾が来た。又四郎は義弟を褒め、東吾は「よくやった」と云った。

「穐村一派は退陣する、金繰りがつかなかったからだ」と東吾は云った。「よくやってくれた、主水から手紙が来て諦《あきら》めていたんだ、もう主水にもわかっているだろうが、おれも主水もうまく騙《だま》された、主水は手紙でかんかんに怒って来たが、これを聞いたときの顔が見えるようだ」

林之助はぼんやり聞いているだけであった。

九

東吾は昂奮《こうふん》していて、「穐村派がなにかするかもしれないから、自分たちの手で警護を付ける」と云い、用心をしろと、注意して去った。

新しい陣容がきまると、林之助は呼び出されて、金の所在を訊かれた。林之助は答えられなかった。

「わかりません、どうしても思いだせないのです」と彼は云った、「金をすり替えて、どこかへ隠したことだけは覚えているのですが、どこだという記憶は少しも残っていないのです」

どうして隠す気になったのか、という問いに対しても、彼はやや暫《しばら》く考えていた。

「覚えているのは、金が覘われているということでした」と彼は考え考え云った、「あの金送りについて、江戸でも国許でもだいぶ威《おど》されました、腕ずくでも妨害するとか、無事では済まぬぞ、などと云われましたので、金を取られてはならぬ、という一念にとらわれてしまい、そのうちに頭を打ってから、さらに判断が狂って、そんなことをしたのだろうと思います」

再び幾人かの医師に診察された。幕府の名高い典医も招かれたが、やはりはっきりした診断はつかず、「恢復《かいふく》を待つほかはない」というだけであった。——このあいだに、永野又四郎や加島東吾らがしきりに訪れ、東吾は連日のように来て彼をせめた。いまだに林之助がそらを使っているると信じているらしく、「もう穐村派にはなにもできない、心配はないからうちあけてくれ」と繰り返しねばった。

林之助は訝《いぶか》しそうに東吾を見た。

「心配なんかしないさ」と彼は云った、「おれは初めから心配なんかしてはいない、誰にだっておれをどうにかすることなんかできやしないからな」

「それはどういう意味だ」

「あの金さ、――」と云《い》って林之助は微笑した、「金の所在を知っているのはおれだけだからさ、気がつかなかったのか」

東吾は憤然と彼を睨《にら》みつけた。

或《あ》る日、永野又四郎が来て、老職から出た話だがとまえおきをし、「その場所へゆけば思いだすかもしれないから、いちど泊った宿を順に歩いてみたらどうか」と云った。林之助は首をかしげて、いかにも自信がなさそうに、おそらくむだ足でしょうと答えた。

「だがためしてみてもいいだろう」

「いいですとも」と彼は頷いた、「浜松の帯屋で脇差《わきざし》を借りましたから、ついでにそれを返して来ます」

「脇差を借りたって」

「馬が暴走したときになくしたので、帯屋の主人に代りを借りたのです、駄物だから返すには及ばないと云っていましたが、ゆくならついでに返すとしましょう」

相談がきまり、東吾がすすんで同伴者になった。

二人は近江の大津までゆき、そこから引返した。林之助は「岡崎より西ではない」それだけは慥かだと云ったが、東吾が承知しなかったのである。往復に二十余日かかり、結果としては二人がかりで、帯屋までわざわざ脇差を返しにいったようなことに終った。

妻のさわはこの旅によほど期待していたとみえて、失敗だと聞くと、落胆のあまり涙をこぼした。

「泣くことはない、おまえに心配は決してかけない」

「でもこのままでは済みませんでしょう」とさわは云った、「いよいよわからないときまれば、きっとお咎《とが》めがあるに違いございませんわ」

「まさか三千両で切腹もさせないだろう」と彼が云った、「追放にでもなったらなったでいい、頭が治って金の所在を思いだしたら、二人で一生暢気《のんき》にくらせるというものだ」

さわは眼をみはって良人《おっと》を見た。

「あなたは、――」とさわは云った、「そのお金を自分のものになさるおつもりですか」

「追放にでもなったらという話さ」と彼が云った、「三千両といえば、おれなどが一生かかっても手に入れられる金ではないからな」

さわはふるえながら、じっと良人を見まもっていた。

これは夫婦だけで話したことだし、林之助はもちろん、さわだって他人に漏らすわけはないのだが、いつかしら家中に、よく似た噂《うわさ》がひろがった。つまり、「塚本はあの金を自分のものにするつもりだ」というのである。記憶を失っているというのは嘘《うそ》で、じつはほとぼりのさめるのを待ち、時機をみて出奔したうえ、金を取出すつもりなのだ。なにしろ「勘定奉行所の役人だからな」などと、穿《うが》った評まであらわれた。

――林之助はずっと勤めを休んでいた。まだ頭がしっかりしていなかったし、新しい老職による人事更新で、彼の書役支配は保留になっており、情勢では「無役」になるのではないかといわれていた。それで殆んど外出もしないのだが、周囲の噂はよく耳にはいったし、おそらく堪《たま》りかねたのだろう、伯父の三浦喜兵衛に呼びつけられた。

喜兵衛は六十二歳であった。三年まえ、長男の左膳に家督を譲って隠居し、道閑と名のっているが、古武士ふうの、一徹な性分は変っておらず、まっ白になった眉毛《まゆげ》の下から、するどい眼光で林之助を睨んだ。

「私は伯父上から、世評で人の判断をするなと教えられました」と林之助は答えた、「そのほかに申上げることはございません」

伯父は彼を睨んでいて、やがて云った、「それは他人を判断する場合だ、世評にのぼるような失態が自分にあったら、侍として責任をとらなければならぬ」

「どう責任をとるのですか」

「自分でわかる筈だ」

喜兵衛の眼光はするどいままで、その言葉つきも静かながら、圧倒するようなひびきを含んでいた。林之助は返辞をしなかった。

「責任をとるか」と喜兵衛が云った。

林之助は黙って首を振った。

「よし、それなら嫁を返せ」と喜兵衛が云った、「永野からそう申して来たのだ、すぐに嫁を永野へ返してやれ」

そして、「それだけだ」と頷いた。

三浦から永野へ知らせたのだろう、又四郎が来て、さわを伴《つ》れ戻していった。温厚で実直な又四郎は、家中ぜんたいの悪評に耐えられなくなったらしい。「まだ子供がないことでもあるし――」などと云いわけをし、さわは御殿へあげるつもりだと云った。当のさわは泣くばかりであった。いやな評判や、兄の意志に対抗できるほど、まだ良人の気ごころがわからなかったし、ごく温順な育ちなので、自分でどうするという決心もつかなかったらしい。林之助はなにも云わなかった。

夏になって、加島東吾が普請《ふしん》奉行にあげられ、次いで国許から小林主水が出て来た。主水は出府するとすぐに、林之助を訪ねて「暫く厄介になるぞ」と云った。吉川忠之丞が国詰になり、そのあとへ入るのだが、「それまで御小屋があかないのだ」というのである。

「おれは構わない」と林之助は皮肉でなく云った、「おれは構わないが、小林こそ、おれなんぞのところにいていいのか」

「友達ということに変りはないさ」と主水は云った。

そしてそのとおり、塚本家へ荷を解いた。

十

主水は江戸の寄合役肝煎《きもいり》になった。

正式に任命されたのは、主水が出府して十日ほど経《た》ってからであったが、その日、東吾を加えた三人で小酒宴をした。自分と東吾は出世祝い、塚本は、まあしくじり祝いか、などと主水はつけつけ云った。留守役がよく使う浜町の「おく村」という料亭にあがり、夕方から一刻《とき》ばかり飲んだ。——東吾とはずっと疎遠《そえん》になっていたしその夜も林之助と同席することは気がすすまなかったのだろう、どこかしらこちんと、うちとけない感じで、ともするとなにか云いだしそうにした。だがそのたびに、主水がうまく梶《かじ》を取って話をそらし、どうやら気まずいことも起こらずに済んだ。

屋敷へ帰ったのは八時ころであるが、東吾と別れて家へはいると、主水は「もう少し飲もう」と云い、支度をさせ、十時過ぎまで二人で飲んだ。主水は珍しくはずんでいて、林之助が「うれしそうだな」と云うと、あけっ放した調子で「なにしろ寄合肝煎だからな」と正直に云った。そして上機嫌に酔い、寝るときになると、自分の夜具を林之助の寝間へ敷かせた。

「女のいない家というやつは片輪みたようなものだ」と横になるなり主水は云った、「どうする、あとを貰《もら》わないのか」

「おれに嫁をくれる者がいると思うのか」

「国許にこころ当りがあるんだ」と主水が云った、「女のいない家というやつは、膏《あぶら》臭《くさ》くて不潔でいけない、世話をするから貰ってしまえ」

林之助はくすくす笑った。主水のお国訛《なま》りが可笑《おか》しかったのである。主水はふと気がついたように、「そうだ」と云って頭をあげ、拳《こぶし》で自分の枕《まくら》を叩いた。林之助は妙な眼つきで、それを見ていた。

「明日は早く起きなくちゃならない。こうやっておくと早く眼がさめるんだ」と主水が云った、「おい、塚本が教えたんだぞ」

林之助は軀《からだ》を固くし、眼を凝らして、灯を暗くした寝間の一点を、いつまでもじっと睨んでいた。

「どうした、もう眠ったのか」

林之助は低い声で「待ってくれ」と云った。それから彼は起き直り、団扇《うちわ》で静かに胸もとを煽《あお》いだ。主水はそのようすを、寝たまま、黙って眺めていた。するとやや暫くして、林之助の顔がほぐれ、にやっと微笑した。

「わかった」と彼は云った、「ようやくわかった、そうか、これだったのか」

主水は次の言葉を待った。

「三本松とか、三州とか、三という数が頭にひっかかっていたが、これだ」と云って彼は、拳で、自分の枕を叩いた、「いま小林のするのを見て思いだした、これだ、枕を三度たたいたのが記憶に残っていたんだ」

「金の所在か」と主水が訊いた。

「はっきり思いだした、浜松の帯屋だ」

「だって帯屋へは、あとで加島といってみたんだろう」

「脇差を返すのに気をとられたんだな」

「帯屋のどこへ隠したんだ」

「土蔵の中だ」と林之助が云った、「奥蔵に藩の御用葛籠《つづら》がある、間違いはない、その土蔵の中の御用葛籠に入っている」

主水は「こんどはおれの笑う番だな」と云って、くすくす忍び笑いをした。

「なにが可笑しい」と林之助が云った。

主水は起き直り、「いやたいしたことじゃない」と、これも団扇を取って煽いだ。

「なにが可笑しいんだ」

「枕を三度たたいたとは苦しいからさ」

「本当にそうなんだ」と林之助は力をこめて云った、「宿で寝るときにはいつもそうしたが、帯屋では三度だった、忘れないために三度たたいたんだ」

「もういい、わかった、おれはおよそ察していたんだ、こんど出府して以来、金の所在についておれは一度も触れなかったろう」と主水が云った、「おれは一度もその話をしなかった、というのは、塚本のほうで云いだすとにらんでいたからだ、いつかきっと云いだす、おそかれ早かれ、必ず云いだすに相違ないとにらんでいたんだ」

「すると、おれが偽っていたとでもいうのか」

「いや感嘆しているんだ」主水はそこでちょっと口をつぐみ、まじめな静かな調子で、ゆっくりと云った、「――塚本はあのとき、勇気にもいろいろあると云った、それがへんに頭に残った、そこへ加島から手紙が来た、馬の暴走、不慮のけが、頭がおかしくなって金を隠したこと、これを読んだとき、そうかと思った」

林之助は黙って団扇を動かしていた。

「あのとき金送りを妨害すれば、老職交代のあとにしこりが残る、穐村派は妨害されたということを忘れないだろう、だが、こんどのような方法をとれば、塚本が悪評されるだけで済むし、塚本自身にしても災難でけがをし、頭がおかしくなってやったとなれば、それほど重く咎められはしまい、まして、あとくされなしに老職交代ができたとあってみればさ」

林之助はやはり黙っていた。

「次にはっきり見当がついたのは鉛の棒だ」と主水は続けた、「すり替え事にしては、まえに用意しておかない限り、鉛の棒などがすぐ手にはいるわけがない、帯屋というのでわかったが、おそらく往《い》きに泊ったとき相談したんだろう、あの老人は先殿に恩義があるから、事情を了解して引受けた、おれはこう思うがどうだ、違うか」

林之助は呟《つぶや》くように云った、「おまえは探索方のような人間だ」

「友達だと云わないのか」

林之助は立っていって、雨戸をあけ、そこで団扇を動かしながら、「月が出ている」と呟き、そのまま縁側に腰をおろした。

「おれは政治は嫌いだ」と彼は云った、「よかれあしかれ、政治的な諍《あらそ》いにはかかわりたくなかった」

「前言を取消そう、慥《たし》かに、それも一つの立派な勇気だ」と主水が云った、「但し出世はしそこねたがね」

「もちろん、そんなことで出世なんかしたくないさ」

「地味なやつだ」と主水が云った、「嫁を貰え」

「女房はいるよ」

「出てゆかれたんだろう、出ていった女などにみれんがあるのか」

「あれとは夫婦になってから、まだ一年そこそこしか経っていなかった。二十年ちかい友達の東吾でさえ、おれからはなれてしまった。あれが兄の意見にさからえなかったのは当然だ」

「みれんがあるんだな」

「あれはすなおで可愛《かわい》い女だ、伴れ戻されるとき、途方にくれて泣いていたが、ただ、泣くばかりで、どうしていいかわからない、といったようすがまだ眼に残っている、あいつはいい女房になるよ」

主水は暫く黙っていた。それから、やがてまたくすくす笑いながら云った。

「東吾は今夜もむくれていたな、金の所在がわかっても、当分むくれているだろうな」

「昔からあんなふうなところがあった」と云ってから、林之助はふと振向いた、「——断わっておくが、今夜の話は東吾にはないしょだぞ」

「そのほうがよければそうしよう」

「永野にもだ——永野又四郎は女房の兄で、いずれ小林に復縁の仲立ちをしてもらうが、この話は決してしないでくれ」

「おまえは地味なやつだ」と主水が云った、「しかし復縁の仲立ちは引受けるよ」

二人は沈黙し、やがて、林之助は立って雨戸を閉め、こっちへ来て、「やれやれ」と云いながら横になった。主水は天床《てんじょう》をみつめたまま、林之助の「やれやれ」という声に安らぎの調子を感じた。

「肩の荷をおろしたというところか」

「そんなところだ」

「ひどいやつだ」と主水が云った、「まわりの者が狼狽《ろうばい》したり怒ったり、泣いたり笑ったりして騒ぎまわるのを、澄まして高みから眺めていたんだろう、どんな気持だった」

林之助は少しまをおいて云った、「それも小林の想像どおりだろうな」

「わるいやつだ」

「いい経験だったよ」

「ねよう」と主水が云った、「浜松へは自分でゆくんだぞ」

（「サンデー毎日増刊号」昭和三十二年三月）

源蔵ケ原

市三がはいってゆくと、その小座敷にはもう三人来ていた。蝶足《ちょうあし》の膳《ぜん》を五つ、差向いに並べ、行灯《あんどん》が左右に二つ、火鉢が三つ置いてあった。

瓦屋《かわらや》の息子の宗吉をまん中に、こっちが石屋の忠太、向うに左官の又次郎が坐《すわ》っていた。市三はかれらに頷《うなず》いて、こっち側の奥の席へ坐った。宗吉がいま始めたところだと云《い》い、又次郎が市あにいお先へとじぎをした。忠太はぶすっとした顔で、自分の盃《さかずき》を市三に差そうとし、気がついたのだろう、途中でやめて、こんどは燗徳利《かんどくり》を渡そうとした。

「置いとけよ」と宗吉がそれを止めた、「いま持って来るだろう」

「おれたちのしきたりはおかしいよ」と忠太は手酌で飲みながら云った、「盃のやりとりなし、酌のしっこなし、よそで人と飲むときにはまごつくばかりだ」

女中が酒を持って来た。

「いい修業さ」と宗吉が云った。

「ええ」と女中が宗吉に振向いた。

「おめえじゃねえ」と宗吉が女中に云った、「さっきおやじに断わっておいたが、今日は相談ごとの集まりだから、肴《さかな》はここにあるだけでいいんだよ」

「はいわかってます」と女中が云った、「お酒のときは手を鳴らして下さい」

女中が去ると、又次郎は自分の持っている盃を指さして、「よくわからねえんだが」とみんなの顔を見まわしながら云った、「――この酒、どういうことになるんだい、おらあからっけつで来ちゃったぜ」

「珍しいことを聞くもんだ」と忠太が云った、「いつもは胴巻にずっしり持ってるのか」

又次郎は市三と宗吉の顔を見た。どちらも知らぬそぶりで、忠太の云ったことなど聞きもしなかった、というようにみえた。

「のろがやって来て」と又次郎は呟《つぶや》くように云った、「ここへ早くこいって云うもんだから、おらあこのとおり仕事着のままとんで来ちゃったんだ」

「いいんだったら」と宗吉が手を振った。

「飲めよ」

「心配するな」と忠太が云った、「割前を取ろうたあ云わねえから」

又次郎は口へもってゆきかけた盃を止め、忠太を見て、おめえの奢《おご》りかときいた。

「気になるのか」と忠太が反問した。

「ならなくってよ」と又次郎がやり返した、「おらあ、昔っからいつもぴいぴいだった、いまでもぴいぴいだ、けれども集まって飲むときに、割前を出さなかったこたあいちどもなかった筈《はず》だぜ」

「もう始めるのか」と宗吉が遮《さえぎ》った、「おめえたち二人は顔を見るなりいつもそれだ、よく飽きねえもんだな」

市三は天床《てんじょう》を見あげたり、壁を眺めたりしながら、黙ってゆっくりと酒を啜《すす》っていた。それはまるで、その小座敷にいるのは自分ひとりだ、とでもいうふうにみえた。

「なんだかおちつかねえなあ」と又次郎は膝《ひざ》で貧乏ゆすりをしながら云った、「いま宗ちゃんは相談ごとの集まりだって云った、おれんところへ来たのろは、死んだお光《みつ》ぼうのことで話があるって云ってたぜ、いってえどういうことなんだい、これは」

「お光ぼうの死んだわけがわかったんだ」と忠太が云った。

「だっておめえ、お光ぼうが大川へ身を投げて死んだってこたあ、誰だってもう知ってるじゃねえか」

「どういうわけで死んだかってんだ」忠太は口の中のなにかを吐きだすように云った、「人の云うことはよく聞くもんだぜ」

「わるかったな」と云って又次郎は宗吉に呼びかけた、「宗ちゃん、いまのはほんとの話かい」

「そうらしい」と宗吉は頷いた、「しかしその話は顔が揃《そろ》ってからのことだ」

「てえと、あとはのろと」

「泰二さ」と忠太が云った、「顔が揃うと云やあわかっているじゃねえか」

市三が眼尻《めじり》で又次郎を見た。又次郎はそれには気がつかず、なにやら棘《とげ》のある悪口を呟きながら、手酌で飲んでいた。

「宗ちゃん、いまの口っぷりを聞いたかい」と又次郎は宗吉に呼びかけた、「忠太のやつあいつもああいうふうな、いきなり人のぼんのくぼの毛を引っ張るようなことを云うんだ、いつだっけか、お光ぼうが酒の肴を聞き違えたことがあったっけ、鮪《まぐろ》のぬたと云ったのに浅蜊《あさり》のぬたを持って来た、すると忠太のやつは鼻柱に皺《しわ》をよせて、本《ほん》所《じょ》じゃこのごろ浅蜊を鮪って云うようになったのかいってよ、——けっ、とっ替えろならとっ替えろでいいし、いやなら食わなきゃいいじゃねえか、なにもそんなひねくれたいやみを云うこたあねえや」

「そのときおれもいたよ」宗吉が云った、「なにも忠太に限っちゃねえ、人は虫のいどころで、結構いやみなことも云いたくなるもんだ、それよりおれが感心したのは、そのときのお光ぼうの受けかただった、あの少し大きな口を押えて、肩をすくめながらちょっと舌の先を出して、――あらいやだ、板場さんからもらったときは鮪だったのに、どこで化けたんでしょって、な」

「そうだっけ」又次郎はぐらっと頭を垂れた、「どこで化けたんでしょ」

そのときのお光のようすを思い描こうとするのか、又次郎はじっと眼をつむった。

「額を手で押えて」と市三がそっぽを見たままで、独り言のように呟いた、「あ、いけない、って云うのが癖だったな」

「そのときちらっと舌の先を出すんだ」と忠太が付け加えた、「――又のやつはあんなことを云うが、ふしぎとおれのときには注文を聞き違える、酢の物っしえと塩焼、湯豆腐ってえと寄せ鍋《なべ》、――たまにはこっちもかちんとくらあ、どうしたんだと云うと、片手で額を押えて、舌の先をちらっと出して、あ、いけないって、――おれにゃああれがたまらなかった」

表の店のほうも客が混《こ》んできたのだろう、板場へ注文をとおす女たちの声や、客の話したり笑ったりする声が賑《にぎ》やかに聞えた。

「おれたちとはまる三年の馴《な》染《じみ》だったな」

「まる三年と五カ月だ」と忠太が又次郎の言葉に朱を入れた、「なかま六人が揃ってはたちになって、その祝いに初めてこのうちへ飲みに来た」

「泰二は二十一さ」と又次郎が云った、「そのとき番になったのがお光ぼうだ」忠太は又次郎には構わずに続けた、「ひどく姉さんぶっているからとしをきくと、十六だって、——軀《からだ》も顔もちまちまっとしていたが、十八より下たあみえなかったな」

「みんな一遍にいかれちゃった」と又次郎が云った、「それでみんなが、いやそうじゃねえ宗さんだ、宗さんが云いだして、誰もお光ぼうには手を出さねえって約束をしたっけ、どんなことがあっても手を出すなって」

「もしも約束をやぶってちょっかいを出したら」と忠太が切り口上で云った、「みんなで袋叩《だた》きにして大川へ放り込み、二度と御朱引き内の土は踏ませねえって、はっきり契約したし、みんなその約束を守って来た筈だ」

「おめえまるで」と又次郎が吃《ども》りながら云った、「まるで怒ってるようだぜ」

「ようだ、——へ」忠太は片方の眉《まゆ》をぴくんとあげて舌打ちをした、「ようだもくそもあるか、おらあ、——まあいいや、おめえが相手じゃ肝が煮えるばかりだ」

又次郎がなにか云おうとすると、宗吉がそれを遮って、ほくろはどこにあった、と誰にともなく問いかけた。

「泣きぼくろ」と又次郎が云った、「左の眼尻のここんところだ」

「上唇《うわ》と鼻の脇《わき》とのあいだだ」と市三が云った、「泣きぼくろじゃねえ、あれは運のいいほくろなんだ」

「運のいい、ねえ」と又次郎。

「耳のうしろにもあったっけ」と宗吉が云った、「おれのおふくろとちょうど同じところだった、そう云ったら、それじゃあたしあんたのおっかさんの生れ変りかしらって、べらぼうめ、おふくろはまだ生きてらあ」

「その話をしていたよ」と忠太が云った、「若旦那《だんな》に一生、顔向けがならないって」

宗吉はなにかを紛らわすように手を叩き、向うで女中の答えがした。そこへのろがはいって来た。

「おうさびいさびい」のろはわざとふるえ声で云いながら、市三の脇にある火鉢へいって跼《かが》みこんだ、「一朱おっことしたうえに財布《さいふ》をかっ掠《さら》われたような心持だ」

「きまってやがら」と又次郎が云った、「少しあったまると、こんどは十文儲《もう》かったような心持になるんだろ」

「どうした」と忠太が呼びかけた、「やつはいたか」

「あとから来るよ」とのろが答えた、「仕事が残ってるが、そういうことなら一と区切りつけてゆこうってさ」

「おめえ饒舌《しゃべ》ったのか」と忠太。

「誰が、おいらがかい」と云ってのろは、軽薄らしく笑いながら首を振った、「とんでもございません、小判で面《つら》あ張られたって饒舌るこっちゃあござんせんよ」

女中が二人で酒を持って来、めいめいの膳《ぜん》へ置くと、あいている燗徳利をさげていった。

「なんだか妙だ」と又次郎が首を捻《ひね》った、「なんだか妙なぐあいだぜ、忠太とのろとでなにかたくらんでるようじゃねえか、それとも宗ちゃんも市あにいも承知のうえか」

「うるせえな」と宗吉が云った、「少しおちついて飲めねえのか」

「これが性分でね、おちつくまではおちつけねえんだ」又次郎は手酌で飲み、摘《つま》み物を喰べた、「お光ぼうが大川へ身を投げて死んだ、なぜ死んだかっていうわけがわかった、それでなかまがここへ集まった、——お光ぼうはおれたち六人の守り神みてえなこで、誰も手出しをしちゃあいけねえってえ約束をした」

「今年の春まではな」と忠太が云った、「その約定は二月まで、泰二がお光ぼうと夫婦約束をするまでのこった」

「それだって、ほかの者が手出しをしねえって約定にゃ変りはねえだろう」と又次郎がやり返した、「泰二とお光ぼうの夫婦約束は、おれたちみんなが認めたんだ、泰二はだしぬいたんじゃなく、お光ぼうに話すまえにおれたちに相談した」

「そのとき」と忠太が証文に爪印《つめいん》を捺《お》すような口ぶりで云った、「いのちがけだって泰二が云ったのも覚えてるだろう」

「芝居がかっているようだがしんけんだった」と宗吉が云った、「ふだんはあんまり口もきかねえし、なにか云うにしても、木の枝を折っぺしょるように、ぽきぽきした云いかたしかできねえ、それが、――いのちがけなんだ、と云いだしたんでおれたちは一言もなかった」

「顔が蒼《あお》くなってたぜ」と又次郎。

「おりゃあしゃくだった、いまだから正直に云っちまうが、おれはしゃくだった」と忠太が低い声で云った、「いのちがけ、――おれだってお光ぼうには惚《ほ》れてたんだ、みんなとの約束がなけりゃあ、とっくに夫婦約束でもなんでもしていたろう、おれたちがごしょう大事に約束を守っているうちに、泰二のやつはこっそり爪を伸ばしてた、むっつりなんとかで、へんに堅えような人間ほどゆだんのならねえもんだって、おりゃあしまったと歯噛《はが》みをしたぜ」

「初めて聞いた」と宗吉が云った、「おめえがそんなに熱心だったとは知らなかったよ」

「めそめそしてみせればよかったのか」忠太は自嘲《じちょう》するように唇を歪《ゆが》めた、「おれだって男のはしくれだ、泰二が先に話しだした以上、おれもと名のって出るわけにゃあいかねえ、その代りうろんなまねをしたらただはおかねえ、いのちがけだという言葉にこれっぽっちでもごまかしがあったら、そのままにゃしておかねえと睨《にら》んでたんだ」

彼の口ぶりの咎《とが》めるような、訴えるような調子にひきこまれたのだろう、みんなは息をひそめて彼の顔を見まもった。

「恥をさらすようだが、おれは二人の逢曳《あいび》きを見た」と忠太は酒を啜ってから続けた、「四月の末から五月へかけて、三度、いや四たびだった、この店がひけたあと、源蔵ケ原のもちの木のところでな、おれはこの眼でちゃんと見たんだ」

「おかしいな、二人は夫婦約束ができてたんだろう」と又次郎が云った、「そんならなにも、そんなところでこそこそ逢うこたあねえと思うがな」

「そのわけはのろが話す」と忠太が云った、「おれは自分の見たことを云うまでだ」

「宗ちゃん」と云って市三が、燗徳利を振ってみせた。

宗吉が手を鳴らし、女中の答えが聞えた。いっとき、小座敷の中がしんとなった。表の店の賑やかな騒音が高まるように感じられた。「ははあ」又次郎が膳の数を眺めて、なにか、合点のいったように頷いた、「——いままでの話のようすといい、膳が五つしきゃねえところをみると、わけというのは泰二なんだな」

誰もなにも云わなかった。女中がまた二人で酒を持って来、燗徳利を替えて去った。

「どうもおかしい」又次郎は首を振った、「みんなはなにもかも知っていて、おれ一人がつんぼ桟敷《さじき》にいるみてえだ、宗ちゃんはおちついて飲めって云うけれども、これじゃあいくら飲んだって酔やあしねえや」

「みんなが揃ったらって」云いかけて、宗吉は振向いた、「——来たようだぜ」

女中となにか云う男の声がし、すぐに障子をあけて泰二が顔を出した。縞《しま》の袷《あわせ》に半《はん》纏《てん》、三尺帯をきちっとしめている、痩《や》せて頬のこけた顔は、寒さのためか蒼白く硬《こわ》ばり、唇も紫色になっていた。

「やあ」と泰二は五人それぞれに頷きかけ、こっちへはいって障子を閉めた、「——おそくなって済まなかった、ちょっと仕事の区切りをつけていたもんだから」

「ここへ来いよ」と市三が自分の脇へ手を振った、「のろ、もうちっとそっちへ寄れ」

「いつでもこの伝だ」のろは膝をずらした、「のろ、あっちへいけ、へえ、のろ、こっちへ来い、へえ、なんてえこった」

「泰さん」と宗吉が云《い》った、「断わっておくがおめえの膳はねえんだ、それにはわけがあるんだが」

　泰二はわかっているというふうに、こくんと頭をさげ、膝を固くしてうなだれた。市三だけが眼の隅で、それを見た。

「改まってわけということもねえだろう、話はお光ぼうのことだ」と忠太が宗吉のあとを継いで云った、「——お光ぼうがこのうちから暇を取って、いなくなったのは十月のことだ、それから五十日、どうしているか誰にもわからなかった、そうして十日まえに聞いたのは、大川へ身を投げて死んだっていうことだ、——ここにいる五人が知っているのはそれだけなんだ」

　又次郎は膝で貧乏ゆすりをしながら、手酌でせかせかと飲み、宗吉は腕組みをして自分の膳の上を見まもっていた。のろは酒好きではないとみえ、ときたま盃《さかずき》を取るが、一杯の酒をあけるのに、三くちか四くちかかった。

「まださびい」とのろは口の中で呟いた、「おっそろしくさびい晩だぜ」

　忠太はのろを睨んでから、言葉を続けた、「——おめえはおれたちとは立場が違う、お光ぼうとは夫婦約束をした人間だ、二月におれたちの前で約束してから今日まで、二人の中にはおれたちの知らねえことが幾らもあったろうと思う、とすれば、お光ぼうがどうして死んだのか、しかも大川へ身を投げるような、哀れな死にかたをどうしてしなければならなかったか、おめえなら知っているんじゃねえかと思う、もし知っているんなら、おれたちに聞かしてもらいたいんだ」

「ちょっと」と宗吉が腕組みの手を解き、その手を膝におろして云った、「おめえが返辞をするまえに云っておくことがある、――いいか泰二、ここにいるみんなが初めてこのうちへ飲みに来て、初めてお光ぼうに会ったとき、みんながお光ぼうを好きになった」

おれもそのなかまの内なんだろうなと、のろが云い、忠太がまた睨みつけた。のろは首をすくめて、からの盃を啜《すす》った。

「みんなが好きになったので、誰もちょっかいを出さねえという約束をした」と宗吉は静かな口ぶりで、絵解きでもするように続けた、「――もし手出しをする者があったらこれこれと、みんなの同意で約定もした、人のことは知らねえ、たかが小料理屋の酌おんな、その場の座興だと思った者がいたかもしれねえ、だが、少なくともこのおれだけはしんけんだった」

忠太もさっき同じようなことを云った。自分もしんから好きだったが、おめえに先を越されたので、歯ぎしりをして引込んだと。おれはそれを聞いていながら、おれ自身の気持をそっくり、忠太の口を借りて云っているような気がした。

「人の心の重さ軽さは比べようがねえ」と宗吉は続けて云った、「おめえが、いのちがけだと云い、忠太も同じおもいだったという、おれはその二人よりもっとお光ぼうが好きだった、市三も又ものろも、口には出さねえがおれたち以上に惚れていたかもしれねえ、けれどもおめえが先手を取り、みんなは二人の仲を守ってやろうときめた、わかるな」

泰二はほんの僅《わず》かに頷いた。

「おめえたちが夫婦になるまで、どんな人間にもちょっかいを出させねえって、きざなようだが、おれたちは二人のうしろ楯《だて》になったつもりでいたんだ」そう云って宗吉は片手で静かに膝《ひざ》を叩いた、「——これでおれの云うことは終りだ、さあ、こんどはおめえの番だぜ」

泰二は咳《せき》をし、低くうなだれ、それから頭をあげて天床を見た。

「おれにもわからない」泰二は知らない言葉をさぐりだすような、しどろもどろな調子で云った、「あいつがどうして死んだか、どうして身投げなんぞする気になったのか、まるで見当もつかないんだ」

「逢曳きのときにも話は出なかったのか」と宗吉が云った、「源蔵ケ原ばかりじゃねえ、お光ぼうがこのうちから暇を取って出たあとでも、幾度か二人で逢ったんだろう」

泰二はゆっくりと宗吉の顔を見た。

「源蔵ケ原だって」と彼は舌が鉛にでもなったような、まだるっこい口ぶりで反問した、「おれは知らないが、源蔵ケ原って、いったいなんのことだ」

「いろはを順に読むことあねえ」と市三が冷やかに云った、「話を進めろよ」

「おれはほんとに知らないんだ、なんにも知らないということではみんなと同じなんだ」と泰二は確信のない調子で云った、「あいつがこのうちから暇を取ったわけも知らなかった、そう聞いたから小梅にあるあいつのうちをたずねてみたら、都合があってよそへ預けたと云うばかりで、おふくろさんはそれ以上なにをきいても相手にしなかった、おれはあいつが、どこにいるかも知らなかったんだ」

「焦《こ》げっ臭えな」と忠太が云った、「どっかでなにかくすぶってるようだぜ」

「そうかもしれないが、おれは」

「のろ」忠太は泰二の言葉を遮って云った、「もういいぜ、おめえの話を聞かしてくれ」

「苦手だなあ、こいつは」のろはてれてうしろ首を叩いた、「おらあいつも追いまわしが役どころで、舞台のまん中に坐《すわ》ったことがねえから、こういうことになるとてんからのぼせちまうんだ」

宗吉が「のろ」と云った。

「いいよ、話すよ」のろは坐り直した、「泰さん、これからおれの云うことで、気に障《さわ》るような話が出るかもしれねえが」

「よけいなことはぬきにしろ」と忠太。

「わかったよ」とのろは云った、「それじゃ始めるが、お光ぼうはみごもってたんだ」

泰二の口が力なくあき、その眼がそろそろとのろのほうに向いた。又次郎の貧乏ゆすりが止り、宗吉は自分の盃へ酒を注ごうとしたまま、疑わしげにのろの顔を見まもった。市三はそっぽを向いたまま動かず、忠太ひとりは血ばしったような眼で、泰二の表情をのがさじと睨んでいた。

「このうちから暇を取ったのも、小梅の実家から深川の親類のうちへ身を寄せたのも、みんなそのためだった」とのろは続けた、「おなかの児はよつきで、軀が小柄だから人の眼につく、それでこの店にもいられなくなったし、実家にも近所が遠慮でいられない、それが十月のことで、しかも相手の男と相談したが、世帯《しょたい》を持つあては当分ねえっていう、腹の児はもうむつきだ、小梅の実家には両親のほかにきょうだいが七人、寝たっきりのばあさんもいるというありさまだ、これだけ事が揃《そろ》えば、身投げをするのもそんなにふしぎはねえだろう、――死ぬまえの晩のことだが、夜なかにしくしく泣きながら、二度も三度も男の名を呼んだそうだ」

のろはそこで口をつぐみ、眼をつむった。泰二の顔はみじめに歪み、彼を睨みつける忠太の眼はぎらぎら光るようにみえた。

「――泰さん」とのろは囁《ささや》くように云った、「かんにんしてね、泰さん、――その親類のおばさんという人が、はっきりそれを聞いたそうだ」

のろが話し終ると、小座敷の中は耳が痛くなるほどの、張りつめた沈黙に蔽《おお》われた。すぐに、又次郎がなにか云いかけると、忠太が屹《きっ》と泰二を睨んで、さあ、わけを聞こう、と挑むように云った。

「わけと云ったたって、おれにはなんにもわかりゃしない、だい一、あいつがみごもっていたっていうことからして、おれはいま聞くのが初めてなんだ」と泰二がふるえ声で云った、「おれにはとても本当のこととは思えない」

「もう少しましな云い訳はねえのか」

「お光がみごもっていたなんて」泰二は忠太の言葉など耳にもはいらないように、うつろな眼を天床へ向けながら、首を左右に振った、「――そんなことがある筈《はず》はない、もしそんなことがあったとしたら、おれに、――いや、嘘《うそ》だ、それはなにかの間違いだ、のろはなにか聞き違えたんだ」

「云うことはそれだけか」と宗吉が穏やかに云った、「お光ぼうは死んじまったからなんにも云うことはできねえ、おめえは生きている、生きているおめえのほかに、本当のことを話せる者はねえんだ、夫婦約束までした相手が、身投げをして死んだんだぜ、泰二、こいつは冗談ごとじゃねえぞ」

泰二の顔がさっと白くなり、頬の肉のひきつるのが見えた。

「それはおれの云いたいことだ」泰二は吃りながら云った、「それはおれの云いたいことだ、お光はおれが夫婦約束をした女だ」

「なぜ夫婦にならなかった」と忠太が云った。

「おれの」と泰二はまた吃った、「お光のほうの家族のこともあり、おれのほうもすぐにはどうにもならなかった、もう一年、いや、もう半年もしたらって、そう話しあっていたんだ、半年もしたらどうにかしようって、九月の末のことだ、本当に二人で相談しあったんだ、みんなが信じようと信じまいとおれの知ったこっちゃねえ、おれはお光と夫婦になるつもりだったし、嘘も隠しもねえ命がけで好きだったんだ、それを、そんな」唇がふるえて言葉が途切れた、「——子供ができて、世間に顔向けがならなくなって、身投げをして死ぬなんて、そんなことがあっていいもんか、おめえたちがなんのためにおれを呼びつけて、こんなけじめをくわせるのか知らない、けれども、いちばん辛《つら》いのはおれなんだぜ、みんなにとっては向う河岸の火事だろう、痛くも痒《かゆ》くもないだろう、だがおれにとっては」

「泣き言を聞こうというんじゃねえ」と忠太がきめつけた、「どうしてこんなことになったか、おれたちは本当のわけが知りてえんだ」

「もういいだろう」と市三が云った、「云えねえものを諄《くど》くきいてもしようがねえ、この辺でけりをつけようじゃねえか」

「そうだな」と宗吉が云った、「そのほかにしようはねえらしい、出ようぜ」

泰二は市三を見、宗吉を見た。のろが立ちあがり、他の三人が立ちあがった。

「立てよ」と忠太が泰二に云った、「外へ出るんだ」

泰二が立ちあがり、市三からさきに、五人は外へ出た。宗吉が女中に、すぐに帰るから座敷はそのままで、と云い残し、かれらは泰二を中に挟《はさ》んで表通りから横丁へはいり、狭いろじをぬけて空地《あきち》へ出た。三百坪ばかりの草原で、まわりはぎっしりと家が詰っているが、二つ三つかすかに灯が見えるばかりで、あとはただ黒い影絵のような眺めだった。そこはまえに源蔵ケ原と呼ばれていて、三倍くらいも広かったが、いまはその名を知っている者もなく、子供たちはわけもわからずに「げんぞっぱら」と呼んでいた。空地のほぼ中央にもちの木がひねこびたような枝を張り、その一方がちょっと低くなって、雨のあとなどには水溜《みずたま》りができ、夏から秋にかけて、蜻蛉《とんぼ》がよく群をなして集まるのが見られた。

原へはいってゆく五人の足の音で、凍《い》てた土がきしんだ。まもなく霜がおりるのであろう、空にある半月の光で、枯草の葉がきらきら光った。

「この辺でよかろう」と宗吉が云った。

かれらは立停り、泰二をとり囲んだ。

「泰二、わかっているだろうな」と宗吉が云った。

泰二はうなだれた、「約定のことならわかってる」

「ちょっと」と又次郎が口をはさんだ、「おれにもちょっと云わせてもらいたいんだが、昔の約定といっても、いまになってみれば子供っぽ過ぎると、泰二にだって口に云えないわけがあるんだろう、だから」

「子供っぽ過ぎるって」忠太がするどく反問した、「忘れたのか、おれたちのお光ぼうが身を投げて死んだんだぞ、子供っぽいもくそもあるか、人間ひとりが死んだんだぞ、いまになってくだらねえことを云うな」

泰二はそこへ坐った。固くなっていた膝を折るとき、関節の鳴る音がし、坐った脚の下で、凍てた枯草がかさかさと鳴った。

「さあ、やってくれ」と泰二が云った、「おれが悪かったんだ、どうにでもしてくれ」

五人はしんとなった。泰二は坐った膝へ両手を突き、頭を低く垂れた。市三が眼の隅で忠太を見ると、まるでそれがはずみにでもなったように、忠太が前へ踏みだした。

「みんな」と彼は叫んだ、「おれから先にやるぜ」

そして右手を拳《こぶし》にして振りあげ、左手で泰二の肩を押えた。そのとき、市三がすっと寄って、忠太の振りあげた右手を捉《とら》え、ぐいとうしろへ引戻した。

「のろ」と市三が云った、「もういいだろう、本当のことを云っちまえ」

忠太は腕を振り放そうとしたが、市三は両手で摑《つか》んで動かさなかった。又次郎はおろおろとみんなの顔を見、宗吉がなんのことだと云った。

「ほんとのことを云おう」とのろが、いかにも待ちかねていたように云った、「さっきの話には出さなかった、出さなかったわけは市あにいが云うだろうが、泰さん、——それからみんなも聞いてくれ、お光ぼうが死んだのは大川へ身を投げたんじゃねえ、おなかの児をおろそうとして、その手当をしたばばあがやりそこなったのがもとで死んだんだ」

「放せよ」と忠太が身をもがいた。

「もうちっとだ」と市三が云った、「話は長くはかからねえ、じっとしてろ」

「のろ」と宗吉が云った、「そんならなぜ、大川へ身投げをしたなんて云ったんだ」

「あとを聞いてくれ」とのろは云った、「おれがおっちょこちょいな人間だってことは、ここにいるみんなが先刻ご承知だ、慥《たし》かに、おれはおっちょこちょいだし、のろと云われてよろこんで追いまわされてる人間だ、のろ、忠太はそこに眼をつけたんだ」

「おれがどうしたって」と忠太。

「へたな口をきくな」と云って、市三は腕に力をいれた、「すぐに済むからじっとしてろ」

「おれがどうしたってんだ」

「自分で知ってるだろう」とのろは云った、「七月の下旬、おめえはこの源蔵ケ原で、お光ぼうをてごめにしたそうじゃねえか、泰さんが来ているからと嘘を云ってさそいだし、そこのもちの木の下で、——かんにんしてくれって泣いて頼むお光ぼうをよ」

「じたばたするな」市三がもっと力をいれて忠太の腕を捻《ね》じあげた、「のろ、あとを続けろ」

「そんな非道なことでも児《こ》はできる、女ってなあ悲しいもんだ」とのろは云った、

「おなかが眼立つようになって、お光ぼうがどんなに苦しんだか云《い》うまでもあるめえ、泰さんには顔も合わせられねえ、人に気づかれては恥ずかしい、それで店から暇を取ったが、きょうだいの多い自分のうちにもいられねえ、本所のおばさんのところへ身を寄せたが、泰さんといっしょになるためには、おなかの児をどうにかしなくちゃならねえ、こどもを闇《やみ》から闇へ消すのはたまらねえが、てごめにされてできたものだから堪忍《かんにん》してもらう、そう思いきって近所のばあさんにかかった、——ところがその手当がしくじって、軀《からだ》じゅうからっぽになるほど血を出して死んじまった、そして死ぬときに云ったんだ、泰さん、かんにんしてちょうだいって、——しゃがれた細い声でな、泰さんかんにんしてちょうだいって、おばさんという人が泣きながらそう云ってたぜ」

みんなが息をのんだ。のろは手の甲で眼を拭《ふ》き、泰二は口をあいて忠太を見た。彼の額が月の光で白く浮きあがり、空洞のようにあいた唇のあいだから、歯があらわに見えた。

「なんてえこった、とんでもねえ」と又次郎が云った、「もしもそれが本当なら、どうして身投げなんて、とんでもねえ話を拵《こしら》えたんだ」

「忠太は自分の罪をまじくなうために、泰さんを引張り出そうとしたんだ」とのろが云った、「おいらあのろだ、のろなら騙《だま》して使えると思ったんだろう、おれにうまいこともちかけてきた、そこで市あにいに相談したところ、忠太の云うままになってろと云う、おれはおっちょこちょいだが、そう云われてははあと思った、それで忠太の望みどおりな筋書を仕上げたってわけさ」

「ひでえな、そいつはひでえ」と云って又次郎は足踏みをした、「こんなべらぼうなことを知っていて、なぜみんなは黙っていたんだ、おまけに泰さんをあんなにいじめるなんて、いってえどういうつもりなんだ」

「こうと約定をきめたなかまの前で、ことをはっきりさせたかったんだ」と云って、市三は摑んでいた忠太の腕を突き放した、「――なにか云うことがあるか忠太、のろの云ったことに間違いでもあるか」

「おれは」忠太は細い声で云った、「おれはお光ぼうが好きだった、――死ぬほど好きだったんだ」

「云うことはそれだけか」と宗吉が云った、「おれも又と同様なんにも知らなかった、市三からちょっとほのめかされたが、まさかこんなこととは考えもしなかった、忠太、いくらなんでもそいつはひど過ぎやしねえか」

「おれに云うことはねえ」と忠太がもっと細い声で云った、「ただお光ぼうが好き、死ぬほど好きで、どうにもならなかったんだ、けれども、みごもったっていうことは知らなかった、本当にそれは知らなかったんだ、もしそれを云ってくれたら」

「お光」と泰二は呟《つぶや》いていた、「——お光」

「本当のことがばれるのが怖かった」忠太は続けていた、「本当のことがばれたとき、みんなにどうされるかと思うと、寝ても眠れねえ晩が幾夜あったかしれねえ、お光ぼうがあの店からいなくなったとき、これでみんなにわかっちまうかと思った、だがなんのこともねえ、そんならいまのうちになんとかできるかもしれねえと思って、自分でやっちゃあ信用されめえから、うまくのろにもちかけたんだ」

そこまで云うと、忠太は急に泰二の前へ膝《ひざ》を突いた。そして凍てた土の上へ両手をおろし、頭を垂れて泣きだした。

「おれはここで叩《たた》っ殺されてもいい、泰さん、済まなかった」と彼は喉《のど》を絞るような声で、泣きながら云った、「けれども本当だ、おらあ本当に、お光ぼうがみごもっていたことは知らなかった、本当に知らなかったんだ」

「云い訳にゃあならねえ」と又次郎が鼻の詰ったような声で云った、「こんなひでえ話ってあるもんじゃねえ、おれたちのなかまにこんな人間がいたなんて、おれにゃがまんがならねえぜ、みんな」

「にせがねは初めっからにせがねよ」のろはそう云って唾《つば》を吐いた、「おらあ市あにいに云われたから、へえへえって、こっちから忠太の思う壺《つぼ》にはまってやってたが、本所で話を聞いたときゃあ、はらわたがずたずたになるような気持だったぜ」

又次郎が市三に云った、「この野郎、どうしよう」

「約定どおりよ」と市三。

「待ってくれ」と泰二がしゃがれた声で、顔をあげながら云った、「今夜はこのまま、おれを独りにしてくれ、忠太のこともおちついてからにしよう」

「約定は約定だ」と市三が云った、「子供っぽいかもしれねえがけじめはけじめだ」

「宗ちゃん、頼む」と泰二が云った、「おれを独りにしてくれ、忠太のことも、なにもかもあとの話だ、今夜はこのまま、頼むからおれを独りにしてくれ」

「泰二」と市三が云った、「おめえそんなちょろっかなこって、おれたちが集まったと思うのか」

「忠太は死ぬほどお光が好きだったと云った」と泰二が云った、「てごめにしたうえ殺したも同然だが、それほど好きだった、ということは嘘じゃないだろう、おらあ聖人ぶるわけじゃないが、人間てなあみんな弱いもんだ、おれに甲斐性《かいしょう》があって、もっと早くお光といっしょになっていたらこんなまちげえも起こらなかったかもしれない、おらあ頭がこんがらがって、いまはなにを考えることもできないが、今夜ここで忠太をどうしようということだけはよしてくれ、そんなことをしたってなんにもなりゃあしないんだ、頼むからおれを独りにしてくれ」

宗吉が市三の腕に触った。

「ひでえもんだ」又次郎がそっぽを向いて呟いた、「こんなひでえこたあありゃあしねえや」

「忠太」と市三が云った、「立てよ」

忠太はうなだれて、まだ泣きながら口の中で云った、「いまやってくれ、おらあどうされたって構わねえ、ここでみんなの思う存分にやってくれ、いっそこのおれを」

彼は悲鳴をあげるように叫んだ、「――ここで、叩っ殺してくれ」

「たくさんだ、もういい、たくさんだ」と泰二がひそめた声で云った、「頼んだろう宗ちゃん、おれを独りにしてくれないのか」

こんどは市三が宗吉の肩を叩いた。

「立てよ、忠太」と宗吉が忠太に云った、「せわをやかせるな」

「泰さん」と忠太が呼びかけた。

泰二は両手を膝に突き、うなだれたままなにも云わなかった。

「立たねえのか、忠太」と宗吉が云った、「せわをやかせるなと云ったろう」

「頼むよ」と泰二が云った。

「勘弁してくれ泰さん」忠太は片方の腕で顔を掩《おお》いながら云った、「――勘弁してくれ」

市三が忠太の肩を叩き、忠太は弱よわしく立ちあがった。なんてえこった、と又次郎が云った。ほんとに、なんてこったろう。――市三と宗吉が、左右から忠太の腕を取った。又次郎は不決断に、忠太を見、振向いて泰二を見た。のろはせかせかと頭を掻《か》いたり、泰二のほうを見たりした。忠太を中に、五人が去ってゆき、あとに泰二が独り残った。空の半月が薄雲に掩われ、源蔵ケ原がいっとき暗くなった。

「お光」と泰二が云った。

彼は凍てた土の上を、片手で劬《いたわ》るようにそっと撫《な》でた。

「お光」と彼は云った、「辛かったか」

彼の喉へ嗚咽《おえつ》がこみあげてき、全身がふるえだした。


（「週刊文春」昭和三十七年十月）

溜《ため》息《いき》の部屋

今でもその室《へや》の壁には『溜息《ためいき》の部屋』と彫りつけた文字が遺《のこ》っている。

山手の並木街に添った古風な映画館、ブラフ・シネマの楽屋には、そのころ実にさまざまな人間が集まっていた、同時に奇妙なことは、それらの者たちがみな、それぞれに人生の埒《らち》の外へはみ出た、一言にして云えば落魄《らくはく》した者ばかりであったことだ。主任弁士の沢木七郎《さわきしちろう》は朝から酒びたりで、オセロオの説明に浪花節《なにわぶし》を入れたり、ファスト・ヴァイオリンを弾いていた安土竜太郎《あづちりゅうたろう》は向う鉢巻でユウモレスクの曲弾をやったりして、気の良い山手の客の度胆をぬいていた。見習い弁士の早見俊平《はやみしゅんぺい》は七郎の弟子であったが、彼はしばしば泥酔《でいすい》する師匠のために、沢木七郎そっくりの声色でとりの説明をしなければならなかった、しかしこれらのでたらめな悪戯《いたずら》は、彼らが不真面目《ふまじめ》であったからではなくて、あまりに多く真面目であろうという欲求をもった結果というべきだった。コントラバスの米山八《よねやまや》左衛門《ざえもん》にしろ、ピアノの粕壁大五郎《かすかべだいごろう》にしろ、技師の久良三吉《くらさんきち》にしろ、また見習いの早見俊平にしろ、みんな生活に一つの強い信念をもっている人間で、それゆえにこそ、だんだんと下積みへ落ちていくそれぞれの境涯を、どうしようもないほどはっきりと見なければならぬ苦痛に堪えられなくて、浪花節をうなり曲弾をやらずにはいられないのだ。

その楽屋は横に長い四坪ばかりの陰気な室だった。ながいこと塗替えをしない壁は、すでに所々に剝落《はくらく》していたし、それを隠すために貼付《はりつ》けた外国映画のポスタアは、いつも端の糊《のり》が乾き割れるので、ただ一つ並木街へ面して展《ひら》いている小さな窓から、吹きこんでくる風に煽《あお》られては、ぱさぱさと人知れず音をたてていた。真中に炉を切って、冬になるとこれへ炭火を盛上げ、すっかり綿天鵞絨《めんびろうど》の磨切《すりき》れている椅子《いす》をまわりへ置いて、みんな無遠慮に炉の上へ足を差出しながら煖《だん》をとった。

見習いの早見俊平や、ピアノの粕壁大五郎や、コントラバスの米山八左衛門——彼はでぶの米八と略称されていた——や、さらによりしばしばファスト・ヴァイオリンの安土竜太郎などは、酒に夜を更《ふ》かして下宿へ帰れなくなると椅子をこの炉辺へ並べ、その上に外套《がいとう》を引掛けて朝までごろ寝をしたものである。でぶの米八とひと口に呼ばれている彼八左衛門が、ときによると終夜その椅子の上で眠らず、みじめに溢《あふ》れ出る涙を抑えかねていたことなどはおそらく椅子の磨切れた綿天鵞絨のクッションの外には知る者もなかろう。

この灰色の壁に取囲まれた穴倉のような部屋の片隅に、爺《じい》さんと呼ばれて、その頃すでに七十に近い老人が、いつも溜息をつきながらしょんぼりと生きていた。長いあいだ芝居の中売や寄席《よせ》の下足番などをしてきた男で、人の世の隅という隅を見て歩いたはてに、辛うじてみつけ出した最後の片隅がそこだったのだ。爺さんは泥靴で汚れた床を掃き、炭を砕き、湯を沸かし、そして隅へ引込んでは居睡《いねむ》りをするか、でなければ溜息を吐いていた。

この灰色の室に『溜息の部屋』という文字が書付けられたのは、しかし爺さんがいつも溜息を吐いていたからではない、これまで描いてきた冗長な説明は、私がこれから語ろうとしているきわめてありふれた喜劇の書割にすぎないのだ。

その年の十一月に入った第一週から、ブラフ・シネマではインタアバルに、奏楽へ女声独唱を加えることになった。

提案を通させたのは沢木七郎だが、コントラバスの米山八左衛門が友だちに頼まれて、これも中央地区からだんだんと場末へ落ちつつあった歌手、根来八千代《ねぎやちよ》というのを持ちこんだのである。館主は初め不賛成だったが、二番煎《せん》じのバアサル物ばかりでは、せめて女声の甘い小唄《こうた》でも挟《はさ》まぬかぎり、入りをとることはできないと熱心に沢木が口説いた結果、向う五週間という契約で話が定《きま》ったのだ。

契約が定って、根来八千代が初めて楽屋へ挨拶《あいさつ》に来た——その明くる日、この灰色の陰気な室には驚くべき変化が起こった。

朝、いつものように出勤して、楽屋へ入って来た爺さんは、脚の欠けた喫煙卓子《テーブル》の上に、赤い花を挿《さ》した一輪差の花瓶《かびん》をみつけてまず驚かされた。壁には新しく——とくに図案的な柄の——映画ポスタアが何枚も貼られ、入口には厳しい文字で『土足厳禁!!』と書いた紙が、綺麗《きれい》に掃き清められた床を見下ろしていた。炉の中にはもはや一本の煙草《たばこ》の吸殻もなく、さらに笑うべきは、三升も入ろうという大きな湯沸かしが、何年もの銹《さび》を磨き落されていかにも気羞《きは》ずかしげに、真鍮《しんちゅう》色の光を放っていたことである。

この現象については誰も一言も触れようとしなかったが、ともあれ昨日までのよどみきった退屈なこの部屋の面貌《めんぼう》はまるで一変して、そこには不規則ながら整頓《せいとん》ができ、微《かす》かながらテンポと調和とが現われはじめた。しかしさらに驚くべきことは午後になってから、その夜うたう歌をオーケストラと打合せるために、根来八千代が舞台へ立ったときのできごとである。

客の入っていないがらんとした小屋の中に、根来八千代のうたうソルベイジの唄の

第一節が終って、第二節にかかろうとしたとき、ファスト・ヴァイオリンを弾いていた安土竜太郎はふいに指揮台へ上った。そしてその上で唄の最後の一節が終るまで異常な熱心さで伴奏をつけ終ると、弓を措《お》くなり、

「すてきだ、すてきだ」

と云《い》いながら拍手を送った。米八をはじめ粕壁大五郎も、外のみんなも、それに倣《なら》って熱心な拍手を続けた。

みんなついに活々《いきいき》と肱《ひじ》を張った、そして尊敬の眼をあげて根来八千代を見上げながら、おのおの楽器を執り直した。かくて第二の歌ミニヨンが始まったとき、その貧しいオーケストラ・ボックスからは、かってその建物の中で響いたことの無い、素晴らしく立派な、美しいメロディが流れでてきたのである。

さらに二種のバルカロールを合せ終ると、一斉に立上った楽手たちが歌手へ、舞台の上の歌手が楽手たちへ、感謝をこめた拍手を送りあったとき、両者の眼に涙があったと云っては、嘘《うそ》に聞えるであろうか。

打合せが済むと、安土竜太郎は米山八左衛門を誘って外へ出た、そしてひどく亢奮《こうふん》したようすで、大股《おおまた》に歩きながら云った。

「おい、ありゃ本物だぞ」

それからこう付け加えた。

「声も荒れてるし、テクニックも随分と安手なもんだが、素晴らしい感情だ、あれだけおれのヴァイオリンへ透《とお》ってくるなあねえぞ」

二人は開幕楽の始まるまで帰って来なかった。そして帰って来たとき、安土竜太郎も米山八左衛門も、深い奇妙な光を両の眸子《ひとみ》に湛《たた》えていた。

根来八千代は年の頃二十三四で、やや肥《ふと》りじしの眼の細い、頰の紅《あか》い小柄な女だった。無雑作に女性を二つの型に分類したがる人たちの言葉を藉《か》りて云えば、正しく彼女は母型に属すべきタイプであろう、際立《きわだ》って美しくない代り、ひと眼で誰にも好感をもたれる人柄だ。そして彼女にはいつも良人《おっと》が付いていた。

彼女に良人のあることなどは、無論このブラフ・シネマの者たちには何の影響でもなかった。そればかりでなく、彼根来勇助《ねぎゆうすけ》が描かぬ貧乏画家で、ひどく進んだ肺病患者であることを知ると、八千代に対するみんなの好感が、一種の尊敬にさえ変っていったくらいである。勇助自身は自分の病気を肋膜《ろくまく》の痼疾《こしつ》だと云っていたが、そんなことを彼が自分でも信じていないくらいは、誰にも理解することができた。

根来勇助はいつも八千代と一緒に楽屋へ現われるか、でなければ一足先に来て、炉端の古椅子にかけては陽気な雑談を楽しんでいた。そして八千代がその日の歌を終ると、気の良いオールボアルを叫んで帰ってゆくのだ。

さもあらばあれ、この灰色の室はめざましく変化を続けた。壁の映画ポスタアは絶えず新しく貼替えられ、喫煙卓子の上の花瓶には欠かさず、赤か青か、でなければ紫色などの花が挿された。吸殻はかならず灰落しの中へ捨てられるし、誰も彼も靴の泥は叮嚀《ていねい》に拭《ぬぐ》ってからあがった。そして爺さんは、より部屋の隅に引退《ひきさが》って、もはやその溜息はみんなの耳に届かなくなってしまった。

誰かが米八などが、洋服の月賦屋《げっぷや》に厳重な催促を喰ってくさっているときなど、根来八千代は相手の腕を軽く叩《たた》きながら云う。

「ばかねえ。あんたはバスを弾くのが商売だし、月賦屋は月賦の催促をするのが商売じゃないの、とすればあんたのバスを聴いてくさる人のないように、あんただって月賦の催促でくさるわけはないはずよ——さ、元気になんなさい、あたし今夜アンクオルのとき、あんたのためにスィート・アドレインをうたってあげるわ」

そして米八がバスを弾きながら眼にいっぱい涙をためるまでに美しく、あまく、マイ・スィート・アドレインをうたうのだ。

もはや沢木七郎は浪花節をうならなかった、安土竜太郎は鉢巻を捨てた。何という変りようだ。今まで大きな声ひとつ響いたことのないこの部屋に、活気のある笑いが絶えずわいた。出たり入ったりするみんなの足取は軽く、そして楽しげだ、偏屈な沢木七郎まで柄になく冗談をとばした。映画がかぶってから、待っていた根来八千代夫妻を取巻いて、みんなが近くの喫茶店に集まるときなど、そこには若々しく力強い芸術の雰囲気《ふんいき》が醸《かも》しだされる。一言にして云えば小さなラ・ボエームの一場面だ。安土竜太郎がふいに立って外へ出て行ったかと思うと、間もなく赤葡萄酒《ぶどうしゅ》の――途中で日本製のあくどいレッテルを剝《は》ぎ取って――壜《びん》を二三本抱えて戻って来る。それぞれのタンブラアへ酒が注ぎ回される、ブラボーの三唱だ。見習いの早見俊平は立ち上って、うろ覚えのアンニイ・ロオリイをうたい始めた、しかしひどく亢奮《こうふん》しているので歌を続けることができず、すぐにやめて腰を下ろす、みんながそれに好意ある拍手を送る、やがて根来勇助が椅子の上に立って、タンブラアを高く捧げながら叫ぶ。

「諸君、これこそ正に我らの人生だ、今や世の芸術は黄白《こうはく》の密室で取引され、卑俗の冠を頭に、汚穢《おわい》の沓《くつ》を穿《は》いて太陽の下を往くが、ここには一杯の佳《よ》き葡萄酒と高《こう》、邁《まい》なる感情の昂揚《こうよう》がある、見えずといえども桂冠《けいかん》は我らの額高く輝き、象《かたち》なけれど綾羅《りょうら》の衣我らを飾る、我らに掣肘《せいちゅう》なく、我らに阿諛《あゆ》なし、猥雑《わいざつ》の世を遥《はる》かに見下ろして、飢えと貧困の楼高く我らは謳《うた》う。見よ、これこそ正に我らの人生だ」

みんなのタンブラアが高くあげられた。安土竜太郎は筐《はこ》からヴァイオリンを取り出し、みんなは根来八千代を、擬大理石の卓の上へ押上げた。

「チゴイネルワイゼン!!」

根来八千代はうたいだした。みんなは軽く軽く卓を叩いていたが、やがてそれが混声合唱になった。

この奇妙な宴の果てた後、安土竜太郎と沢木七郎は、腕を組みながら深夜の街へ歩きに出て行った。二人の眼は輝き、呼吸は深くなり、足は力強く、凍《い》てついた道を踏み緊《し》めて行った。

「そうだ、これこそ人生だ、貧乏と、屈辱と、嘲笑《ちょうしょう》と、そして明日の望みのなくなったときこそ、はじめて我々は人生に触れるのだ」

「落魄とは何だ、もっとも高く己れを持する者のみに与えられた美酒ではないか」

そんな事を取止めもなく語りながら、暗い裏街をそれからそれへと、あてどもなく歩き廻った。そして夜明けがたブラフ・シネマの楽屋へ戻って来た彼らは、並木街に面した窓から部屋の中へもぐりこんで寝た。

しかし、こういう亢奮は、べつに安土竜太郎や沢木七郎だけが味わったのではない、一例をあげて云えば、見習いの早見俊平が英語学校へ入ろうと決心したのも――これはついに実現されなかったが――その影響であるし、ピアノの粕壁大五郎が、共同で大きなシムホニイを作曲しないかと、竜太郎に向って真面目に相談をもちかけたのも、同じ亢奮に根ざしていた。

この不思議な現象を何と説明したらよかろうか。話の表情だけに敏感な人は、おそらく根来八千代が、その偉大な音楽的才能をもって、この楽屋に現われた結果、一瞬にして光明が展開したというふうに思われるであろう、けれど事実はひどく違うのだ、根来八千代はべつに偉大な才能をもってはいない、彼女はその才能が自ら導く経路を辿《たど》って、次第に下へ下へと落ちていく、あらゆる人々と同じ人間だ。安土竜太郎は初めに、

「素晴らしい、こいつは本物だ」

と叫んだが、それは微塵《みじん》も偽りのない言葉とは云えなかった。音楽学校の初年級にも、もう少し良い素質の歌手のいることは、彼といえども知っていた。

ではこのブラフ・シネマの人たちを捕えたふしぎな亢奮は何の故《ゆえ》だろう。

契約の最後の週に入ったある夜。

いつもよりばかに早く、しかも大分酔って、根来勇助が楽屋へ現われた。彼は炉端の椅子の背に凭《もた》れかかって、くどくどと泣言をならべ始めた。

「僕は可哀想《かわいそう》な人喰鬼だ、僕は八千代を喰《く》って生きている。八千代には良いパトロン

があったんだ、それを僕が横から奪い取った。僕たちは愛を金で売りたくないと思ったからだ。はっは、諸君、ところがこんな始末だ、愛を売らなかった僕は、今や八千代の芸術を売って生きなければならない――見たまえ、ここに可哀想な人喰鬼がいるのを！」

勇助がくどくどとしゃべっているとき、不幸にも向うの隅の卓子で、安土竜太郎がせっせと作曲の鉛筆を走らせていた。彼は今粕壁大五郎との共同作品である、例の大きなシムホニイのテエマ・メロディを苦案しているところなのだ。

そのとき舞台では『思出の小径《こみち》』という甘いアメリカ映画が進行中であった、おそらくその伴奏楽の感傷的な曲が、勇助の饒舌《じょうぜつ》に油を注いだに違いない、彼の口調はわけもなく涙の色彩を濃くした。突然、安土竜太郎は鉛筆を卓子の上に叩《たた》きつけて喚《わめ》いた。

「そうだ、君は可哀想な、憐《あわ》れむべき人喰鬼だ、八千代さんの血を吸う蛭《ひる》だ、君がいなければあの人は芸術を取戻せる、なぜ君は自分の首へ縄を巻付けないんだ、そうすれば何もかも解決するのに、え？」

根来勇助は蒼白《そうはく》になった、初めは竜太郎の言葉の意味がのみこめぬらしく、白痴のように唇をもぐもぐさせていたが、やがて立上って、吃《ども》りながら、

「君は、君は――」

　と叫んだ。

「君は、何の権利があって、そんなに僕を侮辱するんだ、僕が何をしたというんだ、僕は君から、一銭だって借りてやしない」

「は、は、は」

　安土竜太郎は、調子のはずれたからっぽな声で笑うと、卓子の上へ頭を抱えて俯伏《うつぶ》した。勇助はそれを見ると、ふいに刺すような口調で、

「分った」

　と云った。

「分ったよ、君。君は八千代に惚《ほ》れているんだ、僕の女房にさ」

　竜太郎はびくっと身を顫《ふる》わせて顔をあげた。根来勇助は歪《ゆが》んだ、意地の悪い冷笑を、竜太郎の眼へ射込みながら続ける。

「誰でもそうだ、みんなが八千代に惚れる、そして僕に自殺をしろと云う、だが僕だってまんざら馬鹿《ばか》じゃない、知っているんだ、君がなぜそんなことを云うか――ねえ」

　安土竜太郎は拳《こぶし》を握って立上った。するとおりよくそこへ八千代が入って来たので

ある。それからあとの安芝居をここに書く必要はあるまい、竜太郎と勇助とは握手をした。

十二月三日、土曜日の夜の舞台で、ファウストの宝石の歌をうたいながら、根来八千代は突然に喀血《かっけつ》して倒れた。

安土竜太郎とでぶの米八に楽屋へ担《かつ》ぎこまれた彼女は、炉端に急造された綿天鵞絨《めんびろうど》の椅子《いす》のベッドに横たわって、きょとんとした眼つきで四辺《あたり》を見廻しながら、

「どうしたの、ぜんたいどうしたのよ、私は」

と云い続けていた。舞台ではとりの画が写され始めたが、沢木七郎は説明を早見俊平に任せて、八千代の傍《そば》から離れなかった。でぶの米八や安土竜太郎はもちろん、手の明けられるかぎりみんなが、八千代の廻りに集まった。医者の来る五分ばかり前に、八千代は二回めの大喀血を起こし、失神した。

駈《か》けつけて来た医者はすぐにゲラチンを注射し氷嚢《ひょうのう》を肺部に当てるよう、応急の処置をしてから、意識を回復した八千代に濃食塩水を飲ませつつきわめて愛想の良い表情で、慰安を与えた。

「かえってこう、最初に喀血のくるほうが、病状としては良好なのです。なに、半年も転地をして養生なされば、じきに恢復《かいふく》しますよ」

半年の養生。紫外線のじゅうぶんに含まれた日光と、清らかな空気と、豊富な滋養物と、安逸と。——八千代自身がうたえなくなった今、誰がそれらのものを与えようというのだ。

みんな暗然と声をのんだ。一瞬、冷凍室のように酷烈な沈黙がこの部屋を蔽《おお》ったとき、片隅で爺《じい》さんの吐く溜息《ためいき》の声がみんなの耳に聞えてきた、長いことこの部屋から忘れられていた爺さんの溜息が——。

医者が入院をすすめて去ると間もなく、ほとんど入違いにやって来た根来勇助は、集まっているみんなの顔を見ると、高く右手をあげながら、何ごとも知らぬ陽気な声で叫んだ。

「諸君、検察官が来ましたぜ」

私の語りたかった喜劇というのはこれで終《しま》いだ。その後ブラフ・シネマではふたたび女声独唱を加えようとはしなかった。

安土竜太郎はほどもなく、ふたたび以前のように鉢巻をして曲弾を始めたし、沢木七郎は酔って『ニイベルンゲン』の説明に浪花節《なにわぶし》を入れた。喫煙卓子《テーブル》の上の花瓶には、ながいこと一輪の赤いカネエションが、汚なく萎《しお》れたまま うちやられてあったが、いつかそれもどこかへ見えなくなってしまった。

壁にはもはや新しいポスタアは貼《は》られなかった、単に貼られぬばかりでなく、糊《のり》が乾き割れて落ちるものさえ、あえて元のように貼り直す者もないのだ。かくして壁さえも以前のように、その灰色の面をだんだんとひろげていった。

すべてがもとの姿にかえった。炉の中はいつも煙草《たばこ》の吸殻で狼藉《ろうぜき》をきわめ、掃いても掃いても床の上は泥靴で汚された。そして爺さんは、すこしも変らぬテンポで炭を割り、湯を沸かし、それから部屋の隅へ引籠《ひきこも》って溜息を吐いている。すべてが旧のままになったのだ。

『これは人生の溜息の部屋である』

そういう文字が、火箸《ひばし》か何かで灰色の壁へ荒あらしく書きつけられてあるのを爺さんが発見したのは、安土竜太郎が、新しく下町にできるダンス・ホオルの楽手に身を売って、ブラフ・シネマから去って行ったよほど後のことである。

壁に彫りつけられた文字は前と後がいつか薄れて、うまく火箸が塗料を傷つけた部分だけ、いつまでもそこに遺《のこ》っていた。『溜息の部屋』という部分だけが――。


（「アサヒグラフ」昭和八年四月）

正体

龍助危篤《りゅうすけきとく》という電報を手にしたとき、津川《つがわ》は電文の意味を知るよりも佐知子《さちこ》に会えるなと思うほうがさきだった。

「なんていうやつだ」

それでも彼はいちおうそう云《い》って自分を苦々しく反省したが、車で東京駅へかけつける気持には、すでにどう抗《あらが》ってみても危篤の友を見舞うにふさわしいものはなくて、抑えても抑えてもふくれあがる女への情熱でいっぱいだった。

佐知子とは彼女が龍助のあとを追ってフランスへ行くとき会ったきり手紙のやりとりもせず五年になる。

三年まえに帰朝したという通知を龍助からもらったおりには、前後を忘却するほど感情の紊《みだ》れに襲われたが、すでに二人は龍助の前では逢《あ》うことのできぬ関係になっていたから、そのときは無論のことその後もずっと相会う機会を避けるようにしていた。

龍助は帰朝してから半年ほど、東京で画《え》の仲間と生活をもったが、佐知子はチロルで喀血《かっけつ》して以来ずっと健康をとりもどせずにいると云って須磨《すま》の家に残っていた。

そして龍助が東京をひきあげるについて迎えがてら春服のモオドを見に彼女が上京

すると聞いたときには、津川は反対にそのときかかっていた仕事の材料を集めに鳥取市へでかけてしまった。そんなことが二三度続いたあとで、

「どうしたんだ、君たちはまるでお互いに逃げあっているみたいじゃないか」

と龍助が云ったりした。

東京をひきあげると間もなく龍助の態度が変ってきた。もっともフランスから帰った時分にもう彼のようすは変っていたのだ、それまでは本当にただ金持のお坊ちゃんが画を描いているというだけで、性格から云っても人好きの良い派手なことのすきな、悪く云うと浮っ調子だった彼が、すっかり沈みこんで、口も重くなり動作も鈍くなり、ともすれば相手の言葉の裏をさぐるような暗い眼つきをするのだ、着物の好みなどもひどく地味になったし、相貌《そうぼう》までが生気を喪《うしな》って、いつも額を蒼《あお》くし眉《まゆ》を顰《ひそ》めているというふうになった。

露悪的にしかものを表現することのできぬ仲間の一人は、

「杉田のやつは腎虚《じんきょ》だぜ、あの女房はあいつの感覚には淫蕩《いんとう》すぎるんだ」

と評したが、それはたんなる言葉として、その言葉のもつ印象にはしかし誰にも否定しがたい多分の実感があったのである。

龍助はだんだんと仲間から離れていった。たまに上京することがあっても誰にも会

わずに帰るし、三五人ある関西の友達ともまるっきり付き合わなくなった。神戸にいる八木《やぎ》良太《りようた》という友達があるときその状態を報告して、

「——彼はいまガラニスで妻君の裸体を描いているよ……おおお、神さま」

と伝えてきたが、それが龍助の生活の最期《さいご》の姿であった。


神戸駅へ着いたのは午後六時だった。歩廊へ足をおろしたとき、津川は思わず軽い眩暈《めまい》を感じて立竦《たちすく》んだ、彼はその瞬間に龍助の姿を見たのである、歩廊はいっぱいの人混《ひとご》みだったがその人たちのあいだにいつも彼を出迎えるときっと立っている鉄柱の蔭《かげ》のところからこっちを見ている龍助の蒼白い顔が鋭く津川の眼にうつったのだ。無論それはほんの一刹那《せつな》の錯覚で、ふたたび見やったときには似もつかぬ新聞売子がいただけであったが、——津川は思わず、

「——間に合わなかったかな」

と呟《つぶや》いてそっと頭を垂れた。


駅を出ると津川は、仲間でおぺ子のホテルと呼んでいる野村屋ホテルへ、外套《がいとう》を脱ぎ、すぐに須磨の家へ電話をかけた、初め女中が出てすぐ佐知子が代った。

「僕です、津川」

「ああ」

津川の声もしどろだったが、電話の向うでも低く叫ぶのが聞えた。

「いま着いたんですが、杉田の具合はどうですか」

「ちょっとお待ちください」佐知子は答えずに男の声と代った。それは八木良太だった。

「津川か、よう来たな」

「杉田はどうした」

「あかん、十時半だった、あとから電報したんやが見なかったやろ」

「うん、『燕《つばめ》』で来たから、そうかやっぱり駄目だったか」

津川は歩廊で見た幻覚を思い出してぎゅんと緊《し》めつけられるような息苦しさを感じた。

「いまどこや」

「野村屋にいる」

「すぐこっちへ来んか」

津川はちょっと返辞に困ったが、

「ゆうべ徹夜の仕事をしたあとでひどく疲れているんだ、どうせ間に合わなかったのならひと休みしてから行こう」

「さよか、じゃあとにかく晩《おそ》くにでも来いよ、今夜はお通夜《つや》やよってな、待ってるぜ」

電話を切ると、顔なじみの老主人に案内されて津川は二階の奥まった部屋へ通った、しかしひと眼部屋のようすを見ると彼はどこかもっと明るいところへ換えてくれと云って、表に面して増築したばかりの新しいほうへ移った。——さきの部屋の壁には、……正確に云うと東側の壁の腰紙の一部には、かつて彼の書きつけた万歳という字が遺《のこ》っているはずである、それを書いた六年まえのある夜の情景は、いまの津川には強すぎる呵責《かしやく》なのだ。

風呂《ふろ》から出るとおぺ子が夕食を運んできた。彼女は本当は蕗子《ふきこ》というのだが、顔のしゃくれた小柄の愛くるしい女で、仲間が誰云うとなくおぺ子というわけの分らぬ愛称をつけ、いかにもそれが似合っているので皆に愛されている女中だった。

「なんだ、君はまだここにいたのか」

「顔を見るなり何でんね、いないでどないしましょう、あんたさんがたが来てくださるうちは何年でもおりますが」

津川は箸《はし》を執りながら冗談の云いあいをしていたが、ふと思い出して龍助の死んだことを知らせた、おぺ子は眼を丸くして驚いた。

「それ、ほんまでっか」

「本当さ、だから今日来たんだ」

「まあ……夢みたいな」

おぺ子の驚きには理由があった。

それというのが、彼女の話によると龍助はこの半年ばかりひどい悪遊びをしていたということだ、大阪や京都の色街でずばぬけた真似《まね》をするばかりでなく、妙な女を伴《つ》れては繁々《しげしげ》と野村屋へも泊りにきたそうである、それが来るたびに相手が違っていて、なかに一人だけ三度ほど同じ女がいたのは、あとで妻君の佐知子だということが分ってさすがに驚かされたという。

「いくらお道楽でもあんまりでっせ」

とおぺ子は云った、「ゆうべ素性の分らぬ女子と泊った部屋であなた、明くる日奥さんと寝やはるなんて法がありまっかいな、ほんまに杉田はん悪にならはった思いましてん」

老人は死ぬ前に物慾《ぶつよく》が強くなり、中年の者は情慾が烈《はげ》しくなるという俗説を津川は思い出した（じつはそうではなかったのだ）。

おペ子の観察によると、つい半月ほどまえまでそんな乱行をしていた龍助には、微《み》塵《じん》も死を予想させるものはなかったというのであるが、津川には反ってそこに強い死の影が動いているように思われ、八木良太が、

「ガラニスで妻君の裸体を描いている」

と嘲笑《ちようしよう》的に伝えた言葉と一致して、その半年間のいらいらした龍助の気持が切実にまで感じられるのであった。

夕食のあと、津川は寝床をとらせて二時間ばかり横になり、九時頃に車を呼ばせて須磨へ向った。

月見山の家はひっそりとしていた。迎えたのは八木良太でどてらを着こんでいた、

「御苦労さん」

「いや、遅くなって」

津川はいまにも佐知子が出てくるかと、神経の鋭くなるのを抑えつけながら八木について龍助が居間に使っていた十畳へ通った。

部屋の上段にはすでに納棺《のうかん》された龍助の遺骸《いがい》があり、供物《くもつ》や華や飾り物がところ狭く並べられてあるあいだに、故人の親族と思われる人たちが十二三人つつましく控え

ていた。八木の紹介でその人たちと挨拶《あいさつ》をしながらすばやく見廻したが、そこには佐知子の姿はみつからなかった。

香をあげて部屋の隅にさがると、しばらくして通夜の僧が入ってきたのを機会に、八木が肩を突いてこっちへ来いと合図をした。

「おい、すばらしいぞ」

廊下へ出ると八木良太が云った。

「僕あじつのところ軽蔑《けいべつ》しとったんやが、今日あいつの画を見てびっくりした、すばらしいものがたくさんあるんや、まあ見てみい」

「妻君はどうしたんだ」

「頭が痛むとか云ってあっちへ行ったが——まあ妻君へお悔みを云うのなんかあとにせい、それより一遍あいつの画を見いや」

八木は津川の気持などにはかまわず、そう云ってどんどん画室へ入って行った。

龍助の画室は洋館の離室《はなれ》を改造したもので、明りとりも大きく、贅沢《ぜいたく》な嵌込《はめこ》み煖炉《だんろ》があって窓は全部二重硝子《ガラス》になっている十坪ほどのがっちりした部屋だった。

画室の中はいっぱいの画だった、額縁に入ったのや、カンバスのまま重ねてあるのや、大きさもとりどりでおよそ五六十点あるであろうか、それから驚いたことにはそれらの画が全部佐知子を描いたものであることだ、年代順に見ると初めは着衣の全身、それから半身になって、顔だけになって、さらに小品の中には眼を中心にした顔の上半だけのものが七八点に及んでいる。その次には裸体があった、全裸が五点、ことに人物八十号へ描いた一点は床に仰臥《ぎょうが》したもので、とうてい一般に展観することのできぬ猥《みだ》りがましい大胆なポオズである。

「ああそれはどむならん」

八木はひと眼見て云った、「そいつは杉田も失敗の作だよって破いてくれ云いおった」

「破けって――?」

津川は訊《き》きかえしながら、取り除《の》けようとする八木の手を押え、電燈の直射を避けるところへ置き直して喰い入るように見入った。

それは見れば見るほど放恣《ほうし》な淫卑《いんぴ》な筆つきである、あらわにひろげられた内腿《うちもも》には静脈がうき、双の眼は怠惰な倦怠《けんたい》と溶けるような欲望との入り混った不思議な赤みがさしている、右手を頭の後ろへ廻し左手はくったりと床の外へ垂れている、ぬめぬめと濡《ぬ》れている口辺、まるみと力の籠《こも》っている腹のふくらみ、それから伸ばした左足の指が強く内側へかがめられていて、それが流れている全体の線の調子を毀していると同時に、ひどく肉感的な暗示をもっているのだ。

津川はしばらくその画を凝視していたが、やがてまた始めから見直しにかかった。彼は丹念に一枚一枚見て行った。

「どや、それなんか立派やろ。洋行まえには金持のお道楽や思うていたし、実際帰ってから展覧会へ出したものやって皆駄物やったが、あいつ家へ引籠りだしてからこんな傑作を描きよった、これなら大威張りで遺作展やれるぜ」

八木良太は見ていく側からそんなことを云ったが、いまの津川には画の価値はどっちでもよかったのだ。

扉が開いて佐知子が入って来た、それは津川にはすぐ分った。

「いらっしゃいまし」

津川が振り返ると、こっちの眼を正しく見ながら佐知子は丁寧に腰をかがめた。彼女は五年まえに比べるとひどく肉付も良くなり、頬などは今度のことで疲れが出ているのであろうのに娘のように艶《つや》やかで張り切っていた。

「わざわざ、御遠方のところをおそれいりました、お知らせは出すまいと存じましたのですけど、八木さんが出すほうがよいとおっしゃいますのでお知らせ申しました」

「あなたもたいへんだったでしょう」

「はあ、ありがとう存じます」

佐知子のようすは津川を驚かすにじゅうぶんであった。

彼女の表情には微塵も動揺がないのだ、龍助の死を悲しむ色もなく、津川に会うことの感動もない、そうかと云ってべつにとり澄ましているとか仮面を冠《かぶ》っているわけではなく、一種の近寄りがたさ、見透しのつかぬ模糊《もこ》とした精気とでもいいたいようなものが、彼女の全身を包んでいるのだ。

佐知子は挨拶だけすると、向うで読経《どきよう》が始まるから来てくれと云って静かに去った。

「三十二やそこらで後家になるなんて彼女《あのひと》もお気の毒や、あの器量やからはたで捨てちゃおくまいが、何かあれば尻軽《しりがる》や云われようし、いつまでもここにおれば財産が欲しいのや云われようしな」

「財産なんて残ってるのか」

「仰山なもんやろ、なにしろ使った云うてもパリへ行ったくらいなもんやから」

「しかしこの半年ばかりだいぶ駄々羅《だだら》遊びをしたそうじゃないか」

「杉田がかい？　阿呆《あほ》なこと」

八木良太は知らなかった。

八木が読経の席へ去ってからも、津川は独り画室に残って画《え》を見続けた。そして多くのものに共通する一つのことに気付いた、それは今しがた佐知子が津川を驚かした一種の精気――捉《とら》えがたい静かさ、妖気《ようき》とでもいいたいものがどの画のうえにも現われていることである、そしてそれらの対照として一点だけ、八十号の裸体だけがまるでかけはなれているのだ、そこには明らさまな女が描かれてある、むしろ卑《いや》しめられるだけ卑しめた『女』というほうが当っていよう、不道徳にまでそれが誇張されてあるのだ。

「これは失敗の作だから破いてくれ」

龍助が死ぬまえに云ったという言葉を、津川はべつの意味から考えてみたかった。津川を驚かし、同時に龍助の多くの画に描かれている佐知子の妖《あや》しい精気というごときものは、六年まえ――いやすくなくとも龍助と結婚する以前の彼女にはかつてなかったものである、かえって龍助が破棄しようとする裸体にこそ、津川の知っている佐知子が描き出せているのではないか？

「いったい」

と津川は呟いた、「それにしても杉田はこんなにたくさん描いて、佐知子の何を描こうとしたのであろうか」

津川は初七日のすむまで神戸にいた。

そのあいだ三度ほど佐知子に会ったが、彼女の態度は初めの夜と少しも変らず、津川を見る眼つきにも応待にも、まったく感情の動く気配が見られなかった、そのあいだに津川のほうでも自分の気持の変化していくのに気付き始めていた。龍助危篤《きとく》の電報を手にしてから汽車に乗っているあいだじゅう、右も左もなくはちきれそうにふくれあがっていた佐知子への情熱が、いつかおそろしく平凡な悔恨に変り、かっての情事の思出さえが嫌悪《けんお》になってきた。

初七日の待夜《たいや》の法事はにぎやかだった。大阪や京都から画描き仲間が七八人集まり、故人の親族とはべつの部屋で酒が出された。八木良太は津川の知らぬ故人の友で矢走《やそう》院吉《いんきち》という脚本作家と龍助の遺作展をしようと提議を出し、それには幸い皆ここに集まっているからとりあえず画の選抜をしようと云って、みんなで画室のほうへでかけて行った。――津川も立とうとしたが、佐知子が静かに見上げながら、

「津川さんはここにいらっしゃいましよ、あたくし独りじゃ寂しゅうござんすわ」

「じゃああなたもいらっしゃい」

「あたくしには画は分りませんわ、それになんだか杉田の画は怖くって……」

津川はそれでも押切って行くわけにもならぬので、云われるままに座り直した。

津川は黙って盃《さかずき》を執った、佐知子もしばらくは遠くの人声を聞いているようすだったが、やがてひどく調子の違った声で、

「六年になりますかね」

と云った。津川はその調子から、彼女が自分の眼を求めているのを知って、抑えきれぬ気持の乖離《かいり》を感じながら頷《うなず》いた。

「野村屋に泊ってらっしゃるんですってね」

「ええそう――」

「どのお部屋……?」

津川はぎくりとしながら初めて眼をあげた。彼女のようすは変っていた。さっきから二三杯、みんなの相手をしているので、眼蓋《まぶた》がうすく色づき、きっちりと帯を締めた豊かな胸もとは微《かす》かに波をうっている、瞳《ひとみ》の輝きにも身がまえにも解放されたものがみえ、今はもうさきの夜津川を驚かせたあの近寄りがたい精気はなくて、かつて彼のまえに差し伸ばされた佐知子の本当の姿が現われているのだ。

どの部屋か――と訊く言葉の意味は津川をまったく狼狽《ろうばい》させた。

「あの八十号の画ね、裸体の」

津川は返辞をせずに話を変えた、「あの画はまだ画室にあるんですか」

「ええ、どうして」

「じゃあ今みんなが見ているわけだな、あれは少しひどいと思うんだが、あなたは不愉快じゃないんですか」

「だって画じゃないの」

佐知子は竊《ぬす》むように笑った、「フランスではもっともっとひどいのが平気で展覧会に陳列してありますよ」

「いや、そういう意味でなく」

津川は佐知子の言葉の調子に慌《あわ》てて相手を遮《さえぎ》ったが、佐知子のほうは眼尻でちらちらと津川の表情をさぐりながら笑っていた。

話はそれ以上進まぬうちに、戻って来た八木たちのために途切れた。——津川は九時少しまえに別れを告げて立った、そして玄関へ出ると佐知子が、

「角までお送りいたしましょう」

と云って一緒に下りた。

ショオルを肩にひきしめた佐知子は、津川の側へひき添うようにして歩いた。冷え徹る夜ですでに凍り始めた道には、月の光を浴びて寒々と白く浮いて見えた。

「いつお帰りになるの」

「明日帰るつもりでいます」

「――そう」

彼女の声は反問の響をもっていたが、津川は気付かぬふうを装《よそお》っていた。そしてそのまま停留場まで黙って歩いた。電車はなかなか来なかった、佐知子はときどき津川の横顔へ強い視線を投げかけていた――そして、やがて電車の近づいて来るのが見えたときであった、佐知子は急にすり寄って来てほとんど囁《ささや》くように、

「一日お延ばしなさい、明日の晩七時頃に野村へお伺いしてよ」

と云った。

津川は驚いて振返った。彼女はショオルのあいだから嬌《なまめ》かしく、むしろ勝ち誇ったように笑っていた。

「――あれだ」

電車へ乗ると同時に、津川は思わず叫びそうになった。あれだ。あれなのだ、龍助が描こうとして描けなかったもの、あれだけ描きながらついに捉えることのできなかったもの、それはいま、明日の晩行く……といったあの佐知子なのだ。

津川には今こそ了解できた、龍助は佐知子の正体を摑《つか》もうとしていたのだ、そして焦《あせ》りに焦った結果かえって彼女をべつなものにつくりあげてしまった、彼女が津川を

驚かせたあの一種の近寄りがたい雰囲気は、じつは龍助が自ら知らぬうちに彼女のうえへ拵《こしら》えあげたものなのだ、彼は佐知子を追求しながら事実はますます彼女から遠ざかっていたにすぎぬ。死ぬまえ半年のあいだの女遊びも、要するにそれらの悪行を通して彼女の正体をつきとめようとした表われなのだ。ところが、

「七時にお伺いしてよ」

と云ったあの瞬間にこそ彼女の正体は顕《あら》われている、そして同時にそれはけっして龍助には捉えることのできぬものなのだ――彼が自ら拵えあげた神秘の帷《ヴェール》を透して懸命に摑もうとしていたものは、じつは彼女が津川にと彼から盗んでいたのであった。

「あの八十号の裸体こそ、彼女の正体をつきとめていたのだ、だが――彼にとってはあれは失敗の作でしかなかった、そして……」

津川は息詰るように呟《つぶや》きを呑《の》んだ。

（「アサヒグラフ」昭和十一年三月）

解説

木村久邇典

昨年（昭和五十六年）の春、小宮山量平さんにおあいする機会をもった。小宮山氏は大の山本周五郎ファンのひとりであった。

ソビエトや欧米を回って来られたという小宮山氏の話によると、日本の近代文学作者のなかで、たとえばソ連でもっとも知名度が高いのは安部公房であり、英、仏、米などで知られているのは、漱石、鷗外、芥川のほかに、谷崎潤一郎、川端康成、太宰治、三島由紀夫、井上靖等だそうである。

「それでは、日本の映画監督でもっとも知られているのは？」と小宮山さんは、彼《か》の地《ち》の文学者たちに質問した。返答は申し合わせたように「黒沢明」だった。

「では重ねて訊《き》くが、黒沢の代表作品の大半の原作者である山本周五郎という小説家を知っていますか？」

答えはこれも申し合わせたごとくに「ノー」だったという。

小宮山氏はそこで、安部公房はもちろん優れた作家だが、日本にはそのほかにも大江健三郎や丸谷才一、安岡章太郎、吉行淳之介、など実力伯仲する才能が数多く存在することを説明し、自分個人としては、山本周五郎が好きであると、述べたとのことであった。

氏は続けていった、「山本周五郎が、いま挙げた人々よりも外国で知られていないのは、山本作品の多くが〈時代もの〉のせいだと思うんです。現代小説と違って、日本の時代ものは、封建社会が背景になっていて、独特の身分制度や風俗習慣を、外国人が一読理解するのはかなり難しい。戦後、日本の国際的な地位の向上につれ、日本文学もかなり海外に紹介されるようになってきましたけれども、時代ものの社会背景や、人情の機微などの複雑なニュアンスを伝えることのできるほど、日本語についての解釈力、理解力に富んだ語学者は、今のところまことに少ない。それが山本作品の、まだあまり外国に知られていない最大の原因だと思うのです。しかし近い将来、かならず優秀な外人の語学者が出てくることでしょうから、そうなれば、山本周五郎作品はおそらく世界的な普遍性を獲得するようになるにちがいない。きっとそうなると私は期待しているんです」

同感である。

さきごろある新聞で、さいきん文学界でひとつの変質が見受けられる。それは作品の芸術価値が低くても、書いた人間が有名人でありさえすれば、よく売れるという記事であった。読者がつねに求めているのは英雄だ。しかし現実にはそう安易に英雄がころがっているわけではない。そこで読者は、有名人を英雄の代替品として、彼らの著わしたものにむらがる。その芸術性とは関係がない。かくして現代は〝没価値の時代〟に入った……のではないか、という論調であったと思う。

このような潮流が実存するのは事実であって、たしかにひとつの洞察というべきだが、しかし、優れた芸術作品でも、すべてが〝没価値〟の潮汐《ちようせき》の彼方《かなた》に押し流され忘れ去られてゆくものであろうか。

これも昨年秋、山口瞳さんと対談した折、山口さんはつぎのように発言された。

「そういえば、最近、鈴木清順が監督した映画『ツィゴイネルワイゼン』の原作だというので、内田百閒《ひやつけん》先生の『サラサーテの盤』が、若い人たちにもてはやされたり、高橋義孝先生の本も読まれている。頑固おやじといっては変ですが、(山本周五郎も含めて)お三方とも妥協しないところがありますね」(『波』昭和五十六年九月号)

頑固で妥協しない一刻さが、若者たちに愛され、読み継がれている、というのだ。〝没価値の時代〟うんぬんとは別のところで、山本作品はその非妥協のひたむきさゆえに、ますます広い読者層を獲得しつつあるといってよい。山本周五郎が信条としたとおりに「小説には〈良い小説〉と〈悪い小説〉しかない」のである。そして英雄が書こうと無名人が物そうと、結局は〈良い小説〉は残り〈悪い小説〉は消え去って行くのではなかろうか。一般読者の目は、けっして節穴ばかりではない。「いや、一般読者の目こそ、もっとも恐ろしいのだ」。これも山本周五郎の持説のひとつであった。

　本書には昭和八年から昭和三十七年にいたる、約三十年間に執筆された作品を収録した。初期、戦時中、戦後、晩年にかけての作物がほぼ万遍なく集められ、短編、中編、武家もの、浪人もの、こっけいもの、町人もの、現代ものと配置されている。山本作品の多様な意匠を、とくと鑑賞ねがいたいのである。

『落武者日記』昭和十六年四月、作者三十七歳。日中戦争が泥沼状態におちいり、膠着《こうちゃく》した戦況を打開すべく、軍部がさらに日本のいのち取りとなった太平洋戦争への準備を、本格的に進めていたときの作品である。四月十三日松岡洋右《ようすけ》外相は、モスクワで日ソ中立条約に調印したが、日本の同盟国ドイツは六月、ソ連に対し宣戦を布告した。こうした時代を背景に描かれた敗残側の落武者の物語である。石田三成の家臣大畑祐八郎《ゆうはちろう》は、関ケ原合戦に敗れ、主君とも離れ離れになって落ちのびたものの、東軍の田中兵部《ひょうぶ》の手の者にとらえられ、徳川家康の前にひきすえられる。三成の行方を尋問されて、祐八郎は逆に三成の無事を知り、拷問《ごうもん》を覚悟で「主君、治部少輔《じぶしょうゆう》の殿の御在所は知っております」と昂然《こうぜん》と応《こた》える。家康は祐八郎の決死の容相から拷問の無駄を知り、彼を釈放する。もののふの潔《いさぎよ》い心ばえが家康を感じ入らせ、生命を長らえることができたのである。祐八郎をかくまった娘まつも共に許され、ふたりは彼女の家へ帰ってゆく。あとから跟《つ》けてくる隠密《おんみつ》に聞こえるように祐八郎は、「拙者は、このまま百姓になろうかとまで考えていますよ」とまつに言うのだが、おそらく彼のいうとおり、武士を捨てて帰農し、彼女と結ばれるだろうことを匂《にお》わせた幕切れに、すがすがしい余韻がただよう。〈ほどなく正面へ現われた人物は、髪毛《かみのけ》の半ば白くなった、赭顔《あからがお》の肥えた老人であった〉〈設けの床几《しょうぎ》へ静かに腰を下ろした家康は、瞼《まぶた》のたるんだ細い眼で、しばらく祐八郎の顔を見戍《みまも》っていたが、……やがて低い柔らかな声で呼びかけた〉。

家康を老獪《ろうかい》な人物とする評価は、戦時中はむしろ常識に近かった。しかし家康びいきだった作者は、彼をいかなる苦艱《くかん》にも耐え、思慮深く柔和な人物として描く。そこに山本流の時論への抵抗があったとも思われる。また当時は、生きて虜囚の辱《はずか》しめを受けず、とする戦陣訓的発想が、軍隊のみならず一般国民にまで、一方的に強要された時代でもあった。『落武者日記』は帰農して人間の原点に立ち戻ろうとする虜囚の爽《さわや》かな生き方を示し、時流に棹《さお》さそうとした山本の、ひそかなレジストだったとも読めるのである。

『若殿女難記』　昭和二十三年二月の作品である。作者四十四歳。連合軍の占領時代で生活諸物資の統制はまだ解除されず、戦争の傷跡は人々の心に深い影をおとしてはいたが、戦争から解放された喜びは、影の部分にはるかにまさるものだった。山本はこの年『寝ぼけ署長』や『失恋第五番』『失恋第六番』等の現代小説で、戦後日本の明と暗との世相や傷ついた日本人の心象風景を鋭く剔抉《てつけつ》する一方で、『艶妖記《えんようき》』『椿説《ちんせつ》女嫌い』『壱両千両』『三悪人物語』『真説吝嗇記《りんしよくき》』『人情裏長屋』『おしゃべり物語』等々、〝こっけいもの〟に属する小説の多くを発表している。作者が新しい時代を庶民とともに享受《きようじゆ》しようという姿勢が、戦前にはなかった筆の暢《の》びやかさにも現われているようである。『若殿女難記』は、細心に工夫されたなかなか手の込んだ小説である。

「／そのほう伝吉と余を袋井の宿ですゝり替えた積りであろう、だがその前夜すでに余は伝吉とすり替っていたのだ、袋井にいたのが伝吉で、あの前夜、金谷からまいったのが余自身であった、――これでもはや云うことはあるまい」

と若殿自身が、奸臣《かんしん》どもにタネ明かしをしてみせる、俗にいう〝替え玉物語〟のもひとつ裏をかいた〝替え玉物語〟の結構で一件落着、メデタシ、メデタシとなる。下品で伝法で女好きで、しかも女性にもてる人格と、一藩の世子となって佞奸《ねいかん》派を退治する若殿――という二つの人格を、たくみに使い分ける戯作《げさく》者山本周五郎の楽しみに弾《はず》む心音が、読者にもそのまま伝わってきそうな娯楽小説である。

『古い樫木《かしのき》』『若殿女難記』と同じく昭和二十三年、大佛次郎《おさらぎ》の主宰する「苦楽」六月号に発表されたシリアスな作品である。芸備五十万石の大守福島正則の扈従《こしょう》組の若侍富井主馬《しゅめ》が、表使いの女中と奥庭の枯れた樫木の陰で密会しているところを見付かった。正則は許してやるつもりだったのだが、糾問《きゅうもん》すると、恥じる様子もなくいかにも立派そうな言いわけを並べ立てるので、正則は憤って監禁し、死罪の日まで会話も交わすな、と言い渡す。奥庭の樫の大木は枯れていて、すんでに伐《き》り倒されるところだったのを彼は差し止めた。正則はこの木の傍にいるときにだけ安らかな気分になることができたからだ。正則が問いかけると樫木は答える、〈生きているうちはなにも見なかった／いのちが終りこのように枯れて、自然の休息にはいってから、おれはようやく見る物や経験することの意味がわかるようになったのさ〉。正則は何回か二人を見廻わりに行く。両名は態度を崩《くず》さず、永遠の愛の誓いの囁《ささや》きを交わすばかりだった。五十九歳、世の事象はほとんど見、経験し、家康から七代安堵《あんど》を保証された正則だが、彼らの態度は正則をいら立たせる。一方、戦場での手柄功名の空《むな》しさや、大大名とはいえ、いつ国替えを命じられるかもしれぬ不安、自分には帰る故郷もないという孤独が、正則をしめつける。半面、側室が産んだ幼い児《こ》らへの愛着――。鳥居忠政が訪ねてき、広島城の増築を理由に、突然、領地没収、津軽配流《はいる》の上意を伝える。いったんは切腹して幕府に反抗をと思う正則だが、結局は幕命に従うことにする。運命の逆転した正則は、若い男女を解き放ってやろうという。主馬らはあくまで正則につき従うと、純粋な視線を主君に注ぎ続ける。正則は樫木の元へゆき、〈堂々と倒れてくれ〉と語りかけ、斧《おの》を振りあげた――。

短編形式で、有為転変の人生を歩んだ五十九歳の武将の生涯が、枯れた樫木に託してみごとに描かれている。一種の諦観《ていかん》に達した福島正則の来し方に対し、これから新しい人の世の波風に向かっていこうとする富井主馬らの潔白な人生撰択《せんたく》が、鮮やかな対照の効果をなして、老成した作風を示し、シンとした感銘を呼ぶ。

『花も刀も』は昭和三十年一月から七月まで、大蔵財務協会が発行していた機関紙「税のしるべ」に発表された連載小説である。山本は前年の昭和二十九年七月から「日本経済新聞」に『樅《もみ》ノ木《き》は残った』を連載中であり、三十年に入ってから、この中編を擱筆《かくひつ》するまで、『大炊介始末《おおいのすけ》』『夜の辛夷《こぶし》』『かあちゃん』などの秀作を世に問い、いよいよ円熟を加えつつあった。『花も刀も』の主人公平手幹太郎は剣に志を立て、郷里の陸前から江戸に出、淵辺《ふちのべ》道場に入門、四年めの「稽古《けいこ》おさめ」で上席の五人を打ち負かし、同僚に祝福されて充実した心持ちで汗を流しに井戸端へ出てゆく、という明るい場面から、物語のページがめくられる。しかし、祝宴の後、道場主から言い渡されたのは、「これ以上わしの教えることはない」という冷酷な破門追放の宣告だった。

放逐された幹太郎は宿無しの身となり、本所四つ目の路地裏の長屋の軒下で雨宿りしていると、地回りふうの男にからまれ、痛めつけられる。救ったのはお豊《とよ》という十七歳の、小料理屋の女中をしている小娘だったが、彼女が妾《めかけ》づとめをすすめるならず者らの周旋を断わったことから、幹太郎や、面倒をみている少年幸坊の三人ともども、長屋を出ていかねばならないはめになる。切羽つまった幹太郎は道場時代に行ったことのある「島屋」の戸を叩《たた》いたが、道場での不首尾を知っているらしい女中頭は良い顔をせず、蒲団《ふとん》部屋につっこむという薄情さだ。

しかし幹太郎は、希望は失わなかった。幸運にも淵辺道場での親友秋田平八の斡旋《あっせん》で、伊達《だて》藩下屋敷の剣術指南のクチにありつき、住み込みで薄給ながら三人扶持《ぶち》という固定収入を得ることができた。だが復職を策謀する前師範の罠《わな》におち、再び召し放たれ、金杉橋に住居を与えたお豊も、幹太郎の消極的な愛情にしびれを切らして、囲われ者になり自堕落な生活におちてゆく。

それでもなお幹太郎は己れの前途に見切りをつけなかった。千葉周作道場に入門を許可された平手深喜《みき》（幹太郎）は、三年後、二十七歳ですでにやや別格にまで上達していた。深喜は著名な剣士大石進と立ち合い、その竹刀《しない》をはねとばしてしまう。大石は「御流儀とは違うようだし、これまでかつてみたことのない太刀筋」と評した。周作の教えは「技を使うな」ということであった。深喜は周作にきつく叱《しか》られる、「おまえには、まだわが流儀の精神がわからないのだな」。周作は説く。「私の流儀は不退転の精神を躰得《たいとく》することにある、生死に惑わず、大事に処して過たない金剛心《こんごうしん》、それを会得《えとく》することが目的なのだ、／勝敗に拘泥《こうでい》するな、技は末節にすぎない」

だが、勝つことは正しい、と信じた深喜はひそかに独自の技に励む。一方で深喜は大塩平八郎の大坂騒擾《そうじょう》事件について思う、〈政治や道義の頽廃《たいはい》を、暴挙によって改革しようとすることには反対〉だと。

深喜の生活は閉ざされたままだった。出稽古《でげいこ》も許されないし、伊達家の招待試合への出場者にも指名されない。秋田平八は無断で、故郷から出てきた深喜の妹とすでに同棲しているという。自分は余計者であり道化者にすぎないという自嘲の思いに駆られて、吉原へ遊びに行ったが空虚さは深喜について回わる。行き違った職人に肩をぶつけられた深喜は、ほとんど無意識に刀を抜いて相手を斬《き》ってしまう。抜き身を下げて深喜は暗いほうへ懸命に走る——。

『天保水滸伝《てんぽうすいこでん》』の主要登場人物〝平手造酒《みき》〟の暗い青春を描いた秀作である。希望に溢《あふ》れた開巻から、まじめに生きようとすればするほど、破局が幹太郎を招き寄せる。この構成は晩年の長編『虚空遍歴《こくう》』の中藤冲也《ちゆうや》の挫折《ざせつ》の過程に通じ合うものである。中藤冲也は彼の人生の終幕で、どこかで道にまよってしまったんだな、と呟《つぶや》く。幹太郎の場合も、彼自身の向日的な意思とはまったく裏腹に、人生舞台は逆回転するばかりだ。彼がお豊の望むがままに結ばれていたら、お豊の人生はおそらくより仕合わせなものになっただろう。幹太郎の破滅は、彼が真に師周作の教えを理解しえなかったところから結果した性格悲劇であるが、その点を指摘して幹太郎を人世の敗者だと単純に結論を出すことには、誰《だれ》しも躊躇《ちゆうちょ》を感ずるにちがいない。いかにまっとうに努力してもどこかで喰い違ってしまう人生があると、この小説は嘆息しているようだ。山本周五郎には数すくない〝八方めでたくない〟作品である。ただ親友秋田平八の幹太郎に対する変わらぬ善意の友情が、どこか『さぶ』におけるさぶの栄二への献身を連想させ、一条の光を投じているのが救いになっている。

『枕《まくら》を三度たたいた』昭和三十二年三月の作品である。「本当の小説は、五十歳を過ぎなければ描けぬものだ」というのが口ぐせだった山本の五十三歳のときの作物であって、思慮分別に長《た》けた組み立てが印象的だ。塚本林之助は、実は陰謀派の江戸家老穐村《あきむら》宗左衛門に、国許《くにもと》の軍用金三千両を運んで来るよう命令される。すでに命令を辞退したものが二人おり、林之助の友人たちは、拒絶せよと忠告する。しかし塚本は家老の命を承服して出立した。帰国の途次、金箱をつんだ荷駄の馬が逸走し、林之助も頭に怪我《けが》をして以後、林之助の言動がおかしくなる。江戸に着いた金箱から出てきたのは、鉛の棒だったが、林之助の記憶が戻らないので軍用金の所在は判然せず、ついに穐村派は総退陣になった。

そのあとで林之助は、三千両は藩の定宿である浜松の帯屋の奥蔵の藩の御用つづらに入れてきたことを、親友で寄合役肝煎《きもいり》に抜擢《ばってき》された小林主水《もんど》に明かすのである。『枕を三度たたいた』という題名は、林之助が、帯屋で寝るときに、場所を忘れないために、枕を三度たたいたところから名付けられた。『樅ノ木は残った』『屏風《びょうぶ》はたたまれた』『おたは嫌いだ』『その木戸を通って』などと同様、山本一流の標題である。事件のなりゆきを追いつめていくリズミカルな速度と、推理小説ふうのサスペンスに、

若干のこっけいみ。事件解決の第一の功労者塚本林之助だけが、恩賞にあずからず、
それで平然という、いかにも武士らしい清廉《せいれん》な態度が、さわやかな読後感の盛り上げ
に成功している。老練巧者の筆ならではの作品であろう。
『源蔵ケ原』昭和三十七年十二月、作者五十九歳。最晩年の短編である。
小料理屋に働く一人の少女お光に、六人の若者が恋をし、誰もがお光には手を出さ
ぬという約束を交わしたのだが、「いのちがけ」でお光を愛すると宣言した泰二が、
彼女と夫婦約束をすることになった。だがお光は突然、大川に身投げして自殺してし
まう。泰二は五人の仲間に糺問《きゅうもん》され、お光が身ごもっていたことを初めて知らされる。
その座は俄然《がぜん》〝犯人さがし〟の場に替わり、六人の若者たちの会話のやりとりから、
源蔵ケ原で、お光を無体に手ごめにしたのは忠太だったことが洗い出される。
宗吉、忠太、又次郎、市三、のろ、泰二が、小座敷で語り合う〝一場面もの〟に属
し、描写は極端に省略されており、ほとんどレーゼドラマに近い雰囲気《ふんいき》を持つ。短い
会話の交換の間に、各人の性格を明確な輪郭《りんかく》で照らし出し、しかも簡潔な状況の説明
と描写によって、〝ドラマ〟ではなくて、あくまで〝小説〟として表現しようとした
企ては、極めて困難であったはずだが、作者の試行は一応の成功を収めている。高度
の小説技術とはこのような作品に与えられる評価ではあるまいか。

『溜息《ためいき》の部屋』昭和八年四月、作者二十九歳。山手の並木街に添った古風な映画館に「溜息の部屋」という落書きのある楽屋を背景に織り成される人生図絵——。〝山手〟としか場所の指定はないが、作者がかつて住んだ神戸の山手周辺の風景が浮かんでくる。田中純一郎氏の教示によると、大正末期から昭和初期にかけて、神戸には直接、多数の洋画フィルムが舶来し、東京・横浜に優るとも劣らぬ映画のメッカだったとの由《よし》である。この作品も『源蔵ケ原』と同じく〝一場面もの〟に属している。芸術心を裡《うち》に抱きながらも落ちぶれた弁士や楽士たちの世界に、(亭主持ちではあるが)ひとりの向上心を失なわぬ女性歌手が加入したことで楽屋の暗鬱《あんうつ》な空気は一変し、楽屋番の老人の溜息も聞こえなくなってしまう。しかし彼女が不意に喀血《かっけつ》して劇場を去ったのち、再び楽屋は荒れ、老人の溜息がよみがえる——。上海《シャンハイ》事変から支那《シナ》事変に挟まれた片時の、平穏ながら陰気な世相が鋭くとらえられている。山本の現代ものに共通する、大正から昭和へかけての〝バタ臭さ〟が、主題とよくマッチして、ここでは不思議な効果をあげている。

『正体』昭和十一年三月の作。『溜息の部屋』と同じく、当時、新進・中堅作家にとっては、格好の前衛手法の〝試合場〟だった「アサヒグラフ」に発表された。作者の神戸時代の体験を基調に、小説的空想を膨《ふく》らませたものと思われる。神戸居住の友人、画家龍助キトクの報に、東京から駆けつけた津川は、龍助の妻佐知子とはただならぬ仲である。龍助の死には間に合わなかった。友人八木の話では、生前、龍助は妻の肖像や裸体をしきりに描きまくったという。中に一点、遺作展には出陳をはばかられる全裸の大作八十号があった。画調が猥《みだ》りにすぎるのだ。通夜《つや》が終わって帰京するという津川に、佐知子は嬌《なま》めかしく、「一日お延ばしなさい、明日の晩七時頃に野村（宿屋）へお伺いしてよ」という。津川はそのとき、それが龍助の描こうとして果たせなかった佐知子の〝正体〟だったと気付く。彼は彼女の正体を摑《つか》もうとして却《かえ》って別なものをつくりあげてしまったのだ。「あの八十号の裸体こそ、彼女の正体をつきとめていたのだ、だが——彼にとってはあれは失敗の作でしかなかった」津川は息詰まるようにしわぶく。

女人における神性と獣性。作者はここではとくに獣性にライトを当て、女性の正体の謎《なぞ》を解く鍵《かぎ》を摸索《もさく》しようとしている。

（昭和五十七年三月、文芸評論家）

山本周五郎著

日本婦道記

厳しい武家の定めの中で、愛する人のために生き抜いた女性たちの清々しいまでの強靭さと、凛然たる美しさや哀しさが溢れる31編。

山本周五郎著

青べか物語

うらぶれた漁師町・浦粕に住み着いた私はボロ舟「青べか」を買わされた――。狡猾だが世話好きの愛すべき人々を描く自伝的小説。

山本周五郎著

柳橋物語・むかしも今も

幼い恋を信じた女を襲う悲運「柳橋物語」。愚直な男が摑んだ幸せ「むかしも今も」。男女それぞれの一途な愛の行方を描く傑作二編。

山本周五郎著

五瓣の椿

連続する不審死。胸には銀の釵が打ち込まれ、傍らには赤い椿の花びら。おしのの復讐は完遂するのか。ミステリー仕立ての傑作長編。

山本周五郎著

赤ひげ診療譚

貧しい者への深き愛情から〝赤ひげ〟と慕われる、小石川養生所の新出去定。見習医師との魂のふれあいを描く医療小説の最高傑作。

山本周五郎著

大《おお》炊《いの》介《すけ》始末

自分の出生の秘密を知った大炊介が、狂態を装って父に憎まれようとする姿を描く「大炊介始末」のほか、「よじょう」等、全10編を収録。

山本周五郎著
日日平安
橋本左内の最期を描いた「城中の霜」、武士のまごころを描く「水戸梅譜」、お家騒動をユーモラスにとらえた「日日平安」など、全11編。

山本周五郎著
季節のない街
生きてゆけるだけ、まだ仕合わせさ——。貧民街で日々の暮らしに追われる住人たちの15の悲喜を描いた、人生派・山本周五郎の傑作。

山本周五郎著
おさん
純真な心を持ちながら男から男へわたらずにはいられないおさん——可愛いおんなであるがゆえの宿命の哀しさを描く表題作など10編。

山本周五郎著
おごそかな渇き
〝現代の聖書〟として世に問うべき構想を練った絶筆「おごそかな渇き」など、人生の真実を求めてさすらう庶民の哀歓を謳った10編。

山本周五郎著
つゆのひぬま
娼家に働く女の一途なまごころに、虐げられた不信の心が打負かされる姿を感動的に描いた人間讃歌「つゆのひぬま」等9編を収める。

山本周五郎著
ひとごろし
藩一番の臆病者といわれた若侍が、奇想天外な方法で果した上意討ち！ 他に〝無償の奉仕〟を描く「裏の木戸はあいている」等9編。

山本周五郎著
一人ならじ
合戦の最中、敵が壊そうとする橋を、自分の足を丸太代りに支えて片足を失った武士を描く表題作等、無名の武士の心ばえを捉えた14編。

山本周五郎著
人情裏長屋
居酒屋で、いつも黙って飲んでいる一人の浪人の胸のすく活躍と人情味あふれる子育ての物語「人情裏長屋」など、〝長屋もの〟11編。

山本周五郎著
花杖記
父を殿中で殺され、家禄削減を申し渡された加乗与四郎が、事件の真相をあばくまでの記録「花杖記」など、武家社会を描き出す傑作集。

山本周五郎著
扇野
なにげない会話や、ふとした独白のなかに男女のふれあいの機微と、人生の深い意味を伝える〝愛情もの〟の秀作9編を選りすぐった。

山本周五郎著
寝ぼけ署長
署でも官舎でもぐうぐう寝てばかりの〝寝ぼけ署長〟こと五道三省が人情味あふれる方法で難事件を解決する。周五郎唯一の警察小説。

山本周五郎著
あんちゃん
妹に対して道ならぬ感情を持った兄の苦悶とその思いがけない結末を通して、人間関係の不思議さを凝視した表題作など8編を収める。

山本周五郎著
朝顔草紙
顔も見知らぬ許婚同士が、十数年の愛情をつらぬき藩の奸物を討って結ばれるまでを描いた表題作ほか、「違う平八郎」など全12編収録。

山本周五郎著
夜明けの辻
藩の内紛にまきこまれた二人の青年武士の、友情の破綻と和解までを描いた表題作や、〝こっけい物〟の佳品「嫁取り二代記」など11編。

山本周五郎著
明和絵暦
尊王思想の先駆者・山県大弐とその教えをめぐり対立する青年藩士たちの志とは——剣戟あり、悲恋あり、智謀うずまく傑作歴史活劇。

山本周五郎著
生きている源八
どんな激戦に臨んでもいつも生きて還ってくる兵庫源八郎。その細心にして豪胆な戦いぶりに作者の信念が託された表題作など12編。

山本周五郎著
人情武士道
昔、縁談の申し込みを断られた女から夫の仕官の世話を頼まれた武士がとる思いがけない行動を描いた表題作など、初期の傑作12編。

山本周五郎著
酔いどれ次郎八
上意討ちを首尾よく果たした二人の武士に襲いかかる苛酷な運命のいたずらを通し、著者の人間観を際立たせた表題作など11編を収録。

山本周五郎著

与之助の花

ふとした不始末からごろつき侍にゆすられる身となった与之助の哀しい心の様を描いた表題作ほか、「奇縁無双」など全13編を収録。

山本周五郎著

ならぬ堪忍

生命を賭けるに値する真の〝堪忍〟とは――。「ならぬ堪忍」他「宗近新八郎」「鏡」など、著者の人生観が滲み出る戦前の短編全13作。

山本周五郎著

正雪記（上・下）

染屋職人の伜から、〝侍になる〟野望を抱いて出奔した正雪の胸に去来する権力への怒り。超大な江戸幕府に挑戦した巨人の壮絶な生涯。

山本周五郎著

風流太平記

江戸後期、ひそかにイスパニアから武器を密輸して幕府転覆をはかる紀州徳川家。この大陰謀に立ち向かう花田三兄弟の剣と恋の物語。

山本周五郎著

泣き言はいわない

ひたすら〝人間の真実〟を追い求めた孤高の作家、周五郎ならではの、重みと暗示をたたえた言葉455。生きる勇気を与えてくれる名言集。

山本周五郎著

周五郎少年文庫

臆病一番首

―時代小説集―

合戦が終わるまで怯えて身を隠している「違う方の」本多平八郎の奮起を描く表題作等、少年向け時代小説に新発見2編を加えた21編。

山本周五郎著

樅ノ木は残った

毎日出版文化賞受賞（上・中・下）

仙台藩主・伊達綱宗の逼塞。藩士四名の暗殺と幕府の罠――。伊達騒動で暗躍した原田甲斐の人間味溢れる肖像を描き出した歴史長編。

山本周五郎著

さ ぶ

職人仲間のさぶと栄二。濡れ衣を着せられ捨鉢になる栄二を、さぶは忍耐強く支える。友情を通じて人間のあるべき姿を描く時代長編。

山本周五郎著

虚空遍歴（上・下）

侍の身分を捨て、芸道を究めるために一生を賭けて悔いることのなかった中藤冲也――苛酷な運命を生きる真の芸術家の姿を描き出す。

山本周五郎著

ながい坂（上・下）

人生は、長い坂。重い荷を背負い、一歩一歩、確かめながら上るのみ――。一人の男の孤独で厳しい半生を描く、周五郎文学の到達点。

山本周五郎著

風雲海南記

西条藩主の家系でありながら双子の弟に生まれたため幼くして寺に預けられた英三郎が、御家騒動を陰で操る巨悪と戦う。幻の大作。

山本周五郎著

栄花物語

非難と悪罵を浴びながら、頑ななまでに意志を貫いて政治改革に取り組んだ老中田沼意次父子を、時代の先覚者として描いた歴史長編。

山本周五郎著

天地静大（上・下）

変革の激浪の中に生き、死んでいった小藩の若者たち――幕末を背景に、人間の弱さ、空しさ、学問の厳しさなどを追求する雄大な長編。

山本周五郎著

山彦乙女

徳川の天下に武田家再興を図るみどう一族と武田家の遺産の謎にとりつかれた江戸の若侍。著者の郷里が舞台の、怪奇幻想の大ロマン。

山本周五郎著

彦左衛門外記

身分違いを理由に大名の姫から絶縁された旗本が、失意の内に市井に隠棲した大伯父を天下の御意見番に仕立て上げる奇想天外の物語。

山本周五郎著

楽天旅日記

お家騒動の渦中に投げ込まれた世間知らずの若殿の眼を通し、現実政治に振りまわされる人間たちの愚かさとはかなさを諷刺した長編。

池波正太郎
平岩弓枝
松本清張
山本周五郎
宮部みゆき著

親不孝長屋
―人情時代小説傑作選―

親の心、子知らず、子の心、親知らず――。名うての人情ものの名手五人が親子の情愛を描く。感涙必至の人情時代小説、名品五編。

池波正太郎著

忍者丹波大介

関ケ原の合戦で徳川方が勝利し時代の波の中で失われていく忍者の世界の信義……一匹狼となり暗躍する丹波大介の凄絶な死闘を描く。

花《はな》も刀《かたな》も

新潮文庫　や - 2 - 38

昭和五十七年四月二十五日 発行
平成十五年十一月三十日 三十一刷改版
令和四年四月五日 三十八刷

著者　山《やま》本《もと》周《しゅう》五《ご》郎《ろう》

発行者　佐藤隆信

発行所　株式会社新潮社
郵便番号 一六二―八七一一
東京都新宿区矢来町七一
電話 編集部(〇三)三二六六―五四四〇
読者係(〇三)三二六六―五一一一
http://www.shinchosha.co.jp

価格はカバーに表示してあります。

乱丁・落丁本は、ご面倒ですが小社読者係宛ご送付ください。送料小社負担にてお取替えいたします。

印刷・錦明印刷株式会社　製本・錦明印刷株式会社

Printed in Japan

ISBN978-4-10-113439-0 C0193